AÑO 2022: TU HORÓSCOPO PERSONAL

Joseph Polansky

Año 2022:
Tu horóscopo personal

Previsiones mes a mes
para cada signo

Traducción de Núria Martí

Kepler

Argentina – Chile – Colombia – España
Estados Unidos – México – Perú – Uruguay

Título original: *Your Personal Horoscope 2022*
Editor original: Aquarium, An Imprint of HarperCollins Publishers
Traducción: Núria Martí

ISBN: 978-84-16344-58-1
E-ISBN: 978-84-18259-98-2
Depósito Legal: B-6.122-2021

Fotocomposición: Ediciones Urano, S.A.U.
Impreso por Romanyà-Valls, S.A. – Verdaguer, 1 – 08786 Capellades (Barcelona)

Impreso en España – *Printed in Spain*

Índice

Introducción

He escrito este libro para todas aquellas personas que deseen sacar provecho de los beneficios de la astrología y aprender algo más sobre cómo influye en nuestra vida cotidiana esta ciencia tan vasta, compleja e increíblemente profunda. Espero que después de haberlo leído, comprendas algunas de las posibilidades que ofrece la astrología y sientas ganas de explorar más este fascinante mundo.

Te considero, lector o lectora, mi cliente personal. Por el estudio de tu horóscopo solar me doy cuenta de lo que ocurre en tu vida, de tus sentimientos y aspiraciones, y de los retos con que te enfrentas. Después analizo todos estos temas lo mejor posible. Piensa que lo único que te puede ayudar más que este libro es tener tu propio astrólogo particular.

Escribo como hablaría a un cliente. Así pues, la sección correspondiente a cada signo incluye los rasgos generales, las principales tendencias para el 2020 y unas completas previsiones mes a mes. He hecho todo lo posible por expresarme de un modo sencillo y práctico, y he añadido un glosario de los términos que pueden resultarte desconocidos. Los rasgos generales de cada signo te servirán para comprender tu naturaleza y la de las personas que te rodean. Este conocimiento te ayudará a tener menos prejuicios y a ser más tolerante contigo y con los demás. La primera ley del Universo es que todos debemos ser fieles a nosotros mismos; así pues, las secciones sobre los rasgos generales de cada signo están destinadas a fomentar la autoaceptación y el amor por uno mismo, sin los cuales es muy difícil, por no decir imposible, aceptar y amar a los demás.

Si este libro te sirve para aceptarte más y conocerte mejor, entonces quiere decir que ha cumplido su finalidad. Pero la astrología tiene otras aplicaciones prácticas en la vida cotidiana: nos explica hacia dónde va nuestra vida y la de las personas que nos rodean. Al leer este libro comprenderás que, si bien las corrientes cósmicas no nos obligan, sí nos impulsan en ciertas direcciones. Las secciones «Horóscopo para el año 2020» y «Previsiones mes a mes» están destinadas a orientarte a través de los movimientos e influencias de los planetas, para que te resulte más fácil dirigir tu vida en la dirección deseada y sacar el mejor partido del año que te aguarda. Estas previsiones abarcan orientaciones concretas en los aspectos que más nos interesan a todos: salud, amor, vida familiar, profesión, situación económica y progreso personal. Si en un mes determinado adviertes que un compañero de trabajo, un hijo o tu pareja está más irritable o quisquilloso que de costumbre, verás el porqué cuando leas sus correspondientes previsiones para ese mes. Eso te servirá para ser una persona más tolerante y comprensiva.

Una de las partes más útiles de este libro es la sección sobre los mejores días y los menos favorables que aparece al comienzo de cada previsión mensual. Esa sección te servirá para hacer tus planes y remontar con provecho la corriente cósmica. Si programas tus actividades para los mejores días, es decir, aquellos en que tendrás más fuerza y magnetismo, conseguirás más con menos esfuerzo y aumentarán con creces tus posibilidades de éxito. De igual modo, en los días menos favorables es mejor que evites las reuniones importantes y que no tomes decisiones de peso, ya que en esos días los planetas primordiales de tu horóscopo estarán retrógrados (es decir, retrocediendo en el zodiaco).

En la sección «Principales tendencias» se indican las épocas en que tu vitalidad estará fuerte o débil, o cuando tus relaciones con los compañeros de trabajo o los seres queridos requerirán un esfuerzo mayor por tu parte. En la introducción de los rasgos generales de cada signo, se indican cuáles son sus piedras, colores y aromas, sus necesidades y virtudes y otros elementos importantes. Se puede aumentar la energía y mejorar la creatividad y la sensación general de bienestar de modo creativo, por ejemplo usando los aromas, colores y piedras del propio signo, decorando la casa con esos colores, e incluso visualizándolos alrededor de uno antes de dormirse.

Es mi sincero deseo que *Año 2020: Tu horóscopo personal* mejore tu calidad de vida, te haga las cosas más fáciles, te ilumine el camino, destierre las oscuridades y te sirva para tomar más conciencia de tu conexión con el Universo. Bien entendida y usada con juicio, la astrología es una guía para conocernos a nosotros mismos y comprender mejor a las personas que nos rodean y las circunstancias y situaciones de nuestra vida. Pero ten presente que lo que hagas con ese conocimiento, es decir, el resultado final, depende exclusivamente de ti.

Glosario de términos astrológicos

Ascendente

Tenemos la experiencia del día y la noche debido a que cada 24 horas la Tierra hace una rotación completa sobre su eje. Por ello nos parece que el Sol, la Luna y los planetas salen y se ponen. El zodiaco es un cinturón fijo que rodea la Tierra (imaginario pero muy real en un sentido espiritual). Como la Tierra gira, el observador tiene la impresión de que las constelaciones que dan nombre a los signos del zodiaco aparecen y desaparecen en el horizonte. Durante un periodo de 24 horas, cada signo del zodiaco pasará por el horizonte en un momento u otro. El signo que está en el horizonte en un momento dado se llama ascendente o signo ascendente. El ascendente es el signo que indica la imagen de la persona, cómo es su cuerpo y el concepto que tiene de sí misma: su yo personal, por oposición al yo espiritual, que está indicado por su signo solar.

Aspectos

Los aspectos son las relaciones angulares entre los planetas, el modo como se estimulan o se afectan los unos a los otros. Si dos planetas forman un aspecto (conexión) armonioso, tienden a estimularse de un modo positivo y útil. Si forman un aspecto difícil, se influyen mutuamente de un modo tenso, lo cual provoca alteraciones en la influencia normal de esos planetas.

Casas

Hay doce signos del zodiaco y doce casas o áreas de experiencia. Los doce signos son los tipos de personalidad y las diferentes maneras que tiene de expresarse un determinado planeta. Las casas indican en qué ámbito de la vida tiene lugar esa expresión (véase la lista de más abajo). Una casa puede adquirir fuerza e importancia, y convertirse en una casa poderosa, de distintas maneras: si contiene al Sol, la Luna o el regente de la carta astral, si contiene a más de un planeta, o si el regente de la casa está recibiendo un estímulo excepcional de otros planetas.

Primera casa: cuerpo e imagen personal.
Segunda casa: dinero y posesiones.
Tercera casa: comunicación.
Cuarta casa: hogar, familia y vida doméstica.
Quinta casa: diversión, creatividad, especulaciones y aventuras amorosas.
Sexta casa: salud y trabajo.
Séptima casa: amor, romance, matrimonio y asociaciones.
Octava casa: eliminación, transformación y dinero de otras personas.
Novena casa: viajes, educación, religión y filosofía.
Décima casa: profesión.
Undécima casa: amigos, actividades en grupo y deseos más queridos.
Duodécima casa: sabiduría espiritual y caridad.

Fases de la Luna

Pasada la Luna llena, parece como si este satélite (visto desde la Tierra) se encogiera, disminuyendo poco a poco de tamaño hasta volverse prácticamente invisible a simple vista, en el momento de la Luna nueva. A este periodo se lo llama fase *menguante* o Luna menguante.

Pasada la Luna nueva, nuestro satélite (visto desde la Tierra) va creciendo paulatinamente hasta llegar a su tamaño máximo en el momento de la Luna llena. A este periodo se lo llama fase *creciente* o Luna creciente.

Fuera de límites

Los planetas se mueven por nuestro zodiaco en diversos ángulos en relación al ecuador celeste (si se prolonga el ecuador terrestre hacia el Universo se obtiene el ecuador celeste). El Sol, que es la influencia más dominante y poderosa del sistema solar, es la unidad de medida que se usa en astrología. El Sol nunca se aparta más de aproximadamente 23 grados al norte o al sur del ecuador celeste. Cuando el Sol llega a su máxima distancia al sur del ecuador celeste, es el solsticio de invierno (declinación o descenso) en el hemisferio norte y de verano (elevación o ascenso) en el hemisferio sur; cuando llega a su máxima distancia al norte del ecuador celeste, es el solsticio de verano en el hemisferio norte y de invierno en el hemisferio sur. Si en cualquier momento un planeta sobrepasa esta frontera solar, como sucede de vez en cuando, se dice que está «fuera de límites», es decir, que se ha introducido en territorio ajeno, más allá de los límites marcados por el Sol, que es el regente del sistema solar. En esta situación el planeta adquiere más importancia y su poder aumenta, convirtiéndose en una influencia importante para las previsiones.

Karma

El karma es la ley de causa y efecto que rige todos los fenómenos. La situación en la que nos encontramos se debe al karma, a nuestros actos del pasado. El Universo es un instrumento tan equilibrado que cualquier acto desequilibrado pone inmediatamente en marcha las fuerzas correctoras: el karma.

Modos astrológicos

Según su modo, los doce signos del zodiaco se dividen en tres grupos: *cardinales, fijos* y *mutables.*

El modo *cardinal* es activo e iniciador. Los signos cardinales (Aries, Cáncer, Libra y Capricornio) son buenos para poner en marcha nuevos proyectos.

El modo *fijo* es estable, constante y resistente. Los signos fijos (Tauro, Leo, Escorpio y Acuario) son buenos para continuar las cosas iniciadas.

El modo *mutable* es adaptable, variable y con tendencia a buscar el equilibrio. Los signos mutables (Géminis, Virgo, Sagitario y Piscis) son creativos, aunque no siempre prácticos.

Movimiento directo

Cuando los planetas se mueven hacia delante por el zodiaco, como hacen normalmente, se dice que están «directos».

Movimiento retrógrado

Los planetas se mueven alrededor del Sol a diferentes velocidades. Mercurio y Venus lo hacen mucho más rápido que la Tierra, mientras que Marte, Júpiter, Saturno, Urano, Neptuno y Plutón lo hacen más lentamente. Así, hay periodos durante los cuales desde la Tierra da la impresión de que los planetas retrocedieran. En realidad siempre avanzan, pero desde nuestro punto de vista terrestre parece que fueran hacia atrás por el zodiaco durante cierto tiempo. A esto se lo llama movimiento retrógrado, que tiende a debilitar la influencia normal de los planetas.

Natal

En astrología se usa esta palabra para distinguir las posiciones planetarias que se dieron en el momento del nacimiento (natales) de las posiciones por tránsito (actuales). Por ejemplo, la expresión Sol natal hace alusión a la posición del Sol en el momento del nacimiento de una persona; Sol en tránsito se refiere a la posición actual del Sol en cualquier momento dado, que generalmente no coincide con la del Sol natal.

Planetas lentos

A los planetas que tardan mucho tiempo en pasar por un signo se los llama planetas lentos. Son los siguientes: Júpiter (que permanece alrededor de un año en cada signo), Saturno (dos años y medio), Urano (siete años), Neptuno (catorce años) y Plutón (entre doce y treinta años). Estos planetas indican las tendencias que habrá durante un periodo largo de tiempo en un determinado ámbito de la vida, y son importantes, por lo tanto, en las previsiones a largo plazo. Dado que estos planetas permanecen tanto tiempo en un signo, hay periodos durante el año en que contactan con los planetas rápidos, y estos activan aún más una determinada casa, aumentando su importancia.

Planetas rápidos

Son los planetas que cambian rápidamente de posición: la Luna (que solo permanece dos días y medio en cada signo), Mercurio (entre veinte y treinta días), el Sol (treinta días), Venus (alrededor de un mes) y Marte (aproximadamente dos meses). Dado que estos planetas pasan tan rápidamente por un signo, sus efectos suelen ser breves. En un horóscopo indican las tendencias inmediatas y cotidianas.

Tránsitos

Con esta palabra se designan los movimientos de los planetas en cualquier momento dado. En astrología se usa la palabra «tránsito» para distinguir un planeta natal de su movimiento actual en los cielos. Por ejemplo, si en el momento de tu nacimiento Saturno estaba en Cáncer en la casa ocho, pero ahora está pasando por la casa tres, se dice que está «en tránsito» por la casa tres. Los tránsitos son una de las principales herramientas con que se trabaja en la previsión de tendencias.

Aries

El Carnero
Nacidos entre el 21 de marzo y el 20 de abril

Rasgos generales

ARIES DE UN VISTAZO

Elemento: Fuego

Planeta regente: Marte
  Planeta de la profesión: Saturno
  Planeta del amor: Venus
  Planeta del dinero: Venus
  Planeta del hogar y la vida familiar: la Luna
  Planeta de la riqueza y la buena suerte: Júpiter

Colores: Carmín, rojo, escarlata
  Colores que favorecen el amor, el romance y la armonía social:
    Verde, verde jade
  Color que favorece la capacidad de ganar dinero: Verde

Piedra: Amatista

Metales: Hierro, acero

Aroma: Madreselva

Modo: Cardinal (= actividad)

Cualidad más necesaria para el equilibrio: Cautela

Virtudes más fuertes: Abundante energía física, valor, sinceridad, independencia, confianza en uno mismo

Necesidad más profunda: Acción

Lo que hay que evitar: Prisa, impetuosidad, exceso de agresividad, temeridad

Signos globalmente más compatibles: Leo, Sagitario

Signos globalmente más incompatibles: Cáncer, Libra, Capricornio

Signo que ofrece más apoyo laboral: Capricornio

Signo que ofrece más apoyo emocional: Cáncer

Signo que ofrece más apoyo económico: Tauro

Mejor signo para el matrimonio y/o las asociaciones: Libra

Signo que más apoya en proyectos creativos: Leo

Mejor signo para pasárselo bien: Leo

Signos que más apoyan espiritualmente: Sagitario, Piscis

Mejor día de la semana: Martes

La personalidad Aries

Aries es el activista por excelencia del zodiaco. Su necesidad de acción es casi una adicción, y probablemente con esta dura palabra la describirían las personas que no comprenden realmente la personalidad ariana. En realidad, la «acción» es la esencia de la psicología de los Aries, y cuanto más directa, contundente y precisa, mejor. Si se piensa bien en ello, este es el carácter ideal para el guerrero, el pionero, el atleta o el directivo.

A los Aries les gusta que se hagan las cosas, y suele ocurrir que en su entusiasmo y celo pierden de vista las consecuencias para ellos mismos y los demás. Sí, ciertamente se esfuerzan por ser diplomáticos y actuar con tacto, pero les resulta difícil. Cuando lo hacen tienen la impresión de no ser sinceros, de actuar con falsedad. Les cuesta incluso comprender la actitud del diplomático, del creador de consenso, de los ejecutivos; todas estas personas se pasan la vida en interminables reuniones, conversaciones y negociaciones, todo lo cual parece una gran pérdida de tiempo cuando hay tanto trabajo por hacer, tantos logros reales por alcanzar. Si se le explica, la persona Aries es capaz de comprender que las conversaciones y negociaciones y la armonía social conducen en último término a acciones mejores y más eficaces. Lo interesante es que un Aries rara vez es una persona de mala voluntad o malévola, ni siquiera cuando está librando una guerra. Los Aries luchan sin sentir odio por sus contrincantes. Para ellos todo es una amistosa diversión, una gran aventura, un juego.

Ante un problema, muchas personas se dicen: «Bueno, veamos de qué se trata; analicemos la situación». Pero un Aries no; un Aries piensa: «Hay que hacer algo; manos a la obra». Evidentemente ninguna de estas dos reacciones es la respuesta adecuada siempre. A veces es necesario actuar, otras veces, pensar. Sin embargo, los Aries tienden a inclinarse hacia el lado de la acción, aunque se equivoquen.

Acción y pensamiento son dos principios totalmente diferentes. La actividad física es el uso de la fuerza bruta. El pensamiento y la reflexión nos exigen no usar la fuerza, estar quietos. No es conveniente que el atleta se detenga a analizar su próximo movimiento, ya que ello solo reducirá la rapidez de su reacción. El atleta debe actuar instintiva e instantáneamente. Así es como tienden a comportarse en la vida las personas Aries. Son rápidas e instintivas para tomar decisiones, que tienden a traducirse en acciones casi de inmediato. Cuando la intuición es fina y aguda, sus actos son poderosos y eficaces. Cuando les falla la intuición, pueden ser desastrosos.

Pero no vayamos a creer que esto asusta a los Aries. Así como un buen guerrero sabe que en el curso de la batalla es posible que reciba unas cuantas heridas, la persona Aries comprende, en algún profundo rincón de su interior, que siendo fiel a sí misma es posible que incurra en uno o dos desastres. Todo forma parte del juego. Los Aries se sienten lo suficientemente fuertes para capear cualquier tormenta.

Muchos nativos de Aries son intelectuales; pueden ser pensadores profundos y creativos. Pero incluso en este dominio tienden a ser pioneros y francos, sin pelos en la lengua. Este tipo de Aries suele elevar (o sublimar) sus deseos de combate físico con combates intelectuales y mentales. Y ciertamente resulta muy convincente.

En general, los Aries tienen una fe en sí mismos de la que deberíamos aprender los demás. Esta fe básica y sólida les permite superar las situaciones más tumultuosas de la vida. Su valor y su confianza en sí mismos hacen de ellos líderes naturales. Su liderazgo funciona más en el sentido de dar ejemplo que de controlar realmente a los demás.

Situación económica

Los Aries suelen destacar en el campo de la construcción y como agentes de la propiedad inmobiliaria. Para ellos el dinero es menos importante de por sí que otras cosas, como por ejemplo la acción, la aventura, el deporte, etc. Sienten la necesidad de apoyar a sus socios y colaboradores y de gozar de su aprecio y buena opinión. El dinero en cuanto medio para obtener placer es otra importante motivación. Aries funciona mejor teniendo su propio negocio, o como directivo o jefe de departamento en una gran empresa. Cuantas menos órdenes reciba de un superior, mucho mejor. También trabaja más a gusto al aire libre que detrás de un escritorio.

Los Aries son muy trabajadores y poseen muchísimo aguante; pueden ganar grandes sumas de dinero gracias a la fuerza de su pura energía física.

Venus es su planeta del dinero, lo cual significa que necesitan cultivar más las habilidades sociales para convertir en realidad todo su potencial adquisitivo. Limitarse a hacer el trabajo, que es en lo que destacan los Aries, no es suficiente para tener éxito económico. Para conseguirlo necesitan la colaboración de los demás: sus clientes y colaboradores han de sentirse cómodos y a gusto. Para tener éxito, es necesario tratar debidamente a muchas personas. Cuando los Aries desarrollan estas capacidades, o contratan a alguien que se encargue de esa parte del trabajo, su potencial de éxito económico es ilimitado.

Profesión e imagen pública

Se podría pensar que una personalidad pionera va a romper con las convenciones sociales y políticas de la sociedad, pero este no es el caso de los nacidos en Aries. Son pioneros dentro de los marcos convencionales, en el sentido de que prefieren iniciar sus propias empresas o actividades en el seno de una industria ya establecida que trabajar para otra persona.

En el horóscopo solar de los Aries, Capricornio está en la cúspide de la casa diez, la de la profesión, y por lo tanto Saturno es el planeta que rige su vida laboral y sus aspiraciones profesionales. Esto nos dice algunas cosas interesantes acerca del carácter ariano. En primer lugar nos dice que para que los Aries conviertan en realidad todo su potencial profesional es necesario que cultiven algunas cualidades que son algo ajenas a su naturaleza básica. Deben ser mejores administradores y organizadores. Han de ser capaces de manejar mejor los detalles y de adoptar una perspectiva a largo plazo de sus proyectos y de su profesión en general. Nadie puede derrotar a un Aries cuando se trata de objetivos a corto plazo, pero una carrera profesional es un objetivo a largo plazo, que se construye a lo largo del tiempo. No se puede abordar con prisas ni «a lo loco».

A algunos nativos de Aries les cuesta mucho perseverar en un proyecto hasta el final. Dado que se aburren con rapidez y están continuamente tras nuevas aventuras, prefieren pasarle a otra persona el proyecto que ellos han iniciado para emprender algo nuevo. Los Aries que aprendan a postergar la búsqueda de algo nuevo hasta haber terminado lo viejo, conseguirán un gran éxito en su trabajo y en su vida profesional.

En general, a las personas Aries les gusta que la sociedad las juzgue por sus propios méritos, por sus verdaderos logros. Una reputación basada en exageraciones o propaganda les parece falsa.

Amor y relaciones

Tanto para el matrimonio como para otro tipo de asociaciones, a los Aries les gustan las personas pasivas, amables, discretas y diplomáticas, que tengan las habilidades y cualidades sociales de las que ellos suelen carecer. Nuestra pareja y nuestros socios siempre representan una parte oculta de nosotros mismos, un yo que no podemos expresar personalmente.

Hombre o mujer, la persona Aries suele abordar agresivamente lo que le gusta. Su tendencia es lanzarse a relaciones y matrimonios. Esto es particularmente así si además del Sol tiene a Venus en su signo. Cuando a Aries le gusta alguien, le costará muchísimo aceptar un no y multiplicará los esfuerzos para vencer su resistencia.

Si bien la persona Aries puede ser exasperante en las relaciones, sobre todo cuando su pareja no la comprende, jamás será cruel ni rencorosa de un modo consciente y premeditado. Simplemente es tan independiente y está tan segura de sí misma que le resulta casi imposible comprender el punto de vista o la posición de otra persona. A eso se debe que Aries necesite tener de pareja o socio a alguien que tenga muy buena disposición social.

En el lado positivo, los Aries son sinceros, personas en quienes uno se puede apoyar y con quienes siempre se sabe qué terreno se pisa. Lo que les falta de diplomacia lo compensan con integridad.

Hogar y vida familiar

Desde luego, el Aries es quien manda en casa, es el Jefe. Si es hombre, tenderá a delegar los asuntos domésticos en su mujer. Si es mujer, querrá ser ella quien lleve la batuta. Tanto los hombres como las mujeres Aries suelen manejar bien los asuntos domésticos, les gustan las familias numerosas y creen en la santidad e importancia de la familia. Un Aries es un buen miembro de la familia, aunque no le gusta especialmente estar en casa y prefiere vagabundear un poco.

Para ser de naturaleza tan combativa y voluntariosa, los Aries saben ser sorprendentemente dulces, amables e incluso vulnerables con su pareja y sus hijos. En la cúspide de su cuarta casa solar, la del hogar y la familia, está el signo de Cáncer, regido por la Luna. Si en su carta natal la Luna está bien aspectada, es decir, bajo influencias favorables, la persona Aries será afectuosa con su familia y deseará tener una vida familiar que la apoye y la nutra afectivamente. Tanto a la mujer como al hombre Aries le gusta llegar a casa después de un arduo día en el campo de batalla de la vida y encontrar los brazos comprensivos de su pareja, y el amor y el apoyo incondicionales de su familia. Los Aries piensan que fuera, en el mundo, ya hay suficiente «guerra», en la cual les gusta participar, pero cuando llegan a casa, prefieren la comodidad y el cariño.

Horóscopo para el año 2022*

Principales tendencias

La situación empezó a ser más venturosa para ti a finales de 2020 y en 2021. Tu salud y energía están mejorando mucho y lo seguirán haciendo. Volveremos a este tema más adelante.

Te espera un año feliz también en otros aspectos. Júpiter ingresará en tu signo este año. Ocurrirá el 11 de mayo. Lo abandonará en su movimiento retrógrado el 29 de octubre y volverá a visitarlo el 21 de diciembre. (La conducta de Júpiter será un poco inusual este año, se alojará cerca de seis meses en tu duodécima casa, y el resto del año en la primera. Normalmente, ocupa la mayor parte del año una de tus casas). El ingreso de Júpiter en tu signo te traerá placer personal, diversión, buena suerte, viajes al extranjero, felicidad y éxito en general. (Y el próximo año también te ocurrirá lo mismo). Las mujeres en edad de concebir serán fértiles este año. Es un tránsito fabuloso para los estudiantes universitarios y, en especial, para los que han solicitado entrar en una facultad. Ahora estás muy solicitado. Las universidades te buscan a ti en lugar de ser a la inversa. También tendrás buena suerte en los problemas jurídicos, en el caso de enfrentarte a alguno.

Este año es propicio para los alumnos de primaria o secundaria. Marte (el regente de tu horóscopo), se alojará mucho más tiempo del habitual en tu tercera casa de la comunicación y los intereses intelectuales. La ocupará a partir del 20 de agosto (más de cuatro meses). Este aspecto muestra concentración, y la focalización genera éxito.

Tu economía será buena este año, pero en 2023 será incluso mejor. Volveremos a este tema más adelante.

Plutón ya lleva alojado en tu décima casa de la profesión muchísimos años. Y la seguirá ocupando todo este año, pero se está preparando para abandonarla. Ocurrirá el año próximo. Así que durante muchos años te has estado enfrentando a la muerte y a

---

* Las previsiones de este libro se basan en el Horóscopo Solar y todos los signos que derivan de él; tu Signo Solar se convierte en el Ascendente, y las casas se numeran a partir de él. Tu horóscopo personal, el trazado concretamente para ti (según la fecha, hora y lugar exactos de tu nacimiento) podrían modificar lo que decimos aquí. Joseph Polansky

cuestiones relacionadas con ella. Tus padres o figuras parentales han vivido muchas crisis, tal vez han pasado por el quirófano y han tenido experiencias cercanas a la muerte. Tu trayectoria profesional se ha transformado (es la tarea de Plutón). Dentro de poco gozarás de la vida profesional con la que soñabas.

Como Neptuno ya lleva muchos años ocupando tu duodécima casa, has estado bajo unas influencias espirituales muy fuertes. Este año, al seguir Júpiter en tu duodécima casa de la espiritualidad, tu vida espiritual será incluso más importante y feliz todavía. Ahora estás experimentando grandes progresos espirituales que se materializarán en el mundo exterior como progresos prácticos. Volveremos a este tema más adelante.

Las áreas que más te interesarán este año serán el cuerpo, la imagen y el aspecto personal (del 11 de mayo al 29 de octubre, y a partir del 21 de diciembre). La economía, la comunicación y los intereses intelectuales (a partir del 20 de agosto). La profesión, los amigos, los grupos y las actividades grupales. La espiritualidad (todo el año, pero en especial del 1 de enero al 11 de mayo, y del 29 de octubre al 21 de diciembre). Y la comunicación y los intereses intelectuales (a partir del 20 de agosto).

Lo que más te llenará este año será la economía (a partir del 19 de enero). La espiritualidad (del 1 de enero al 11 de mayo, y del 29 de octubre al 21 de diciembre). Y el cuerpo, la imagen y el aspecto personal (del 11 de mayo al 29 de octubre, y a partir del 21 de diciembre).

Salud

(Ten en cuenta que se trata de una perspectiva astrológica de la salud, no de una médica. En el pasado, no había ninguna diferencia, ambas eran idénticas, pero en la actualidad podrían diferir mucho. Para obtener un punto de vista médico, consulta a tu médico de cabecera o a un profesional de la salud).

Tu salud y energía han ido mejorando más y más cada año. En 2022 solo un planeta lento —Plutón— forma aspectos desfavorables en tu carta astral. Pero la mayoría de Aries no lo notarán. Solo lo percibirán los nacidos en los últimos días del signo de Aries (del 15 al 20 de abril). Todos los otros planetas lentos forman aspectos armoniosos en tu carta astral o no suponen ningún problema para ti. Tu salud y energía serán buenas. Si has tenido algún problema de salud, en estos días por lo visto irá a menos. No será tan agudo como de costumbre.

Aunque tu salud sea buena este año, habrá temporadas en que tu salud y energía no serán tan excelentes como siempre. Se deberá a los tránsitos de los planetas rápidos, pero no será la tendencia del año. Cuando estos tránsitos desfavorables hayan desaparecido, tu salud y energía volverán a estar en plena forma.

Tu sexta casa vacía es también un signo positivo para la salud. No es necesario que estés demasiado pendiente de ella. Como se suele decir: «Si todo va bien, olvídate de ello».

Júpiter, como he señalado, se alojará la mitad del año en tu signo (en ocasiones, lo abandonará y luego volverá a visitarlo). Este aspecto crea una gran fertilidad en las mujeres en edad de concebir. El resto serán proclives a engordar (por un exceso de buena vida). Vigila tu peso.

Por buena que sea tu salud, siempre puedes mejorarla. Presta más atención a las siguientes áreas vulnerables de tu carta astral.

La cabeza, la cara y el cuero cabelludo. Como estas zonas siempre son importantes para los Aries, los masajes regulares en el rostro y el cuero cabelludo te irán de maravilla. La terapia craneosacral también te sentará bien.

Los brazos, los hombros, los pulmones, los bronquios, el intestino delgado y el sistema respiratorio. Estas partes del cuerpo también son importantes para los Aries. Los masajes regulares en los brazos y los hombros son excelentes para tu salud, te ayudarán a liberar la tensión acumulada en los hombros.

La musculatura. Esta parte también es importante para los Aries. No hace falta que seas un culturista, lo que cuenta es tener un buen tono muscular. Una musculatura débil o fofa puede desalinear la columna vertebral o el esqueleto, y causar todo tipo de problemas. De modo que es importante hacer un ejercicio físico vigoroso, de acuerdo con tu edad y etapa en la vida.

Las suprarrenales. Te irá bien trabajar los puntos reflejos de esta zona. Aunque lo más importante es evitar sobre todo la ira y el miedo, las dos emociones que sobrecargan estas glándulas.

Mercurio, tu planeta de la salud, es raudo. A lo largo del año transitará por los doce signos y casas de tu carta astral. (Este año visitará Capricornio dos veces). Así que habrá muchas tendencias de corta duración relacionadas con la salud que dependerán de dónde esté Mercurio y de los aspectos que reciba. En las previsiones mes a mes hablaré de estas tendencias con más detalle.

Mercurio se vuelve retrógrado tres veces al año. Son los días en que te conviene evitar tomar decisiones importantes, recibir tratamientos médicos o hacerte analíticas, ya que las probabilidades de error aumentan considerablemente. Este año Mercurio será retrógrado del 14 de enero al 3 de febrero, del 10 de mayo al 2 de junio, y del 10 de septiembre al 1 de octubre. Esta última retrogradación será mucho más potente que las anteriores por el efecto acumulativo creado al sumarse al movimiento retrógrado de muchos otros planetas.

Hogar y vida familiar

Tu cuarta casa del hogar y de la familia no destacará este año. Solo los planetas rápidos la visitarán temporalmente. Aunque yo lo interpreto como una buena señal. La situación seguirá igual en esta esfera de tu vida. No sentirás la necesidad de hacer ningún cambio. Además, como el último año dos planetas importantes abandonaron tu décima casa (formaban aspectos desfavorables con tu cuarta casa), la situación será mejor en tu hogar este año. Te resultará más fácil compaginar tu profesión con tus objetivos familiares.

Ten en cuenta que habrá dos eclipses lunares este año. Uno ocurrirá el 16 de mayo, y el otro el 8 de noviembre. Como la Luna rige tu cuarta casa, cada eclipse lunar afecta al hogar y la familia. Pero se dan dos veces al año (y en ocasiones, tres). Por lo que pueden traerles dramas a los tuyos. Suelen hacer salir a la luz los sentimientos reprimidos desde hace mucho (normalmente negativos), en este caso los tuyos y los de los miembros de tu familia. Con frecuencia, también es necesario hacer reparaciones en el hogar. Pero, como he señalado, los eclipses lunares solo ocurren dos veces al año y a estas alturas ya sabes manejarlos. Estos dramas suelen durar poco.

Si estás planeando hacer reformas importantes en tu hogar, es mejor dejarlas para el año que viene, ya que Marte, que rige este tipo de actividades, no visitará tu cuarta casa este año. Pero si piensas decorar de nuevo tu hogar o embellecerlo, del 21 de junio al 12 de agosto es un buen momento. También lo es para comprar objetos bellos para decorarlo. Si planeas adquirir aparatos de ejercicio o dispositivos para el entretenimiento, del 21 de junio al 23 de julio es un buen momento.

Tus padres o figuras parentales se han estado enfrentando a muchos dramas personales en los últimos veinte años, como cirugías y a veces experiencias cercanas a la muerte. En algunas ocasiones, se trató incluso de una muerte física. Pero ahora la mayoría de estos incidentes ya han quedado atrás, como he señalado.

Uno de tus padres o figura parental está al parecer muy implicado en la economía, y lo más probable es que tenga un buen año en este sentido. (Tú también lo estarás del 6 de marzo al 15 de abril). A tus padres o figuras parentales los masajes regulares en los pies y la curación espiritual, y más adelante los masajes en el cuerpo cabelludo y en el rostro, les irán de maravilla. Es probable que cambien de domicilio después del 11 de mayo, y el próximo año también podría ocurrir.

La situación doméstica y familiar de tus hijos o figuras filiales seguirá igual este año. No es probable que cambien de domicilio. Si tienen pareja, su relación se enfrentará a una crisis, ya que se darán aspectos planetarios desfavorables en este ámbito de su vida. No significa que su relación acabe en una ruptura, solo que deberán esforzarse más para superar la crisis. Si no tienen pareja, no es probable que se casen este año.

Probablemente tus nietos (o los que desempeñan este papel en tu vida), en el caso de tenerlos, cambiarán de domicilio. En la última parte del año serán más fértiles de lo usual. Están teniendo un buen año.

La situación doméstica y familiar de tus hermanos o figuras fraternas seguirá siendo la misma este año. A partir del 20 de agosto les conviene prestar más atención a su forma física.

Profesión y situación económica

La economía sigue destacando en tu horóscopo este año, como te ha estado ocurriendo hace ya muchos años. Urano en tu casa del dinero ha estado generando muchas situaciones (y lo seguirá haciendo). Te ha hecho desear experimentar e innovar en el terreno de las finanzas. Te has deshecho de los manuales de economía —con sus consejos de haz esto y no hagas aquello— y has aprendido que probar, equivocarte y experimentar es lo que a ti te funciona. Lo que a los demás les funciona puede que a ti no te vaya bien, y lo que a ellos les recomiendan que no hagan quizá sea lo que a ti te funciona. Y solo lo sabrás probándolo y experimentándolo por cuenta propia. No todos los experimentos tienen éxito. Pero no importa, al menos así descubrirás lo que no debes hacer.

Urano es el regente genérico de tu undécima casa de los amigos, la alta tecnología, la ciencia, la astrología y la astronomía.

(En tu carta astral también es el regente de todo ello). De modo que todas estas áreas son interesantes como trabajo, negocio o inversión. El mundo de Internet también es muy importante para ti en el aspecto económico. Hay todo tipo de compañías virtuales que son interesantes para invertir o para trabajar en ellas. Tu experiencia tecnológica es muy importante para tu economía. Mantente al día en este sentido. Ahora gastas más en alta tecnología, pero también es una fuente de ingresos para ti. Estos gastos son una buena inversión.

Tus contactos sociales son muy importantes para tus finanzas. Este año tienes amigos adinerados que te ofrecerán oportunidades económicas.

Urano en tu casa del dinero hace que ahora la economía te apasione. Esta actividad es de lo más estimulante para ti. El dinero y las oportunidades financieras te pueden llegar en cualquier momento de cualquier parte, con frecuencia de la forma más inesperada. Tus ganancias también pueden ser más imprevisibles en estos días (lo llevan siendo hace varios años). En ocasiones, aumentan de forma inusual, pero también pueden darse temporadas de sequía. En las buenas temporadas te conviene ahorrar dinero para cuando lleguen las malas rachas. Si diriges tu propia empresa, administra bien tus ingresos para disponer de una cantidad de dinero «similar» todos los meses.

Este año será próspero, aunque el próximo lo será más aún. Júpiter ingresará en tu signo el 11 de mayo y lo ocupará casi medio año. (Regresará a Piscis del 29 de octubre al 11 de diciembre).

Júpiter en tu signo propicia una buena vida, una vida de alto nivel. Al margen de lo que estés ahora ganando, llevarás un estilo de vida superior. Los demás te verán como una persona acaudalada y tu forma de vestir también dará esta imagen de ti. Viajarás y disfrutarás de los placeres de los sentidos en esta temporada. Júpiter se ocupará de que puedas llevar este tren de vida.

Júpiter te dará una sensación de optimismo y la actitud de «¡puedo hacerlo!» Sentirás que puedes superar de sobra cualquier reto que la vida te ponga.

En cuanto al trabajo, hace ya varios años que tu actividad profesional es muy intensa. Aunque el año pasado disminuyó un poco.

Y esta es tu situación este año. Has saldado tus deudas. Te has ganado tu éxito. Ahora te toca disfrutar de los frutos de tu triunfo.

Frecuentas nuevas amistades de una posición elevada. También te relacionas con personas que pueden ayudarte en tu profesión. Tus contactos son quizá tan importantes ahora como tus habilidades profesionales.

Experimentas mucho en lo económico, y en tu horóscopo se ve la misma tendencia en cuanto a tu actividad profesional. Estás deseando probar nuevos sistemas y métodos. Estás preparado para innovar. Ahora eres menos controlador con tus subordinados. Además, en los últimos años has tenido unos jefes sumamente controladores y difíciles de complacer. Pero ahora serán más agradables.

La alta tecnología es importante en las finanzas y también en tu profesión. Tu experiencia tecnológica fomenta tu carrera. Tienes la carta astral de alguien especializado en tecnología o en el mundo de Internet. Te atraen las empresas y los trabajos relacionados con estos campos.

Amor y vida social

No es un año especialmente poderoso en cuanto al amor y la vida social. Por un lado, tu séptima casa del amor está vacía. Solo la visitarán los planetas rápidos este año. Pero además TODOS los planetas lentos se encuentran en la mitad oriental de tu carta astral, la del yo y la independencia. Ya lleva varios años siendo así, pero en este aún lo será con más intensidad. Aunque la mitad occidental, la de la vida social, se vuelva más poderosa a lo largo del año, no llegará a predominar.

Te espera un año que irá de «ti». De poner en forma tu cuerpo como deseas y de alcanzar tus deseos personales. Tiene más que ver con tu propia realización que con la de los demás. Si tú eres feliz, los demás lo acabarán siendo. Ocúpate de ti, lo más importante ahora.

Si no tienes pareja, aunque no haya ningún aspecto desfavorable al matrimonio en tu carta astral, tampoco hay ninguno en especial que lo favorezca. Simplemente no te interesa este tema. Tendrás citas y saldrás con gente. Pero no sentirás el fuego de la pasión en las entrañas.

Si estás casado o tienes pareja, tu situación seguirá igual este año.

La economía, la profesión y tu vida espiritual son ahora más importantes para ti que la vida social. Algunos años es así.

Venus es tu planeta del amor. Como saben nuestros lectores, es un planeta raudo. A lo largo del año transita por todos los signos y casas de tu carta astral. (Este año visitará tu décima casa en dos ocasiones). De ahí que se den en tu vida numerosas tendencias de corta duración relacionadas con el amor que dependerán de dónde esté Venus y de los aspectos que reciba. En las previsiones mes a mes hablaré de estas tendencias con más detalle.

Venus será retrógrado del 1 al 28. Este aspecto complicará más aún tu vida amorosa. Las relaciones parecerán retroceder en lugar de avanzar. Tu encanto social y tu buen criterio no son ahora tan excelentes como de costumbre. No es una buena idea tomar decisiones amorosas (o económicas) importantes en esta temporada.

A tus padres o figuras parentales les irán mejor las cosas en su matrimonio este año. Su relación ha estado atravesando varias crisis en los últimos años. La vida social de tus hermanos o figuras fraternas sin pareja mejorará a partir del 12 de mayo. Les saldrán oportunidades románticas en Internet o en las redes sociales.

La relación de pareja de tus hijos o figuras filiales, como he señalado, atravesará malos momentos este año. Si están solteros, no es probable que se casen.

Probablemente tus nietos (o los que desempeñan este papel en tu vida) no se casarán este año. No hay ningún aspecto en contra del matrimonio en su carta astral, pero tampoco hay ninguno que lo favorezca.

Aunque las relaciones sentimentales no sean esenciales para ti este año, la faceta de las amistades será muy importante y feliz en tu vida. Como he señalado, estás socializando con personas exitosas de la alta sociedad. El dinero y el éxito ahora te excitan. Entablarás amistades mientras persigues tus objetivos económicos y profesionales. Te atraerán las personas implicadas en tu economía y tu carrera.

Progreso personal

Como he señalado, este año será muy espiritual, mucho más que los años anteriores. No solo Neptuno se encuentra en tu duodécima casa de la espiritualidad, sino también Júpiter. Neptuno en la duodécima casa favorece el misticismo. Muestra que uno trasciende el mundo material —va más allá de él— y lo ve todo desde una perspectiva más elevada. Esta habilidad de trascender el mundo material suele ser la solución a muchos problemas. Las situaciones que nos parecen insalvables no suponen «ningún problema» cuando las vemos desde un avión. Desde esa perspectiva vemos que el atasco que nos ha preocupado o irritado no tiene ninguna importancia, no es más que un pequeño incidente que se resolverá pronto. Lo podemos ver desde las alturas.

Júpiter en la duodécima casa es algo distinto. No solo tiene que ver con trascender la situación, sino con tener en cuenta las leyes espirituales. Y tiene su lógica. Entender las leyes espirituales nos ayuda a aplicarlas en la vida. A Neptuno no le interesa ninguna religión en concreto —está por encima de todas—, en cambio Júpiter es religioso. Todas las religiones auténticas se basan en leyes espirituales y además intentan codificarlas en la conducta de sus seguidores. De modo que en este año entenderás mejor las religiones y, en especial, la tuya.

La influencia de Neptuno puede llevar a una persona a rechazar TODAS las religiones, en cambio la de Júpiter la lleva a entender los orígenes místicos y espirituales de su propia religión. Cada religión tiene su aspecto místico y este es un año para descubrirlo.

Tu práctica espiritual será extraordinaria este año. Tendrás una vida onírica extremadamente activa y reveladora. Anota tus sueños en un diario. Muchos los entenderás más adelante. Pero serán muy significativos para ti en esta temporada. En realidad, tu vida onírica es ahora tan activa —e interesante— que podrías llegar a ignorar tu vida cotidiana. Ya que los sueños al carecer de limitaciones o fronteras físicas, son mucho más atractivos. Pero no te preocupes, como a los Aries les gusta la acción —la acción física—, lo más probable es que esto no te llegue a ocurrir.

Tus facultades espirituales, como la percepción extrasensorial, la intuición y los poderes psíquicos, son ahora mucho más agudas que el año anterior. (En el pasado han sido muy intensas, pero este año lo serán más aún).

Es un año que propicia muchas clases de experiencias sobrenaturales: sincronicidades, precogniciones, protecciones de tipo milagroso y otras experiencias similares. El mundo espiritual es activo en tu beneficio y está haciéndote saber que existe.

La mayoría de los Aries ya siguen un camino espiritual, pero si no es este tu caso, en este año iniciarás uno.

Previsiones mes a mes

Enero

Mejores días en general: 1, 8, 9, 18, 19, 27, 28
Días menos favorables en general: 2, 3, 16, 17, 23, 24, 29, 30
Mejores días para el amor: 2, 3, 11, 12, 21, 22, 23, 24, 29, 30
Mejores días para el dinero: 2, 3, 6, 11, 12, 16, 21, 22, 25, 29, 30
Mejores días para la profesión: 2, 3, 4, 5, 13, 14, 23, 24, 29, 30, 31

Será un buen mes, aunque complicado. Hasta el 20 vivirás uno de tus mejores momentos profesionales del año, e incluso es probable que se polongue. Como tu décima casa de la profesión está llena de planetas, céntrate en este aspecto de tu vida. Tu cuarta casa, en cambio, está vacía, solo la visitará la Luna el 16 y el 17. Como más útil le eres ahora a tu familia es triunfando en esta esfera. El triunfo exterior generará armonía emocional y bienestar.

Marte, el regente de tu horóscopo, ingresará en tu décima casa de la profesión el 25. Este aspecto también muestra éxito, pero en un sentido más personal. El éxito no tiene que ver solo con tus habilidades profesionales, sino además con quien eres. Tu aspecto personal y tu porte contribuyen en gran medida a tu éxito. Este mes eres una celebridad en tu mundo.

Pero la situación se complicará. Marte, el regente de tu horóscopo, saldrá «fuera de límites» a partir del 12. Así que te moverás fuera de tu ámbito habitual. Probablemente no encuentres respuestas en él y tengas que buscarlas en otra parte. Al verte obligado a abandonar tu zona de comodidad, tenderás a sentirte inseguro.

Como Venus, que rige en tu horóscopo tanto las finanzas como el amor, será retrógrado hasta el 28, tendrás problemas y demoras en ambos aspectos de tu vida. No es aconsejable tomar decisiones amorosas o económicas de peso en esta temporada. Estudia más las cosas. No son lo que parecen. Obtén claridad.

Aunque Venus sea retrógrado, te espera un mes próspero. Venus se encuentra en tu décima casa, una posición poderosa. Esta coyuntura suele traer aumentos salariales, y los favores económicos de tus jefes, tus padres o de las personas mayores de tu vida. Pero también pueden llegar con retraso.

Vigila más tu salud este mes. Tu salud en general será buena, pero esta temporada no es una de las mejores en este sentido. Mejorará después del 20, pero tienes que bajar el ritmo, descansar y relajarte más. Mercurio, tu planeta de la salud, será retrógrado a partir del 14. No es un buen momento para hacerte analíticas o recibir tratamientos médicos. Hazlo antes del 14 o déjalo para el próximo mes.

Febrero

Mejores días en general: 5, 6, 14, 15, 24, 25
Días menos favorables en general: 12, 13, 19, 20, 26, 27
Mejores días para el amor: 7, 8, 17, 18, 19, 20, 27
Mejores días para el dinero: 2, 3, 7, 8, 12, 13, 17, 18, 21, 22, 27
Mejores días para la profesión: 1, 9, 10, 11, 19, 20, 26, 27, 28

Tu salud y energía mejorarán este mes, pero sigue vigilándolas. Mercurio, tu planeta de la salud, volverá a ser directo a partir del 4. Los masajes en la espalda y las rodillas te sentarán bien hasta el 15. Después de esta fecha, fortalece tu salud con masajes en los tobillos y las pantorrillas. Hasta el 15, serás muy conservador en las cuestiones de salud. Pero más adelante cambiarás de actitud. Te volverás más experimentador y estarás más abierto a las terapias alternativas. Rodéate de aire puro después del 15. Y, como siempre, descansa cuando te sientas cansado. Escucha los mensajes de tu cuerpo.

Este mes desaparecerán muchas de las complicaciones del anterior. En primer lugar, a partir del 5 TODOS los planetas serán directos. Por lo que habrá claridad y movimiento tanto en el mundo como en tus asuntos personales. El ritmo de la vida aumentará, como a ti te gusta. Marte sigue estando «fuera de límites», pero dejará de estarlo a partir del 10. Este aspecto planetario te dará una sensación de seguridad. Te sentirás más seguro en tu mundo.

Aunque uno de tus mejores momentos profesionales haya técnicamente acabado, tu carrera sigue siendo importante para ti y, por lo visto, te está yendo de maravilla. Marte, el regente de tu horóscopo, se alojará el mes entero en tu décima casa de la profesión. Ahora la gente te admira. Es como si estuvieras por encima de los demás en tu mundo.

Venus también se alojará el mes entero en tu décima casa. Ahora eres práctico en el amor. Realista. Te atrae la gente poderosa

—de una buena posición económica y social—, y estás conociendo a este tipo de personas. Tu carrera progresa gracias a los contactos sociales y también a tu imagen y porte. Si no tienes pareja, vivirás un encuentro amoroso importante del 25 al 28, ya que Marte y Venus viajarán juntos. Es además una temporada económica excelente.

Tu situación económica es buena este mes. Seguirás gozando de subidas salariales. Tus jefes, tus padres y las personas mayores de tu vida tienen una buena disposición en cuanto a tus objetivos económicos. Además, Venus en Capricornio, da un buen criterio financiero y una visión a largo plazo sobre el dinero. En esta temporada estás adoptando la imagen de una persona adinerada.

Marzo

Mejores días en general: 4, 5, 14, 15, 23, 24
Días menos favorables en general: 11, 12, 13, 18, 19, 25, 26
Mejores días para el amor: 9, 18, 19, 27, 28
Mejores días para el dinero: 2, 3, 6, 7, 8, 9, 18, 19, 11, 12, 21, 22, 27, 28, 30, 31
Mejores días para la profesión: 1, 9, 10, 18, 19, 25, 26, 27, 28

Te espera un mes muy feliz y próspero, Aries, disfrútalo. Vivirás muchas situaciones maravillosas. Estás dejando atrás los momentos difíciles causados por los planetas rápidos. El 6 solo un planeta —uno lento— formará una alineación desfavorable en tu carta astral, el resto formarán alineaciones armoniosas o no te causarán problemas. Tu salud y energía son excelentes. Aunque puedes mejorarlas más si cabe con masajes en los tobillos y las pantorrillas hasta el 10. Del 10 al 27 te sentarán bien los masajes en los pies, y a partir del 27 los masajes en el cuero cabelludo y en el rostro. Las técnicas curativas espirituales serán poderosísimas del 10 al 27, pero sobre todo del 20 al 23. Si notas que tu tono vital está bajo, recurre a un sanador espiritual.

Ahora gozas de energía. Este mes todos los planetas son directos. Cuando el Sol ingrese en tu signo el 20, tu energía empezará a estar en su mejor momento del año. Aunque es mejor esperar a que sea tu cumpleaños o más adelante para iniciar proyectos o lanzar productos nuevos al mundo. Tanto el ciclo solar universal como tu ciclo social personal son crecientes.

Eres una persona independiente por naturaleza. Pero ahora lo eres más todavía. Este mes TODOS los planetas se encuentran en la mitad oriental de tu carta astral. Y después del 20, esta parte será poderosísima. Ahora es el momento para crear tu propia felicidad. Coge al toro por los cuernos y haz los cambios que debes hacer. Si eres feliz habrá mucho menos sufrimiento en el mundo.

Te espera un mes muy espiritual. Es posible que vivas importantes progresos espirituales y experiencias sobrenaturales de toda índole. Tu vida onírica será activa y reveladora, es decir, importante.

Marte viajará con Plutón del 2 al 4. Es un tránsito muy dinámico. Controla tu carácter, evita los enfrentamientos y no vayas con prisas. Tal vez el médico te recomiende pasar por el quirófano. Puede que te enfrentes a la muerte, aunque lo más probable es que sea en el aspecto psicológico y no en el sentido literal. Las dietas depurativas te funcionarán de maravilla en esta temporada.

Abril

Mejores días en general: 1, 2, 10, 11, 19, 20, 28, 29
Días menos favorables en general: 8, 9, 15, 16, 21, 22
Mejores días para el amor: 8, 15, 16, 17, 18, 25, 26, 27
Mejores días para el dinero: 3, 4, 8, 9, 17, 18, 25, 26, 27, 30
Mejores días para la profesión: 5, 6, 15, 16, 21, 22, 23, 24

Te espera otro mes feliz y próspero, Aries, disfrútalo. Ni siquiera el eclipse solar del 30 enturbiará tu felicidad. Solo le añadirá un poco de sal y de excitación a tu vida.

El 20 de marzo empezó uno de tus momentos más placenteros del año. Y lo seguirá siendo hasta el 20 de abril. Es un gran mes para mimarte y gozar de los placeres sensuales. Tus hijos o figuras filiales están dedicados a ti. Este mes la vida te sonríe. Es el periodo del año en que más independiente eres. Si todavía no has hecho los cambios que necesitas hacer, ahora es el momento de llevarlos a cabo.

Este mes sigue siendo muy bueno para iniciar cualquier proyecto que tengas en mente o para lanzar al mercado cualquier producto nuevo, sobre todo a partir del día de tu cumpleaños. No solo tu energía está ahora en su mejor momento del año, sino que además TODOS los planetas serán directos hasta el 29. La energía cósmica te apoya notablemente en tus esfuerzos. Y la fase creciente de la Luna del 1 al 16 hará que la energía cósmica te apoye más aún.

Cuando el Sol ingrese en tu casa del dinero el 20, empezará una de tus mejores temporadas económicas del año. Tus ingresos aumentarán. Tendrás suerte en la especulación. Ganarás dinero de formas agradables y lo gastarás en actividades placenteras. El «dinero te llegará fácilmente» en esta temporada.

El eclipse solar del 30 ocurrirá en tu casa del dinero. Este aspecto muestra la necesidad de hacer cambios económicos y de corregir el curso de tu situación financiera. Los acontecimientos del eclipse te mostrarán dónde fallan tus suposiciones económicas y te permitirán corregirlas.

Cada eclipse solar afecta a tus hijos o figuras filiales, y este no es una excepción. Les conviene reducir su actividad. Es posible que las personas adineradas de tu vida se enfrenten a dramas personales. Durante el periodo del eclipse evita dedicarte a la especulación.

Por buena que sea tu salud, siempre puedes fortalecerla con masajes en la cabeza, el rostro y el cuero cabelludo hasta el 11. A partir del 12, los masajes en el cuello te sentarán bien. No dejes que los altibajos económicos —son algo muy normal— te afecten la salud. Tú eres mucho más que tu cuenta bancaria.

Mayo

Mejores días en general: 7, 8, 9, 16, 17, 25, 26
Días menos favorables en general: 5, 6, 12, 13, 19
Mejores días para el amor: 7, 8, 12, 13, 16, 17
Mejores días para el dinero: 1, 6, 7, 8, 16, 17, 25, 27, 28
Mejores días para la profesión: 3, 4, 13, 19, 21, 22, 31

Como el eclipse lunar del 16 tendrá lugar en tu octava casa, reduce tu agenda en ese periodo y evita las actividades peligrosas. Este tipo de eclipse trae a menudo encuentros psicológicos con la muerte. Es posible que sueñes con la muerte o que fallezca alguna persona que conoces (o que se salve de milagro). Quizá sea algún miembro de tu familia. Cada eclipse lunar (ocurren por lo general dos veces al año) afecta al hogar y la familia, y este no es una excepción. Tal vez tengas que hacer reparaciones en el hogar. Los miembros de tu familia tenderán a ser más temperamentales en esos días, sé más paciente con ellos. Tus hermanos o figuras fraternas se verán obligados a corregir el curso de su economía.

Estos encuentros psicológicos con la muerte no significan que vayan a dañarte o castigarte. No son más que el cosmos recordándote que la vida es corta y que puede acabarse en cualquier instante. No pierdas el tiempo, haz lo que has venido a hacer en este mundo.

Este mes continuará siendo próspero, ya que vivirás uno tus mejores momentos económicos del año hasta el 21. Cuando el Sol viaje con Urano el 4 y 5, el dinero te llegará de repente, como caído del cielo. En ocasiones, este tránsito también trae gastos inesperados, pero obtendrás el dinero para pagarlos.

La prosperidad también se refleja en tu horóscopo con otros aspectos planetarios. Júpiter ingresará en tu primera casa el 11, un signo clásico de prosperidad. Venus, tu planeta de la economía, cruzará tu ascendente el 13 e ingresará en tu primera casa. Esta coyuntura también trae ganancias inesperadas. Es como si el dinero te persiguiera a ti en lugar de ser a la inversa. Es posible que te regalen accesorios personales o ropa. También es una buena época para gastar en este tipo de artículos. En estos días gastarás en ti. Adoptarás la imagen de una persona próspera. Y esta es la imagen que la gente tendrá de ti. Tu aspecto personal jugará un gran papel en tus ingresos.

El amor también te persigue en lugar de buscarlo tú. No es necesario que hagas nada en especial. Sigue con tu rutina, te llegará por sí solo. Si tienes pareja, descubrirás que tu cónyuge, pareja o amante actual está más dedicado a ti que de costumbre.

Tu salud es excelente.

Junio

Mejores días en general: 4, 5, 13, 14, 21, 22
Días menos favorables en general: 1, 2, 3, 9, 10, 15, 16, 28, 29, 30
Mejores días para el amor: 6, 7, 9, 10, 16, 26
Mejores días para el dinero: 4, 6, 7, 13, 16, 21, 23, 24, 25, 26
Mejores días para la profesión: 2, 3, 10, 15, 16, 18, 29, 30

Júpiter ingresó en tu signo el 11 de mayo, un tránsito muy positivo y feliz. Y se alojará en él y en tu primera casa el mes entero. Marte ingresó en tu signo el 25 de mayo y también seguirá en tu primera casa todo el mes. Estos aspectos son muy buenos para la salud y la energía. Ahora tu autoestima y tu seguridad están por las nubes. Al igual que tu sensación de independencia. Gozas de un montón de energía y lo llevas a cabo todo con rapidez. Marte y Júpiter, que viajan juntos (cerca el uno del otro) muestran un mes de logros positivos. Tu salud es buena este mes, y aunque el Sol forme un aspecto desfavorable en tu carta astral después del 21, no te causará ningún problema.

La actividad retrógrada aumentará este mes. No alcanzará su punto máximo del año, pero será mayor que en mayo.

Te espera un mes próspero. Marte que se desplaza con Júpiter muestra un aumento en los ingresos y buena suerte. Aprovechas estas ganancias inesperadas. Ahora viajas más, y los viajes son relajantes y placenteros. Júpiter en tu signo (y Marte cerca de Júpiter) es un gran aspecto para los estudiantes universitarios o los que solicitan ingresar en una universidad. Recibirás una grata sorpresa. No sería de extrañar que la universidad contactara contigo en lugar de ser a la inversa. Si has solicitado una beca de atletismo, estos aspectos son estupendos para que te la concedan.

La prosperidad también se refleja en otros aspectos planetarios de tu horóscopo. Venus, tu planeta de la economía, seguirá en tu casa del dinero hasta el 23. Al encontrarse en su propio signo y casa, es ahora muy poderoso. Tus ingresos aumentarán. Venus viajará con Urano el 10 y 11. Este tránsito trae llegadas inesperadas de dinero. Muestra los favores económicos de los amigos, te ofrecerán oportunidades económicas. Tal vez tengas que hacer algunos ajustes económicos. Venus en tu casa del dinero muestra la oportunidad de montar un negocio con socios o crear una empresa conjunta. Venus ingresará en tu tercera casa el 23. Este aspecto refleja ganancias procedentes de ventas, marketing, enseñanzas, escritos y actividades comerciales.

Es un buen momento para invertir en compañías relacionadas con telecomunicaciones, transporte y medios de comunicación. Y también en el sector de la industria minorista. A partir del 23, aprovecha tu labia para aumentar tus ingresos.

Este mes serás práctico y realista en el amor hasta el 23. El amor se manifestará de formas materiales. Así es cómo mostrarás tu amor y cómo te sentirás amado. Si no tienes pareja, gozarás de oportunidades románticas mientras intentas alcanzar tus objetivos económicos o te relacionas con gente implicada en tus finanzas.

Julio

Mejores días en general: 1, 2, 10, 11, 18, 19, 20, 28, 29
Días menos favorables en general: 6, 7, 12, 13, 26, 27
Mejores días para el amor: 6, 7, 15, 26
Mejores días para el dinero: 1, 2, 6, 7, 10, 11, 15, 18, 19, 21, 22,
    26, 28, 29
Mejores días para la profesión: 7, 12, 13, 15, 24

Vigila más tu salud y energía este mes. Aunque no tendrás ningún problema serio, solo serán achaques pasajeros debidos a los aspectos desfavorables de los planetas rápidos. Notarás una gran mejoría después del 23. Mientras tanto, descansa lo suficiente. Fortalece tu salud con masajes en los brazos y los hombros hasta el 5. Respirar a fondo y rodearte de aire puro también te sentará bien. Tu dieta será importante del 5 al 19. Trabajar los puntos reflejos del estómago también será bueno para ti. Como una buena salud emocional también es esencial, ten un estado de ánimo y unos sentimientos positivos. Después del 19, te sentarán bien los masajes torácicos y trabajar los puntos reflejos del corazón.

Este mes la actividad retrógrada aumentará más aún, aunque sin alcanzar el punto máximo del año. El 30 por ciento de los planetas serán retrógrados hasta el 28, y a partir del 29 lo serán el 40 por ciento.

Este mes el poder planetario se encuentra debajo del horizonte de tu carta astral, en el hemisferio nocturno. Como ahora tu cuarta casa del hogar y de la familia es la más poderosa de tu horóscopo, vuélcate en estos aspectos de tu vida y en tu situación doméstica, ya que son muy importantes para recuperarte emocionalmente. Es un mes para reunir la fuerza interior necesaria que te permitirá darle un buen empujón a tu carrera en los próximos meses.

Marte, el regente de tu horóscopo, ingresará en tu casa del dinero el 5 y la ocupará el resto del mes. Es un aspecto positivo para las ganancias económicas. Muestra focalización. Júpiter seguirá en tu signo el mes entero, muy cerca del ascendente. Te espera un mes próspero.

Venus, tu planeta del amor y de la economía, se encontrará en Géminis, tu tercera casa, hasta el 18. Los ingresos te llegarán, como en el mes pasado, de tu capacidad de comunicación. Este aspecto sigue favoreciendo la llegada de ingresos procedentes de escritos, enseñanzas, blogs, ventas, marketing, ventas al por menor y actividades comerciales. Sea cual sea tu profesión, una buena publicidad y las relaciones públicas son unos factores muy importantes.

Encontrarás el amor en tu vecindario hasta el 18. No es necesario ir demasiado lejos para buscarlo. Si no tienes pareja, surgirán oportunidades románticas en espacios culturales, como en universidades, conferencias, seminarios e incluso librerías. Las oportunidades amorosas te llegarán a través de la familia y de los contactos familiares a partir del 19.

Agosto

Mejores días en general: 7, 8, 15, 16, 25, 26
Días menos favorables en general: 2, 3, 9, 10, 22, 23, 29, 30
Mejores días para el amor: 2, 3, 4, 5, 15, 25, 26, 29, 30
Mejores días para el dinero: 4, 5, 7, 15, 17, 18, 25, 26
Mejores días para la profesión: 3, 9, 10, 12, 21, 30

La actividad retrógrada aumentará más todavía este mes. A partir del 24 el 50 por ciento de los planetas retrocederán. La lección principal para ti, Aries, es que seas paciente. Te gusta que la vida discurra a un ritmo rápido —te encanta la velocidad—, pero este mes no es el momento de apresurarse. Cuánto más despacio, más deprisa. Hazlo todo a la perfección. No tomes atajos.

Tu salud y energía han mejorado enormemente comparadas con el mes anterior. Te espera un buen mes. Tu reto ahora es usar este torrente de energía —de fuerza vital— de manera positiva. La mayoría de personas no sufren por «falta de energía», sino por usar indebidamente la que tienen.

El 23 del mes anterior empezó una de tus temporadas más placenteras del año. Y lo seguirá siendo (incluso con más fuerza aún) hasta el 23 de agosto. Es el momento para explorar tu creatividad personal y disfrutar de las actividades agradables. Tómate unas vacaciones de tus preocupaciones y problemas, y explora las delicias de la vida. Cuando desconectamos de nuestras preocupaciones, descubrimos que los problemas irresolubles se solucionan por sí solos de manera natural.

Marte viajará con Urano el 1 y 2. Es un aspecto muy dinámico. Sé más consciente en el plano físico. Controla tu carácter y conduce con más precaución. Este tránsito favorece la cercanía con los amigos. Probablemente desearás poner a prueba tu cuerpo, pero hazlo de manera segura.

Como Marte seguirá ocupando tu casa del dinero hasta el 20, será un mes próspero (Júpiter también se alojará en tu signo todo el mes). Si estás buscando trabajo, te saldrán oportunidades laborales este mes. La luna nueva del 27 aclarará más aún tu situación laboral a lo largo del mes, e incluso durante el siguiente.

Es un buen momento para el amor, pero te has vuelto caprichoso en este sentido y lo que más te cuesta ahora es sentirte atraído por alguien. Sin embargo, la situación cambiará cuando Venus ingrese en tu quinta casa el 12. No es un tránsito para el matrimonio, sino más bien para las aventuras amorosas. El amor tiene que ser ameno. No te preocupes por los momentos difíciles, ya los afrontarás cuando lleguen. Las personas que más te atraen ahora son las que te hacen pasar un buen rato.

Septiembre

Mejores días en general: 3, 4, 11, 12, 21, 22, 30
Días menos favorables en general: 5, 6, 18, 19, 20, 26, 27
Mejores días para el amor: 4, 5, 13, 14, 15, 26, 27
Mejores días para el dinero: 3, 4, 5, 11, 13, 14, 15, 21, 30
Mejores días para la profesión: 5, 6, 7, 8, 16, 17, 26, 27

La actividad retrógrada aumentará más aún este mes. El 60 por ciento de los planetas —un porcentaje enorme— serán retrógrados a partir del 10. Es el punto máximo del año. Al igual que el mes anterior (en este es incluso más vital todavía), la palabra clave es sé paciente, paciente, paciente. En estos días no hay atajos. No son más que una fantasía y en realidad te pueden crear más retrasos. Baja el ritmo y hazlo todo a la perfección. Esto minimizará, aunque no los elimine, los diversos problemas y retrasos que puedan surgir.

Al haber una actividad retrógrada tan contundente (incluida la de Mercurio, tu planeta de la salud, a partir del 10), no es un buen momento para las intervenciones quirúrgicas, las analíticas o los tratamientos médicos. Si tienes la opción de elegir, prográmalos para más adelante.

Tu salud será buena este mes, pero vigílala más a partir del 24. La buena noticia es que ahora estarás pendiente de ella —le prestarás atención— hasta el 23, y esto te permitirá conservarla más adelante. No tendrás ningún problema serio, solo serán molestias pasajeras debidas a los aspectos desfavorables de los planetas rápidos. Pero al tener menos energía de la habitual, podría volver a aparecer algún antiguo problema de salud. Mejora tu salud descansando más y con masajes en el bajo vientre hasta el 24, y después de esta fecha con masajes en las caderas. A partir del 25, te sentará bien trabajar los puntos reflejos de los riñones.

Venus, tu planeta del amor y la economía, tendrá su solsticio del 30 de septiembre al 3 de octubre. Es decir, se detendrá en el firmamento y luego cambiará de sentido, en latitud. A ti también te ocurrirá lo mismo en el aspecto social y económico. Será una pausa renovadora.

Este mes habrá dos grandes trígonos muy inusuales, uno en los signos de tierra (empezó el mes anterior), y el otro en los signos de aire. Un gran trígono es un aspecto muy excepcional. Pero este mes habrá dos. Es una buena noticia. Pese a los retrasos y a la actividad retrógrada de los planetas, te esperan grandes momentos. Tus habilidades directivas y tu capacidad de comunicación aumentarán considerablemente.

El Sol entrará en tu séptima casa el 23 y la ocupará el resto del mes. A partir de esta fecha empezará uno de tus mejores momentos amorosos y sociales del año. Irás a más fiestas y saldrás más en esta temporada. Si no tienes pareja, gozarás de muchas oportunidades románticas.

Octubre

Mejores días en general: 1, 9, 10, 18, 19, 27, 28
Días menos favorables en general: 2, 3, 16, 17, 23, 24, 30
Mejores días para el amor: 4, 5, 13, 14, 23, 24, 25
Mejores días para el dinero: 4, 5, 8, 9, 11, 12, 13, 14, 18, 25, 26, 27
Mejores días para la profesión: 2, 3, 4, 5, 13, 14, 23, 24, 30

La actividad retrógrada sigue siendo intensa, pero es menor comparada con la del mes anterior. En octubre, del 30 al 40 por ciento de los planetas serán retrógrados. La actividad retrógrada de Marte que empezará el 30 será la más significativa. Al ser Marte el regente de tu horóscopo, es un planeta muy importante en tu carta astral. Su retrogradación muestra la necesidad de ver con más claridad tus objetivos personales, la imagen y el aspecto que deseas proyectar a los demás. Quizá sientas que no sabes por dónde tirar. Que estás retrocediendo en lugar de avanzar. Aunque el amor esté a tu alcance, no estás seguro de lo que quieres. Intenta también aclararte en este aspecto de tu vida.

Seguirás viviendo uno de tus mejores momentos amorosos y sociales del año hasta el 23. Si no tienes pareja, surgirán numerosas oportunidades románticas en tu vida. Pero el problema, como ya he señalado, eres tú. Es posible que decidas echarte atrás en una relación amorosa seria a partir del 20.

Sigue vigilando tu salud. Tendrás molestias pero serán pasajeras. Notarás una gran mejoría a partir del 23. Tal vez creas que ha sido gracias a algún terapeuta, pastilla o pócima. Pero la realidad es que los planetas han cambiado a tu favor y que estos remedios solo han sido los medios de los que se ha servido el cosmos para mejorar tu situación. Mientras tanto, fortalece tu salud con masajes en el bajo vientre hasta el 11, y con masajes en las caderas del 11 al 30. A partir del 12, trabajar los puntos reflejos de los riñones te sentará bien. Una buena salud significa para ti una buena salud de tus relaciones del 11 al 30. Si tienes problemas de salud, recupera la armonía con los amigos y con tu pareja lo antes posible.

El eclipse solar del 25 ocurrirá en tu octava casa. Este eclipse no será demasiado poderoso. Será un eclipse parcial y no afectará a otros planetas. Pero reduce por si acaso tus actividades. Este eclipse puede traer encuentros (psicológicos) con la muerte. Son las cartas de amor del cosmos. Tómate la vida más en serio. Tu cónyuge, pareja o amante actual tendrá que hacer cambios económicos importantes. Tus hijos o figuras filiales vivirán dramas personales. A ellos también les conviene reducir sus actividades.

Tres planetas tendrán su solsticio este mes (algo muy inusual): Venus, Mercurio y Júpiter. Se detendrán en el firmamento y luego cambiarán de sentido, en latitud. Por lo que se dará una pausa y un cambio de rumbo en los problemas jurídicos y en los estudios superiores (Júpiter) del 1 al 16. Una pausa en la salud y en el trabajo (Mercurio) del 13 al 16. Y una pausa en el amor y en la economía (Venus) del 1 al 3.

Noviembre

Mejores días en general: 5, 6, 15, 16, 24, 25
Días menos favorables en general: 12, 13, 19, 20, 26, 27
Mejores días para el amor: 3, 4, 13, 19, 20, 23, 24
Mejores días para el dinero: 3, 4, 7, 8, 13, 14, 23, 24
Mejores días para la profesión: 1, 2, 10, 11, 19, 20, 26, 27, 28, 29

El 29 de octubre Júpiter abandonó en su retrogradación tu signo y regresó a Piscis, tu duodécima casa. La espiritualidad vuelve ahora a ser importante para ti. Te esperan un montón de buenos momentos y tienes que estar preparado mental y espiritualmente para ellos. Céntrate en tu práctica espiritual.

El 8 habrá un eclipse lunar en tu casa del dinero. Será muy poderoso, ya que será total. (Los indios americanos se refieren a él como «luna de sangre». Y además afectará a tres planetas más: Mercurio, Urano y Venus. Por lo que influirá en muchos ámbitos de tu vida. Te conviene reducir tus actividades en este periodo. Aunque solo sea varios días antes y después del eclipse. Haz lo que tengas que hacer. Pero programa para más adelante aquello que puedas posponer. (Este eclipse es otra buena razón para centrarte en tu práctica espiritual, la mejor manera de afrontarlo).

Vivirás cambios económicos. Tus ideas financieras —tus suposiciones— no son realistas y debes mejorarlas. Normalmente algún episodio te lo revelará. Tus amigos se enfrentarán a dramas que les cambiarán la vida. Este tipo de situaciones pondrán a prueba tus amistades. Tu equipo de alta tecnología tal vez falle o funcione mal. Haz copias de los archivos importantes y actualiza tus programas anti-hacking y antivirus. No abras e-mails sospechosos, sobre todo si te piden contraseñas o la clave de tu cuenta bancaria. Tu vida amorosa también atravesará momentos difíciles. Últimamente has estado socializando mucho. Es posible que ahora tengas pareja. Si es una relación sólida, sobrevivirá a esta crisis. Y si no lo es, hará agua. Los efectos del eclipse sobre Mercurio indican cambios de empleo y problemas en el lugar de trabajo. Harás cambios importantes en tu programa de salud en los próximos meses. Cada eclipse lunar afecta al hogar y la familia, y este no es una excepción. Este tipo de eclipse saca a la luz fallos ocultos en el hogar. Aunque no sea una experiencia agradable, es positiva, te permite corregirlos. Tus familiares se enfrentarán a dramas en su vida, en particular uno de tus progenitores o figura parental.

Diciembre

Mejores días en general: 2, 3, 12, 13, 21, 22, 29, 30
Días menos favorables en general: 9, 10, 11, 17, 18, 23, 24
Mejores días para el amor: 2, 3, 14, 17, 18, 23, 24
Mejores días para el dinero: 1, 2, 3, 4, 5, 6, 11, 14, 20, 21, 23, 24, 29
Mejores días para la profesión: 7, 8, 17, 18, 23, 24, 25, 26

La actividad retrógrada es mucho menor este mes. En realidad, el movimiento planetario directo es ahora muy poderoso, el 80 por ciento de los planetas están avanzando. Los proyectos bloqueados empezarán a despegar. El ritmo de la vida se acelerará de nuevo, como a ti te gusta.

Marte no solo es retrógrado desde el 30 de octubre, sino que además ha estado «fuera de límites». Al igual que este mes. Ahora te mueves fuera de tu mundo habitual —de tu elemento— y es comprensible que te sientas más inseguro.

A pesar de ello, es un mes excelente. Tu décima casa será poderosa el mes entero, sobre todo a partir del 22. Ahora estás viviendo una de tus mejores temporadas profesionales del año. Harás grandes progresos en este sentido.

Júpiter regresará a tu signo el 21, otro aspecto de éxito. Es muy probable que viajes al extranjero este mes. (Tu novena casa será poderosa hasta el 22, y Júpiter, el planeta que rige los viajes, cruzará tu ascendente el 21). Es un buen momento para solicitar ingresar en una universidad y para resolver problemas jurídicos.

Tres planetas estarán «fuera de límites» (algo muy inusual) en diciembre. Ya he hablado de Marte. Pero a Venus y Mercurio también les ocurrirá. Venus lo estará del 2 al 24, y Mercurio del 1 al 22. Casi el mes entero. No solo te moverás fuera de tu territorio —de tu espacio cotidiano— a nivel personal, sino también en el aspecto del amor, la economía y la salud. En esta temporada buscarás respuestas fuera de tu mundo habitual. Te verás obligado a pensar y actuar de una forma «fuera de lo común».

Vigila más tu salud a partir del 22. Descansa lo suficiente. Procura conservar toda la energía posible. Fortalece tu salud con masajes en los muslos y con sesiones de reflexología para trabajar los puntos del hígado hasta el 7. A partir del 8, te sentarán bien los masajes en la espalda y las rodillas.

Tauro

El Toro
Nacidos entre el 21 de abril y el 20 de mayo

Rasgos generales

TAURO DE UN VISTAZO

Elemento: Tierra

Planeta regente: Venus
  Planeta de la profesión: Urano
  Planeta del amor: Plutón
  Planeta del dinero: Mercurio
  Planeta de la salud: Venus
  Planeta de la suerte: Saturno

Colores: Tonos ocres, verde, naranja, amarillo
  Colores que favorecen el amor, el romance y la armonía social: Rojo violáceo, violeta
  Colores que favorecen la capacidad de ganar dinero: Amarillo, amarillo anaranjado

Piedras: Coral, esmeralda

Metal: Cobre

Aromas: Almendra amarga, rosa, vainilla, violeta

Modo: Fijo (= estabilidad)

Cualidad más necesaria para el equilibrio: Flexibilidad

Virtudes más fuertes: Resistencia, lealtad, paciencia, estabilidad, propensión a la armonía

Necesidades más profundas: Comodidad, tranquilidad material, riqueza

Lo que hay que evitar: Rigidez, tozudez, tendencia a ser excesivamente posesivo y materialista
Signos globalmente más compatibles: Virgo, Capricornio
Signos globalmente más incompatibles: Leo, Escorpio, Acuario
Signo que ofrece más apoyo laboral: Acuario
Signo que ofrece más apoyo emocional: Leo
Signo que ofrece más apoyo económico: Géminis
Mejor signo para el matrimonio y/o las asociaciones: Escorpio
Signo que más apoya en proyectos creativos: Virgo
Mejor signo para pasárselo bien: Virgo
Signos que más apoyan espiritualmente: Aries, Capricornio
Mejor día de la semana: Viernes

La personalidad Tauro

Tauro es el más terrenal de todos los signos de tierra. Si comprendemos que la tierra es algo más que un elemento físico, que es también una actitud psicológica, comprenderemos mejor la personalidad Tauro.

Los Tauro tienen toda la capacidad para la acción que poseen los Aries. Pero no les satisface la acción por sí misma. Sus actos han de ser productivos, prácticos y generadores de riqueza. Si no logran ver el valor práctico de una actividad, no se molestarán en emprenderla.

El punto fuerte de los Tauro está en su capacidad para hacer realidad sus ideas y las de otras personas. Por lo general no brillan por su inventiva, pero sí saben perfeccionar el invento de otra persona, hacerlo más práctico y útil. Lo mismo puede decirse respecto a todo tipo de proyectos. A los Tauro no les entusiasma particularmente iniciar proyectos, pero una vez metidos en uno, trabajan en él hasta concluirlo. No dejan nada sin terminar, y a no ser que se interponga un acto divino, harán lo imposible por acabar la tarea.

Muchas personas los encuentran demasiado obstinados, conservadores, fijos e inamovibles. Esto es comprensible, porque a los

Tauro les desagrada el cambio, ya sea en su entorno o en su rutina. ¡Incluso les desagrada cambiar de opinión! Por otra parte, esa es su virtud. No es bueno que el eje de una rueda oscile. Ha de estar fijo, estable e inamovible. Los Tauro son el eje de la rueda de la sociedad y de los cielos. Sin su estabilidad y su supuesta obstinación, las ruedas del mundo se torcerían, sobre todo las del comercio.

A los Tauro les encanta la rutina. Si es buena, una rutina tiene muchas virtudes. Es un modo fijado e idealmente perfecto de cuidar de las cosas. Cuando uno se permite la espontaneidad puede cometer errores, y los errores producen incomodidad, desagrado e inquietud, cosas que para los Tauro son casi inaceptables. Estropear su comodidad y su seguridad es una manera segura de irritarlos y enfadarlos.

Mientras a los Aries les gusta la velocidad, a los Tauro les gusta la lentitud. Son lentos para pensar, pero no cometamos el error de creer que les falta inteligencia. Por el contrario, son muy inteligentes, pero les gusta rumiar las ideas, meditarlas y sopesarlas. Sólo después de la debida deliberación aceptan una idea o toman una decisión. Los Tauro son lentos para enfadarse, pero cuando lo hacen, ¡cuidado!

Situación económica

Los Tauro son muy conscientes del dinero. Para ellos la riqueza es más importante que para muchos otros signos; significa comodidad, seguridad y estabilidad. Mientras algunos signos del zodiaco se sienten ricos si tienen ideas, talento o habilidades, los Tauro sólo sienten su riqueza si pueden verla y tocarla. Su modo de pensar es: «¿De qué sirve un talento si no se consiguen con él casa, muebles, coche y piscina?»

Por todos estos motivos, los Tauro destacan en los campos de la propiedad inmobiliaria y la agricultura. Por lo general, acaban poseyendo un terreno. Les encanta sentir su conexión con la tierra. La riqueza material comenzó con la agricultura, labrando la tierra. Poseer un trozo de tierra fue la primera forma de riqueza de la humanidad; Tauro aún siente esa conexión primordial.

En esta búsqueda de la riqueza, los Tauro desarrollan sus capacidades intelectuales y de comunicación. Como necesitan comerciar con otras personas, se ven también obligados a desarrollar cierta flexibilidad. En su búsqueda de la riqueza, aprenden el valor práctico del intelecto y llegan a admirarlo. Si no fuera por esa búsqueda de la riqueza, tal vez no intentarían alcanzar un intelecto superior.

Algunos Tauro nacen «con buena estrella» y normalmente, cuando juegan o especulan, ganan. Esta suerte se debe a otros factores presentes en su horóscopo personal y no forma parte de su naturaleza esencial. Por naturaleza los Tauro no son jugadores. Son personas muy trabajadoras y les gusta ganarse lo que tienen. Su conservadurismo innato hace que detesten los riesgos innecesarios en el campo económico y en otros aspectos de su vida.

Profesión e imagen pública

Al ser esencialmente terrenales, sencillos y sin complicaciones, los Tauro tienden a admirar a las personas originales, poco convencionales e inventivas. Les gusta tener jefes creativos y originales, ya que ellos se conforman con perfeccionar las ideas luminosas de sus superiores. Admiran a las personas que tienen una conciencia social o política más amplia y piensan que algún día (cuando tengan toda la comodidad y seguridad que necesitan) les gustará dedicarse a esos importantes asuntos.

En cuanto a los negocios, los Tauro suelen ser muy perspicaces, y eso los hace muy valiosos para la empresa que los contrata. Jamás son perezosos, y disfrutan trabajando y obteniendo buenos resultados. No les gusta arriesgarse innecesariamente y se desenvuelven bien en puestos de autoridad, lo cual los hace buenos gerentes y supervisores. Sus cualidades de mando están reforzadas por sus dotes naturales para la organización y la atención a los detalles, por su paciencia y por su minuciosidad. Como he dicho antes, debido a su conexión con la tierra, también pueden realizar un buen trabajo en agricultura y granjas.

En general, los Tauro prefieren el dinero y la capacidad para ganarlo que el aprecio y el prestigio públicos. Elegirán un puesto que les aporte más ingresos aunque tenga menos prestigio, antes que otro que tenga mucho prestigio pero les proporcione menos ingresos. Son muchos los signos que no piensan de este modo, pero Tauro sí, sobre todo si en su carta natal no hay nada que modifique este aspecto. Los Tauro sólo buscarán la gloria y el prestigio si están seguros de que estas cosas van a tener un efecto directo e inmediato en su billetero.

Amor y relaciones

En el amor, a los Tauro les gusta tener y mantener. Son de los que se casan. Les gusta el compromiso y que las condiciones de la relación estén definidas con mucha claridad. Más importante aún, les gusta ser fieles a una sola persona y esperan que esa persona corresponda a su fidelidad. Cuando esto no ocurre, el mundo entero se les viene abajo. Cuando está enamorada, la persona Tauro es leal, pero también muy posesiva. Es capaz de terribles ataques de celos si siente que su amor ha sido traicionado.

En una relación, los Tauro se sienten satisfechos con cosas sencillas. Si tienes una relación romántica con una persona Tauro, no hay ninguna necesidad de que te desvivas por colmarla de atenciones ni por galantearla constantemente. Proporciónale suficiente amor y comida y un techo cómodo, y será muy feliz de quedarse en casa y disfrutar de tu compañía. Te será leal de por vida. Hazla sentirse cómoda y, sobre todo, segura en la relación, y rara vez tendrás problemas con ella.

En el amor, los Tauro a veces cometen el error de tratar de dominar y controlar a su pareja, lo cual puede ser motivo de mucho sufrimiento para ambos. El razonamiento subyacente a sus actos es básicamente simple. Tienen una especie de sentido de propiedad sobre su pareja y desean hacer cambios que aumenten la comodidad y la seguridad generales de ambos. Esta actitud está bien cuando se trata de cosas inanimadas y materiales, pero puede ser muy peligrosa cuando se aplica a personas, de modo que los Tauro deben tener mucho cuidado y estar alertas para no cometer ese error.

Hogar y vida familiar

La casa y la familia son de importancia vital para los Tauro. Les gustan los niños. También les gusta tener una casa cómoda y tal vez elegante, algo de que alardear. Tienden a comprar muebles sólidos y pesados, generalmente de la mejor calidad. Esto se debe a que les gusta sentir la solidez a su alrededor. Su casa no es sólo su hogar, sino también su lugar de creatividad y recreo. La casa de los Tauro tiende a ser verdaderamente su castillo. Si pudieran elegir, preferirían vivir en el campo antes que en la ciudad.

En su hogar, un Tauro es como un terrateniente, el amo de la casa señorial. A los nativos de este signo les encanta atender a sus visitas con prodigalidad, hacer que los demás se sientan seguros en su casa y tan satisfechos en ella como ellos mismos. Si una persona Tauro te invita a cenar a su casa, ten la seguridad de que recibirás la mejor comida y la mejor atención. Prepárate para un recorrido por la casa, a la que Tauro trata como un castillo, y a ver a tu amigo o amiga manifestar muchísimo orgullo y satisfacción por sus posesiones.

Los Tauro disfrutan con sus hijos, pero normalmente son estrictos con ellos, debido a que, como hacen con la mayoría de las cosas en su vida, tienden a tratarlos como si fueran sus posesiones. El lado positivo de esto es que sus hijos estarán muy bien cuidados y educados. Tendrán todas las cosas materiales que necesiten para crecer y educarse bien. El lado negativo es que los Tauro pueden ser demasiado represivos con sus hijos. Si alguno de ellos se atreve a alterar la rutina diaria que a su padre o madre Tauro le gusta seguir, tendrá problemas.

Horóscopo para el año 2022*

Principales tendencias

Vigila tu nivel de energía, ya que Saturno sigue formando un aspecto desfavorable en tu carta astral. Afortunadamente, como es el único planeta lento que lo está formando, tu salud debería ser buena. Volveremos a este tema más adelante.

Ahora ya llevas muchos años realizando una gran actividad profesional y este ciclo sigue dándose aún. Aunque este año tendrás que trabajar con más intensidad para alcanzar tus objetivos. Saturno en tu décima casa de la profesión sugiere que ser el mejor en tu especialidad te permitirá triunfar. Aunque tus contactos sociales y tus amistades te abran puertas, eres tú el que tiene que rendir en el trabajo. Volveremos a este tema más adelante.

---

* Las previsiones de este libro se basan en el Horóscopo Solar y en todos los signos derivados del mismo: tu signo solar se convierte en el Ascendente, y las casas se numeran a partir de él. Tu horóscopo personal, el trazado concretamente para ti (según la fecha, hora y lugar exactos de tu nacimiento) podría modificar lo que se indica aquí. Joseph Polansky.

Dado que Urano hace ya varios años que se aloja en tu signo, y lo seguirá ocupando varios más, has estado viviendo muchos cambios personales intensos y repentinos. Ahora estás cambiando el concepto que tienes de ti, tu imagen, y la forma en que quieres que los demás te vean. Ya llevas varios años haciéndolo, y este año también lo harás. Una buena parte de estos cambios tienen que ver con tu profesión y tus ambiciones mundanas. Son los factores que te obligan a cambiar de imagen.

Aprender a aceptar los cambios es quizá la lección más importante de la vida en esta temporada. No siempre son agradables, pero al final son positivos.

Plutón lleva ya alojado en tu novena casa muchos años, y en 2022 seguirá ocupándola. Pero se está preparando para abandonarla. Por lo que has estado viviendo una completa transformación de tus creencias religiosas y filosóficas (esta fue su finalidad) y ahora tienes un sistema de creencias más saludable.

Como Plutón también es tu planeta del amor, muchas de las tendencias amorosas descritas en los últimos años siguen estando presentes en tu vida. Eres precavido en el amor. Conservador. Las personas establecidas en la vida, tal vez mayores que tú, son las que ahora más te atraen. Estas tendencias cambiarán el próximo año y en los siguientes. Volveremos a este tema más adelante.

Júpiter se alojará cerca de medio año en tu undécima casa y el resto en la duodécima. Ahora estás entablando nuevas amistades y comprando equipo de alta tecnología. También estás participando más en las redes sociales. Estas amistades son al parecer muy espirituales y desempeñan un gran papel en tu vida espiritual.

Júpiter ingresará en tu duodécima casa el 11 de mayo y este tránsito será una inyección de energía para tu vida espiritual. Harás grandes progresos espirituales y tendrás muchas experiencias sobrenaturales. Descubrirás lo que Thoreau afirmó: «No solo existe lo que está debajo de mi sombrero, hay muchas otras cosas en la vida».

Las áreas que más te interesarán este año serán el cuerpo, la imagen y el aspecto personal (te interesarán también en los próximos). La religión, la filosofía, los estudios superiores y los viajes al extranjero. La profesión, los amigos, los grupos, las actividades grupales y la alta tecnología. La espiritualidad (del 11 de mayo al 29 de octubre y a partir del 21 de diciembre). Y la economía (a partir del 20 de agosto).

Lo que más te llenará este año será el cuerpo, la imagen y el aspecto personal. Los amigos, los grupos y las actividades grupales (hasta el 11 de mayo, y del 29 de octubre al 21 de diciembre). Y la espiritualidad (del 11 de mayo al 29 de octubre, y a partir del 21 de diciembre).

Salud

(Ten en cuenta que se trata de una perspectiva astrológica de la salud, no de una médica. En el pasado, no había ninguna diferencia, ambas eran idénticas, pero en la actualidad podrían diferir mucho. Para obtener un punto de vista médico, consulta a tu médico de cabecera o a un profesional de la salud).

Tu salud, como he señalado, será buena, ya que solo Saturno forma un aspecto desfavorable en tu carta astral este año. Los planetas rápidos también los formarán en ocasiones, pero no se tratará más que de molestias pasajeras en lugar de ser las tendencias del año. Cuando estos aspectos desfavorables desaparezcan, volverás a gozar de salud y energía.

Por buena que sea tu salud, siempre puedes mejorarla. Presta más atención a las siguientes zonas vulnerables de tu carta astral.

El corazón. Este órgano se volvió importante el año pasado al empezar a formar Saturno un aspecto desfavorable en tu carta astral. Te conviene trabajar los puntos reflejos del corazón. Los masajes torácicos, en especial en el esternón y la parte superior de la caja torácica, también son beneficiosos. Lo más importante para el corazón —según muchos sanadores espirituales— es evitar las preocupaciones y la ansiedad, las dos emociones que lo estresan. Despréndete de las preocupaciones y cultiva la fe. La meditación te irá de maravilla en este sentido.

El cuello y la garganta. Estas partes del cuerpo siempre son importantes para los Tauro. Los masajes regulares en el cuello te vendrán de perlas al eliminar la tensión acumulada en esta zona. Procura incluirlos en tu programa de salud. La terapia craneosacral también es excelente para el cuello. Al igual que la quiropráctica y el yoga.

Los riñones y las caderas. Estas áreas también son siempre importantes para los Tauro. Te conviene trabajar los puntos reflejos de estas partes del cuerpo. Los masajes regulares en las caderas te irán de maravilla. Además de fortalecer los riñones, son buenos para la zona lumbar (un beneficio más).

Como Venus, tu planeta del amor, es tu planeta de la salud, una buena salud significa para ti una vida social saludable, es decir, gozar de amistades positivas y de un matrimonio y una vida amorosa armoniosos. Los problemas en estas áreas de tu vida pueden afectar tu bienestar emocional. Si surge algún problema de este tipo en tu vida, procura recuperar la armonía lo antes posible.

Una buena salud también significa para ti «un buen aspecto». Hay un componente de vanidad en ello. Si notas que tienes un tono vital bajo, cómprate una nueva prenda de ropa o algún accesorio. Ve a la peluquería o a hacerte la manicura. Haz algo para mejorar tu imagen. Te sentirás mucho mejor.

El otro mensaje del horóscopo es que gozar de buena salud es más importante para tu aspecto personal que aplicarte un montón de cremas y potingues. Tu estado de salud se refleja en gran medida en tu aspecto personal (no le ocurre a todo el mundo). Si gozas de buena salud, lucirás un aspecto fabuloso.

Venus es tu planeta de la salud, como nuestros lectores saben. También es el regente de tu horóscopo. Esto de por sí ya es una señal positiva para la salud. Muestra que es importante en tu vida y que la tienes en cuenta. Como Venus se mueve con gran rapidez por el firmamento —a lo largo del año transitará por todo tu horóscopo—, se darán muchas tendencias de corta duración relacionadas con la salud que dependerán de dónde esté Venus y de los aspectos que reciba. En las previsiones mes a mes hablaré de estas tendencias con más detalle.

Venus hará uno de sus inusuales movimientos retrógrados del 1 al 28 de enero. No es un buen momento para pasar por el quirófano, hacerte análisis o recibir tratamientos médicos, porque en estos días aumentan las probabilidades de error o de recibir un diagnóstico equivocado. Tampoco es el momento indicado para hacer cambios importantes en la dieta o en tu programa de salud.

Hogar y vida familiar

Tu cuarta casa del hogar y de la familia no destacará este año, no será una casa poderosa. De modo que, como nuestros lectores saben, tu situación seguirá igual en este aspecto de tu vida. Este año se parecerá mucho a la del anterior. Muestra que estás satisfecho con la situación y que no necesitas hacer cambios importantes en este sentido.

Como el hemisferio diurno de tu carta astral, la mitad superior, es además mucho más poderoso que el hemisferio nocturno, te conviene ahora volcarte más en tu profesión y en tus objetivos exteriores que en la vida doméstica y en la familia. Aunque el hemisferio nocturno de tu carta astral gane poder en el transcurso del año, no llegará a predominar. Solo lo visitarán Urano y algunos planetas rápidos. Y a tu cuarta casa también le ocurrirá lo mismo.

Algunos años son así. El cosmos quiere que desarrollemos todos los aspectos de nuestra vida equilibradamente. En un determinado año, distintas cualidades e intereses se convierten en nuestra prioridad. En este, la profesión y la espiritualidad serán mucho más importantes para ti que tu familia.

También surgirán algunos dramas en tu vida. Este año tendrán lugar dos eclipses solares. Y como el Sol es tu planeta de la familia, generarán dramas familiares o te obligarán a hacer reparaciones en el hogar. Pero como ocurren dos veces al año, a estas alturas ya sabes manejarlos.

Marte, el planeta que rige las obras de construcción, las reformas y las reparaciones importantes, no visitará tu cuarta casa este año. Si estás planeando llevar a cabo alguno de estos proyectos, es mejor que lo dejes para el año siguiente.

Si piensas decorar tu hogar —pintar las paredes o empapelarlas—, o comprar objetos atractivos para embellecerlo, del 12 de agosto al 5 de septiembre es un buen momento.

Uno de tus padres o figura parental lleva ya muchos años intranquilo. Podría cambiar de domicilio en numerosas ocasiones y esta tendencia se dará también este año. En ocasiones, no significa una mudanza en toda regla, sino vivir en distintos sitios durante largas temporadas.

La situación doméstica de tus hijos o figuras filiales seguirá siendo la misma, pero su vida amorosa será muy activa y feliz este año. Si tienen la edad adecuada, es posible que se casen. Y si todavía son jóvenes, harán nuevas amistades significativas para ellos. Tal vez no efectúen una mudanza, pero harán reformas en su hogar.

La situación doméstica de tus hermanos o figuras fraternas seguirá siendo la misma. Si tienen pareja, su relación ha atravesado varias crisis en los últimos años (2018 y 2019), pero en la faceta amorosa las cosas les irán mejor este año.

Profesión y situación económica

La visión económica de los Tauro es legendaria. Los negocios y ganar dinero es para ellos lo más natural del mundo. Les encantan estas actividades. Es muy insólito encontrar a un Tauro en un estado de escasez o de pobreza. Se lamentan de sus ganancias, pero al escuchar sus quejas vemos que no son pobres. Les oímos exclamar: «¡Dios mío, estoy viviendo una auténtica crisis! ¡Solo me quedan diez millones!» O «¡El año pasado fue horrible, mi empresa solo obtuvo diez millones, en cambio el anterior ganó quince!» Los Tauro siempre están interesados en la economía. Pero este año les interesará menos de lo acostumbrado. Su profesión —su cargo y su nivel social— será para ellos más importantes que el dinero. Yo lo interpreto como algo positivo. Tu situación económica tenderá a ser la misma. Muestra que estás satisfecho con tus finanzas. No es necesario hacer ningún cambio importante ni estar pendiente de este aspecto de tu vida.

Tu casa del dinero estará prácticamente vacía este año. Solo Marte la revitalizará más adelante, a partir del 20 de agosto, al ocuparla durante un espacio inusual de tiempo. Por lo general, se queda en un signo y una casa cerca de un mes y medio. Pero en esta ocasión se quedará en tu casa del dinero unos cuatro meses. Será en ese momento cuando tu economía te volverá a interesar.

Marte acampando —estableciéndose— en tu casa del dinero se puede interpretar de muchas formas. Muestra activismo. Te anima a arriesgarte más, en general los Tauro no corren riesgos. Te puede llevar a tomar decisiones financieras precipitadamente, algo que los Tauro no hacen. Cuando la intuición es buena, estas decisiones y operaciones financieras arriesgadas funcionan. Pero si la intuición falla, puedes sufrir fracasos. La buena noticia es que lo más probable es que tu intuición dé en el blanco. Como Marte es el regente de tu duodécima casa de la espiritualidad, dependerás más de tu intuición. En realidad, la adiestrarás en las cuestiones financieras. Serás también más generoso en esta temporada. Y tu participación en donaciones y causas benéficas —en actividades altruistas— mejorará tus resultados financieros.

Mercurio es tu planeta de la economía y, como saben los lectores, se mueve raudamente por el firmamento. A lo largo del año transita por todo tu horóscopo, por todos tus signos y casas. En las previsiones mes a mes hablaré con más detalle de las numerosas tendencias económicas de corta duración que se darán en tu vida.

El verdadero titular de este año es tu profesión. Al parecer te va de maravilla. Tu cargo y tu nivel social subirán mucho de categoría. Pero —y es un gran pero— te lo ganarás hasta la última gota con tu propio esfuerzo. Saturno en tu décima casa lo indica. Triunfarás al ser el mejor en tu especialidad. Tal vez tus jefes te exijan demasiado. Pero la estrategia adecuada este año es darles más de lo que te piden. Por lo visto, harás muchos viajes laborales.

Urano, tu planeta de la profesión, lleva ya muchos años en tu primera casa y la seguirá ocupando varios más. Es una buena señal profesional. Muestra los favores de tus jefes (aunque sean exigentes), de tus padres y de las figuras de autoridad de tu vida. Surgirán oportunidades profesionales provechosas. No será necesario que las busques. Ahora tienes el aspecto de una persona exitosa y te sientes así. Vistes con elegancia. Los demás te admiran. Te ven como alguien que ha triunfado en la vida.

Amor y vida social

Tu séptima casa del amor no destacará este año ni será poderosa. Además, casi todos los planetas lentos se encuentran en la independiente mitad oriental de tu carta astral, la del yo. Por lo que no será un año demasiado activo en el amor. Te centrarás más en ti y en tus intereses personales.

Al ocupar Urano tu primera casa, eres incluso más independiente que de costumbre.

Tu cónyuge, pareja o amante actual tal vez te vea como una persona rebelde y obstinada que no quiere cooperar. Y esto puede pasaros factura en vuestra relación. Tu pareja tendrá que dejarte mucho espacio —el máximo posible— mientras esto no sea destructivo, para que vuestra relación funcione en esta temporada.

Pero Urano no es el único que pondrá a prueba vuestra relación este año. Los cuatro eclipses que tendrán lugar en él ocurrirán a lo largo del eje de tu primera y tu séptima casa. Dos de ellos —el eclipse lunar del 16 de mayo y el solar del 25 de octubre— sucederán en tu séptima casa del amor. Los otros dos —el eclipse solar del 30 de abril y el lunar del 8 de noviembre— tendrán lugar en la séptima casa del amor de tu pareja. Por lo que ambos pasaréis momentos difíciles en vuestra relación.

Aunque esto no quiere decir que pueda acabar en una ruptura. Solo significa que tendréis que esforzaros más para seguir juntos.

Si no tienes pareja, lo más probable es que no te cases este año. Tendrás citas y aventuras amorosas, pero el matrimonio no es aconsejable. Tu vida amorosa es al parecer demasiado inestable.

Es otra lección vital para los Tauro. Normalmente no les gustan los cambios. Les encanta la rutina y que todo siga igual. Aprender a manejar los cambios —a aceptarlos— es muy importante en estos días.

Si bien tu vida amorosa no será fácil, en la faceta de los amigos serás muy feliz. (El cosmos siempre lo compensa todo. Cuando un aspecto flaquea, el otro se vuelve poderoso. Lo que te quita por un lado, te lo da por otro).

Ahora estás conociendo a personas nuevas y significativas de tipo espiritual. Quizá formas parte de grupos espirituales.

La relación de tus padres o figuras parentales también atravesará momentos difíciles este año. Las de tus hermanos o figuras fraternas han pasado por crisis desde 2018 hasta 2020. Pero las cosas han mejorado ahora. Tus hijos o figuras filiales mantienen una relación seria, y si tienen la edad adecuada puede que lleguen a contraer matrimonio. La vida amorosa y social de tus nietos, en el caso de tenerlos, seguirá siendo la misma este año.

Progreso personal

Este año será extremadamente espiritual, como he señalado. Si ya sigues un camino espiritual, lo profundizarás y progresarás mucho en él. Y si no es así, lo más probable es que te embarques en uno. Júpiter ingresará en tu duodécima casa de la espiritualidad el 11 de mayo y la ocupará cerca de medio año. En esta temporada disfrutarás en realidad de tu práctica espiritual. Ya no sentirás el molesto peso de la disciplina. Ni intentarás sacártela de encima. Al contrario, la esperarás con ilusión. El cambio será alucinante.

Es un año en el que tu alma te llevará a limpiarte no solo físicamente, sino también en el aspecto mental y emocional. Júpiter, el regente de tu octava casa, tiene que ver con ello. El mayor obstáculo para el progreso espiritual (y para seguir las leyes espirituales) son los hábitos mentales y emocionales negativos, los pensamientos negativos. Hay que abandonarlos. Algunos están muy arraigados, tal vez te hayas dejado llevar por ellos durante muchísimos años (incluso vidas). Y además el mundo, la conciencia colectiva, los respalda. Dejarlos atrás es una tarea hercúlea. No se consigue de la noche a la mañana. Pero si lo haces cada día un poco, con el tiempo (resérvate un momento diario para ello) verás que mejoras a cada día que pasa. No importa que no hayas alcanzado aún tu objetivo. No importa que parezca muy lejano. Lo esencial es que cada día estarás más cerca de él. Hay muchos métodos para limpiarte psicológicamente. En mi libro *A Technique for Meditation* ofrezco dos sistemas prácticos. En mi web también encontrarás una gran cantidad de información sobre este tema.

En este año aprenderás que todos los retos de tu vida —como los sociales, los amorosos y los profesionales—, son necesarios para tu evolución. Al igual que los cambios repentinos y dramáticos, y la inestabilidad, que se dan en ella. Son puntos de referencia en el camino orquestados desde lo alto.

Como he señalado, Marte, tu planeta de la espiritualidad, pasará una cantidad inusual de tiempo en tu casa del dinero este año a partir del 20 de agosto. Será una buena temporada para profundizar en las leyes espirituales del dinero. Tauro, por lo general, tiende a depender de lo material, de lo que puede ver y tocar. Depende de los saldos bancarios y las inversiones. Pero al espíritu no le preocupa cuánto dinero tienes, sino cuánto espíritu tiene, y lo tiene todo. Cuando sigues las leyes espirituales del dinero —del Suministro Divino—, estás trabajando con los recursos del universo y no solo con los tuyos. El espíritu acrecienta y activa el «capital humano», las ideas y la serie de habilidades —las percepciones— que crean la riqueza. Una buena idea es leer sobre el tema del Suministro Divino lo máximo posible (los libros de Emmet Fox y de Ernest Holmes son una buena forma de empezar, aunque encontrarás muchos otros sobre este tema).

Previsiones mes a mes

Enero

Mejores días en general: 2, 3, 11, 12, 21, 22, 29, 30
Días menos favorables en general: 4, 5, 18, 19, 25, 26, 31
Mejores días para el amor: 2, 3, 11, 12, 21, 22, 25, 26, 29, 30
Mejores días para el dinero: 2, 3, 6, 11, 12, 13, 14, 16, 23, 25
Mejores días para la profesión: 2, 3, 4, 5, 11, 12, 21, 22, 29, 30, 31

Te espera un buen mes, Tauro. Primero te llegará la felicidad y después el éxito. Tu novena casa estará repleta de planetas hasta el 20. Ahora estás viviendo una temporada optimista y expansiva. También gozas de buena salud. Es muy probable que viajes. Si eres estudiante universitario, rendirás en los estudios. Si tienes problemas jurídicos, este tipo de cuestiones te irán bien. Sentirás un gran interés por la religión, la filosofía y la teología este mes. Cuando la novena casa es poderosa, uno prefiere una buena discusión teológica a salir por la noche.

Después te llegará el éxito. El Sol ingresará en tu décima casa el 20 y empezará una de tus mejores temporadas profesionales del año. Normalmente, cuando estamos muy centrados en la profesión, debemos equilibrarlo con las necesidades familiares. Pero este mes compaginarás ambos aspectos de maravilla. Tu familia te apoya en tu profesión y está implicada activamente en ella. Tu familia como un todo también está triunfando, su nivel social subirá.

Tu salud será buena hasta el 20, vigílala más a partir de esta fecha. Los dos planetas relacionados con la salud —Mercurio, tu planeta genérico de la salud, y Venus, tu planeta de la salud— serán retrógrados. Mercurio lo será a partir del 14, y Venus del 1 al 29. No es por lo tanto un buen momento para las analíticas o los tratamientos médicos. Las probabilidades de error aumentan considerablemente debido a estos aspectos planetarios. Vuélvelos a programar para más adelante (el próximo mes será un momento mucho más idóneo para ello.) Mientras tanto, fortalece tu salud con masajes en la espalda y las rodillas. Una visita al quiropráctico o al osteópata también es una buena idea. Y, sobre todo, descansa bastante a partir del 20.

No es un buen momento para el matrimonio, pero tu vida amorosa será feliz. Plutón, tu planeta del amor, está recibiendo mucha estimulación positiva.

La actividad retrógrada de Mercurio a partir del 14 te complicará tu economía, pero no llegará a frenarla. Procura realizar las adquisiciones o inversiones importantes antes del 14. Y después de esta fecha, analiza más a fondo la situación.

Mercurio ocupará tu décima casa del 2 al 27. Tus ingresos te llegarán en esta temporada de subidas salariales o de tu buena reputación profesional. O de ambas cosas. Tus jefes y las personas mayores de tu vida apoyarán tus objetivos económicos.

Febrero

Mejores días en general: 7, 8, 17, 18, 26, 27
Días menos favorables en general: 1, 14, 15, 16, 21, 22, 23, 28
Mejores días para el amor: 7, 8, 17, 18, 21, 22, 23, 27
Mejores días para el dinero: 2, 3, 8, 9, 10, 11, 12, 13, 19, 20, 21, 22, 28
Mejores días para la profesión: 1, 7, 8, 17, 18, 26, 27, 28

Mercurio, tu planeta de la economía, será directo a partir del 4, por lo que la mayoría de tus dudas financieras desaparecerán, y tu economía mejorará. Mercurio viajará entre dos signos este mes: Capricornio y Acuario. Tu planeta de la economía en Capricornio (hasta el 15) favorece un buen criterio económico y un buen ojo para las inversiones a largo plazo. También gozarás de una visión de largo alcance relacionada con el dinero. Este aspecto planetario favorece la acumulación de riqueza lenta y estable. Mercurio ingresará en Acuario el 15 (de nuevo), la posición más poderosa, ya que está exaltado en este signo. Además, al encontrarse en la cúspide tu carta astral, ocupa un lugar potente. Estos aspectos aumentan tu poder adquisitivo. Muestran que ahora eres más experimentador en cuanto a la economía y también propicia un rápido progreso en el mundo de la alta tecnología. Es un buen momento para adquirir equipo de alta tecnología o para actualizar el software. Es por lo visto una buena inversión. Lo más probable es que te beneficies de aumentos salariales.

Sigue vigilando tu salud, aunque los planetas que tienen que ver con ella son ahora directos. Es, pues, el momento más seguro para las analíticas o los tratamientos médicos. Sigue descansando y relájate más. Fortalece tu salud, al igual que el mes anterior, con masajes en la espalda y las rodillas. Tal vez experimentes más en el mundo de la economía, pero en lo que respecta a la salud eres muy conservador. Tenderás a continuar recurriendo a la medicina tradicional.

Marte, tu planeta de la espiritualidad, lleva «fuera de límites» desde el 12 de enero. Y seguirá así hasta el 10. En las cuestiones espirituales ahora te estás moviendo por territorios nuevos, fuera de tu espacio cotidiano. Como Venus viaja con Marte el 15 y 16, las técnicas de curación espiritual serán en estos días mucho más efectivas.

Como vivirás una de tus mejores temporadas profesionales del
año hasta el 18, es acertado y positivo centrarte en este aspecto de
tu vida. Al igual que el mes anterior, tu familia te apoya y colabo-
ra en tu profesión. Además ahora vuestro nivel social ha subido.

Tu undécima casa de los amigos lleva siendo poderosa el año
entero, y este mes lo será más aún al ingresar el Sol en ella y unirse
a Júpiter y Neptuno. Aunque tu vida amorosa siga como siempre,
este mes será muy activa en lo que respecta a las amistades y las
actividades grupales. Ahora estás conociendo a personas nuevas y
significativas, que por lo visto son espirituales, refinadas y creativas. Tu interés por la astrología ha aumentado, ya que tu undécima
casa es ahora muy poderosa. Muchas personas con este tipo de
tránsito deciden pedirle a un astrólogo que les trace la carta astral.

Marzo

Mejores días en general: 6, 7, 8, 16, 17, 25, 26
Días menos favorables en general: 1, 14, 15, 21, 22, 27, 28
Mejores días para el amor: 8, 9, 18, 19, 21, 22, 26, 27, 28
Mejores días para el dinero: 1, 2, 3, 9, 10, 11, 12, 21, 22, 30, 31
Mejores días para la profesión: 1, 6, 7, 8, 16, 17, 25, 26, 27, 28

Te espera un mes muy exitoso, pero sigue vigilando tu salud. Las
exigencias de tu profesión son contundentes y probablemente inevitables. De modo que trabaja rítmicamente. Céntrate en lo esencial de tu vida y deja a un lado lo secundario. Aprovecha al máximo tu energía.

Venus, tu planeta de la salud, ingresará en Acuario, tu décima
casa, el 6. El mismo día, Marte ingresará en tu décima casa de la
profesión. Ahora tu actividad profesional es alta. Estás trabajando incansablemente. Pero estás triunfando no solo debido a tus
habilidades profesionales y a tu sólida ética laboral, sino también
por quien eres. Tu aspecto personal y tu porte juegan un gran papel en tu éxito.

Venus en Acuario a partir del 6 muestra que puedes mejorar tu
salud con masajes en los tobillos y las pantorrillas. Rodearte de
aire puro también es un sistema tradicional renovador.

Marte en tu décima casa a partir del 6 muestra que participar
en obras benéficas y actividades altruistas es beneficioso para tu
profesión. Probablemente te conocen tanto por tu generosidad en
este sentido como por tus habilidades profesionales. Esta tenden-

cia también aparece en otros aspectos. Marte, tu planeta de la espiritualidad, viajará con Venus, el regente de tu horóscopo, del 1 al 12. De modo que ahora tienes una actitud altruista. También indica que los métodos de curación espiritual serán muy eficaces hasta el 12.

Tu undécima casa de los amigos, los grupos y las actividades grupales sigue siendo muy poderosa este mes. Este aspecto indica una vida social activa, aunque tu vida amorosa seguirá como siempre. Tiene más que ver con las amistades.

Te espera un buen mes en cuanto a tu economía. Mercurio está avanzando raudamente por tres signos y casas de tu carta astral. Este tránsito refleja confianza interior, alguien que progresa con rapidez en la vida. Mercurio viajará con Júpiter el 20 y 21. Gozarás de una buena temporada económica. Después viajará con Neptuno (el 22 y 23). Este tránsito te trae oportunidades económicas procedentes de amigos, redes sociales o actividades *online*. También aumenta tu intuición económica. Presta atención a tus sueños el 22 y 23, es posible que contengan una información económica importante para ti.

Abril

Mejores días en general: 3, 4, 13, 14, 21, 22, 30
Días menos favorables en general: 10, 11, 17, 18, 23, 24
Mejores días para el amor: 4, 8, 14, 17, 18, 22, 25, 26, 27
Mejores días para el dinero: 1, 2, 5, 6, 8, 9, 12, 13, 17, 18, 21, 22, 26, 27
Mejores días para la profesión: 3, 4, 13, 14, 21, 22, 23, 24, 30

Te espera un mes feliz, incluso ni siquiera lo enturbiará el eclipse solar del 30. (Aunque como te influirá con fuerza, reduce tus actividades).

Tu salud y energía mejorarán enormemente a medida que los planetas rápidos vayan dejando de formar aspectos desfavorables en tu carta astral. Además, el Sol ingresará en tu signo el 20, y este tránsito te dará más energía aún, carisma y un aura de estrella. Tu confianza interior y tu autoestima también estarán por las nubes. Y por si esto fuera poco, empezarás a vivir una de tus temporadas más placenteras del año.

El eclipse solar del 30 será potente, ya que ocurrirá en tu signo. Indica que sentirás el deseo de redefinirte, es decir, de cambiar tu imagen y el concepto que tienes de ti. Los acontecimientos del eclipse te mostrarán por qué es necesario hacerlo. La gente probablemente se ha hecho una idea equivocada de ti y tú también. Y es esto lo que cambiarás en los próximos meses. Tu cónyuge, pareja o amante actual vivirán dramas sociales contigo o con los amigos. Como el Sol es tu planeta del hogar y de la familia, cada eclipse solar afecta a esta esfera de tu vida. Habrá dramas en la vida de tus familiares (en especial en la de uno de tus progenitores o figura parental). Como las pasiones también se pueden desatar en tu hogar, sé más paciente con los tuyos. (Cuando esto empieza a suceder es una señal cósmica de estar atravesando el periodo del eclipse, o sea que reduce tu agenda.) Los fallos ocultos en el hogar tienden a descubrirse durante esta clase de eclipse. Pero no te preocupes, la situación te permitirá corregirlos. Tu vida onírica será imprevisible —y a menudo aterradora—, pero no le des importancia, no son más que los restos psíquicos procedentes del influjo del eclipse.

Aunque el eclipse tienda a agitar la situación, sácale provecho. La conjunción de Venus con Júpiter el 30 hará que sea un buen día para ti en el aspecto financiero.

Tu economía aumentará incluso antes del 30. Mercurio, tu planeta de las finanzas, ingresará en tu signo el 11. Este tránsito te traerá ganancias inesperadas y oportunidades financieras ventajosas. Las personas adineradas de tu vida estarán dedicadas a ti. Es como si el dinero te persiguiera en lugar de ser al contrario.

TODOS los planetas son directos este mes. A partir del día de tu cumpleaños se iniciará un ciclo solar creciente. Y como el ciclo solar cósmico también es creciente, a partir de esta fecha será una temporada estupenda para iniciar proyectos o montar empresas.

Mayo

Mejores días en general: 1, 10, 11, 19, 25, 26
Días menos favorables en general: 7, 8, 9, 14, 15, 21
Mejores días para el amor: 1, 7, 8, 11, 14, 15, 16, 17, 20, 28
Mejores días para el dinero: 2, 3, 4, 6, 12, 13, 16, 18, 19, 25, 28, 30, 31
Mejores días para la profesión: 1, 10, 11, 19, 21, 27, 28

Te espera un mes muy movido, Tauro. Están ocurriendo muchos cambios. En primer lugar, el importante tránsito que Júpiter hará de tu undécima casa a tu duodécima casa de la espiritualidad el 11. Tres planetas tendrán además sus solsticios este mes: Venus, Marte y Júpiter. Un hecho muy inusual. Se detendrán en el firmamento y luego cambiarán de sentido, en latitud. Este aspecto indica una pausa y un cambio de rumbo en estas esferas de tu vida. Y, por último, habrá un poderoso eclipse lunar en tu séptima casa del amor el 16. Por lo que tu relación de pareja será puesta a prueba. Los problemas pueden variar. En algunas ocasiones están relacionados con la propia relación, y en otras con los dramas que ocurren en la vida de tu cónyuge, pareja o amante actual. Las buenas relaciones tienden a superar estas crisis, pero las inestables acaban rompiéndose. Como la Luna, el planeta eclipsado, rige tu tercera casa de la comunicación y los intereses intelectuales, cada eclipse lunar afecta esta área de tu vida. Los alumnos de primaria o secundaria tendrán problemas en el centro docente. Quizá cambie su plan de estudios o se matriculen en otra escuela. Habrá dramas en la vida de tus hermanos o figuras fraternas. Sentirán el deseo de redefinirse, de cambiar su imagen personal y el concepto que tienen de sí mismos. Podrían surgir trastornos en tu vecindario o con los vecinos. Los vehículos y el equipo de comunicación pueden fallar. Te conviene conducir con más precaución en el periodo del eclipse. Es mejor que tú y tu cónyuge, pareja o amante actual reduzcáis vuestras actividades. Como este eclipse afectará a Saturno, los estudiantes universitarios pueden enfrentarse a modificaciones en el plan de estudios o cambiar de facultad. Los problemas jurídicos pueden dar un gran vuelco en un sentido o en el otro. Surgirán problemas en tu lugar de culto y dramas en la vida de tus líderes religiosos.

El solsticio de Venus tendrá lugar del 4 al 8. Este aspecto sugiere una pausa personal en tus asuntos y después un cambio de rumbo. Al igual que en las cuestiones de salud.

El solsticio de Marte ocurrirá del 27 al 31. Este aspecto muestra una pausa en tu vida espiritual y luego un cambio de rumbo. (No es de extrañar, ya que como Júpiter se aloja ahora en tu duodécima casa, tu vida espiritual se está expandiendo).

El solsticio de Júpiter durará mucho tiempo, es un planeta de movimiento lento. Ocurrirá a partir del 12 (y se prolongará hasta el próximo mes). Se dará una pausa en la vida amorosa y en la economía de tu cónyuge, pareja o amante actual. Pero será positiva. Cuando termine al mes siguiente, gozará de más energía y su situación económica cambiará de rumbo.

Junio

Mejores días en general: 6, 7, 15, 16, 23, 24, 25
Días menos favorables en general: 4, 5, 11, 12, 17, 18
Mejores días para el amor: 6, 7, 11, 12, 16, 25, 26
Mejores días para el dinero: 4, 6, 7, 13, 17, 21, 26, 27
Mejores días para la profesión: 6, 7, 15, 16, 17, 18, 23, 24

Marte y Júpiter siguen en su solsticio este mes. El de Marte durará hasta el 2, y el de Júpiter hasta el 12. Consulta las previsiones del mes anterior.

Te espera un mes próspero. A partir del 21 de mayo empezó una de tus mejores temporadas económicas del año y lo seguirá siendo hasta el 21. Mercurio, tu planeta de la economía, empezará a ser directo el 3. Por lo que verás tus finanzas con claridad y confianza. Tu planeta de la economía alojado en tu signo hasta el 14 es una señal clásica de prosperidad. El dinero y las oportunidades te perseguirán a ti en lugar de ser al contrario. Sigue con tu rutina diaria, el dinero dará contigo por sí solo. Tu planeta de la economía ingresará en tu casa del dinero el 14 y en este lugar será poderoso. Este tránsito propicia unos mayores ingresos (Mercurio se encuentra ahora en su propio signo y casa.) Y lo más importante es que Venus, el regente de tu horóscopo, ingresará en tu casa del dinero el 23. Este tránsito siempre es favorable, ya que el regente de tu horóscopo es el más benéfico. Ahora estás volcado en las finanzas. Has adoptado la imagen de una persona adinerada. Gastas en ti. Tus ingresos provienen del trabajo, el comercio, la industria minorista y los contactos familiares. Al estar tu casa del dinero llena de planetas, los ingresos te llegarán de muchas fuentes y de numerosas formas.

Tu salud y energía son buenas este mes. Aunque haya dos planetas lentos formando alineaciones desfavorables en tu carta astral (seguirán así todo el año), los planetas rápidos forman buenos aspectos o no te crean problemas. Puedes fortalecer más aún tu salud hasta el 23 con masajes en el cuello y por medio de la terapia craneosacral. Una buena salud significa también en tu caso lucir un «buen aspecto», el componente de vanidad en la salud es muy fuerte. A partir del 24, potencia tu salud con masajes en los brazos y los hombros, y al rodearte de aire puro. Si te notas con el tono vital bajo, sal a tomar el aire y respira hondo.

Venus en tu signo le aporta belleza y elegancia a tu imagen. Ahora vistes con elegancia. Tienes un gusto estético excelente. Es un buen momento para comprar ropa y accesorios este mes, ya que en esta temporada tienes muy buen gusto.

Venus seguirá viajando con Urano el 10 y 11. Este tránsito te trae oportunidades profesionales inesperadas. Ahora estás más unido —más en armonía— con tus jefes y con las personas mayores y las figuras de autoridad de tu vida. Es posible que te llegue de repente una oportunidad laboral.

Julio

Mejores días en general: 4, 5, 12, 13, 21, 22, 31
Días menos favorables en general: 1, 2, 8, 9, 14, 15, 28, 29
Mejores días para el amor: 5, 6, 7, 8, 9, 13, 15, 22, 26
Mejores días para el dinero: 1, 2, 8, 10, 11, 16, 17, 18, 19, 23, 24, 28, 29
Mejores días para la profesión: 4, 5, 12, 13, 14, 15, 21, 22, 31

La actividad retrógrada aumentará este mes. A finales de julio el 40 por ciento de los planetas serán retrógrados. Aunque sea un porcentaje importante, no constituye aún el máximo del año. (Este ocurrirá en septiembre.) El problema es que Marte ingresará en tu signo el 5 y lo ocupará el resto del mes. Este tránsito tiene muchas ventajas. Tu energía y tu actitud de «¡puedo hacerlo!» aumentarán. Pero también es posible que te vuelvas impetuoso y apresurado, y esto no es bueno cuando hay tantos planetas retrógrados en tu carta astral. Si no te queda más remedio que apresurarte, hazlo con precaución.

Tu salud será buena este mes, sobre todo hasta el 23. A partir del 24 descansa y relájate más. Fortalece tu salud con masajes en los brazos y los hombros hasta el 18, y con masajes abdominales el resto del mes. La dieta también será importante para ti después del 18. Al igual que una buena salud emocional. No solo es esencial gozar de bienestar emocional este mes, sino además los dos siguientes.

A los Tauro siempre les interesa la economía, pero este mes no te atraerá tanto. Mercurio abandonará tu casa del dinero el 5, y Venus lo hará el 18. Este aspecto es una buena señal. Has conseguido tus objetivos económicos (al menos los de corto alcance) y ahora puedes empezar a dedicarte a otras cosas.

Tu tercera casa será poderosa este mes. Es un gran tránsito para los alumnos de primaria o secundaria. Sacarán buenas notas. Se concentrarán en los estudios. Este tránsito también potencia la mente y la capacidad de comunicación. Es el momento ideal para leer más y asistir a cursos que te interesen. Quizá te dediques a dar clases de la materia en la que eres experto. Es además un buen mes para las ventas, el marketing, la publicidad y la industria minorista. La actividad comercial será lucrativa del 5 al 19.

La cuadratura de Marte con tu planeta del amor el 1 y 2 puede crear conflictos con tu cónyuge, pareja o amante actual. Sé más paciente con esta persona.

Marte viajará con Urano el 30 y 31. Al ser un aspecto dinámico, sé más consciente en el plano físico. A tus padres o figuras parentales, y a tus jefes también les conviene serlo.

Agosto

Mejores días en general: 1, 9, 10, 17, 18, 27, 28
Días menos favorables en general: 4, 5, 11, 12, 25, 26
Mejores días para el amor: 1, 4, 5, 10, 15, 18, 25, 26, 28
Mejores días para el dinero: 7, 9, 15, 17, 18, 20, 21, 25, 29
Mejores días para la profesión: 1, 9, 10, 11, 12, 17, 18, 27, 28

Dado que Marte seguirá viajando con Urano el 1 y 2, consulta las previsiones del mes anterior.

Tu profesión será importante el año entero, pero este mes puedes dedicar más energía a tu hogar y tu familia, y sobre todo, a tu bienestar emocional. Urano, tu planeta de la profesión, será retrógrado el 24, y tu cuarta casa del hogar y de la familia es muy poderosa (desde el mes anterior). Este mes predomina además el hemisferio nocturno de tu carta astral. Por lo que es el momento para establecer las estructuras —los cimientos emocionales y domésticos— para tu éxito profesional y el empujón que le darás a tu carrera en el futuro.

Cuando la cuarta casa es muy poderosa, surge con fuerza la energía de la nostalgia. El pasado está presente en nuestra vida. Nos interesa. Recordamos episodios de un pasado lejano que aunque parezcan insignificantes desde el punto de vista racional, son muy importantes emocionalmente. Así es el proceso curativo. No podemos afrontar todo el pasado solo en un mes, es una tarea de años (y para algunos, de toda una vida), pero podemos trabajar con las cuestiones más inmediatas, aquello que tenemos que evaluar de nuevo desde nuestro estado mental presente. Hechos que son devastadores para un niño de cuatro años nos hacen ahora sonreír de adultos. Analizar estas experiencias del pasado te ayudará a superar los traumas que pudieron provocarte. Este autoexamen interior no solo es bueno para la salud emocional, sino también para la física.

La actividad retrógrada aumentará incluso más todavía este mes. A finales de agosto, el 50 por ciento de los planetas —un porcentaje elevado— estarán retrocediendo. Los niños nacidos en este periodo tardarán en desarrollarse más de lo habitual, sea cuál sea su signo zodiacal. Es positivo ser conscientes de este tipo de detalles.

Afortunadamente, Mercurio, tu planeta de la economía, no es retrógrado. En realidad, está avanzando raudamente este mes. De modo que aunque se den muchos retrasos en numerosos aspectos de tu vida, tu economía progresará. Hasta el 4 tu familia y tus contactos familiares serán muy importantes. Ahora por lo visto gozas del apoyo de tu familia. Del 4 al 26 ganarás «dinero feliz» de maneras agradables, y también te lo gastarás en actividades amenas. A partir del 26, lo obtendrás de la forma habitual, por medio del trabajo y de los servicios prestados a los clientes.

Septiembre

Mejores días en general: 5, 6, 13, 14, 15, 23, 24
Días menos favorables en general: 1, 2, 7, 8, 21, 22, 28, 29
Mejores días para el amor: 1, 2, 4, 5, 6, 13, 14, 15, 24, 28, 29
Mejores días para el dinero: 3, 7, 8, 11, 16, 17, 21, 24, 30
Mejores días para la profesión: 5, 6, 7, 8, 14, 15, 23, 24

La actividad retrógrada alcanzará su punto más alto este mes. El 60 por ciento de los planetas —un porcentaje enorme— estarán retrocediendo a partir del 10, incluido Mercurio, tu planeta de la economía. Todo sucederá a un ritmo más lento en septiembre. Y como tu quinta casa es poderosa desde el 23 de agosto, disfruta de la situación y vete de vacaciones o haz actividades placenteras. Aparte de esto, no hay gran cosa más que hacer.

La retrogradación de Mercurio será mucho más potente que las anteriores de este año por el movimiento retrógrado de muchos otros planetas. Los efectos son acumulativos. Tu situación económica progresará, pero más despacio de lo habitual y con más problemas y retrasos. Al haber tantos planetas retrógrados, el cosmos nos llama la atención para que bajemos el ritmo y lo hagamos todo a la perfección. En especial en el aspecto de la economía. Actuar a la perfección y manejar los detalles de la vida impecablemente no eliminará los retrasos, pero los minimizará.

La buena noticia es que tu salud será excelente este mes. Además estás disfrutando de la vida. Los efectos del inusual gran trígono en los signos de tierra que empezó el mes anterior aún persisten. Este aspecto aumenta más aún tu gran capacidad directiva y te da una actitud práctica y realista ante la vida.

Además del gran trígono en los signos de tierra, se dará un gran trígono en los signos de aire. Son dos grandes trígonos en un mes. Este aspecto es excelente para los profesores, los estudiantes, los escritores, los intelectuales, los vendedores y los mercadotécnicos. Potencia las facultades mentales considerablemente. Descubrirás además que la gente en general se muestra más comunicativa contigo.

Venus, tu planeta de la salud, se alojará casi todo el mes en tu quinta casa. Este aspecto se puede interpretar de diversas formas. Podrías estar más pendiente de la salud de tus hijos o figuras filiales que de la tuya. Una afición creativa será en esta temporada inusualmente terapéutica. La alegría es en sí una poderosa energía curativa, o sea que sé feliz. Los masajes en el bajo vientre también serán terapéuticos.

Marte, tu planeta de la espiritualidad, se alojará en tu casa del dinero el mes entero. Este aspecto muestra el profundo deseo de explorar las dimensiones espirituales del dinero. Ya he hablado de este tema en las previsiones de este año. Tu intuición también te ayudará a resolver muchos problemas.

Tu vida amorosa será feliz hasta el 23. Pero como Plutón, tu planeta del amor, es retrógrado, no te precipites en una relación. Disfruta del amor tal como es, sin hacer planes para el futuro.

Octubre

Mejores días en general: 2, 3, 11, 12, 21, 22, 30
Días menos favorables en general: 4, 5, 18, 19, 25, 26
Mejores días para el amor: 3, 4, 5, 12, 13, 14, 22, 25, 26
Mejores días para el dinero: 2, 3, 8, 9, 13, 14, 18, 23, 24, 26, 27
Mejores días para la profesión: 2, 3, 4, 5, 11, 12, 21, 22, 30

La actividad retrógrada sigue siendo elevada, pero ha bajado mucho comparada con la del mes anterior. A finales de mes descenderá a la mitad, al 30 por ciento, comparada con el 60 por ciento del mes anterior. El ritmo de la vida empezará a aumentar este mes.

Por suerte, estarás pendiente de tu salud hasta el 23, ya que a partir del 24 podrías tener algún que otro problema en este aspecto de tu vida. Como te has estado cuidando, serás más resistente a la larga. Es como si engrosaras tu cuenta bancaria de la salud.

El principal titular este mes es el eclipse solar del 25. Como es parcial, no será demasiado potente. Pero si afectara a algún punto sensible de tu carta astral (trazada teniendo en cuenta el lugar, la fecha y la hora de tu nacimiento) podría ser poderoso. Te conviene reducir tus actividades en esa temporada. (Es mejor que te lo tomes todo con calma a partir del 23, pero en especial en el periodo del eclipse).

Este eclipse tendrá lugar en tu séptima casa y pondrá a prueba tu relación de pareja y tus amistades. Sacará a la luz los trapos sucios de mucho tiempo atrás. Las buenas relaciones superarán la crisis, pero las defectuosas se romperán. Ahora que Urano ya lleva varios años ocupando tu signo, tus relaciones han atravesado momentos difíciles en diversas ocasiones. Y este eclipse no hace más que acentuarlo. Como el Sol rige tu cuarta casa del hogar y de la familia, cada eclipse solar provoca dramas en tu familia y en la vida de los tuyos. Las pasiones se desatarán en tu hogar. Sé más paciente (y comprensivo) en esta temporada. Si hay fallos ocultos en el hogar, ahora es cuando se descubrirán. A menudo te verás obligado a hacer reparaciones en él.

La buena noticia es que vivirás una de tus mejores temporadas amorosas y sociales del año a partir del 23. Te volcarás en tus relaciones y amistades. Y esto te ayudará a superar los momentos difíciles generados por el eclipse.

Puedes fortalecer tu salud con una dieta depurativa a partir del 23. Una buena salud no es solo para ti la «ausencia de síntomas», es además una buena salud social y una vida amorosa saludable. Si tienes problemas de salud, recupera la armonía en el amor lo antes posible.

Noviembre

Mejores días en general: 7, 8, 17, 18, 26, 27
Días menos favorables en general: 1, 2, 15, 16, 22, 23, 28, 29
Mejores días para el amor: 3, 4, 8, 9, 13, 18, 22, 23, 24, 27

Mejores días para el dinero: 3, 4, 10, 11, 13, 14, 23, 24, 25
Mejores días para la profesión: 1, 2, 7, 8, 17, 18, 26, 27, 28, 29

Probablemente el eclipse lunar del 8 será más poderoso que el eclipse solar del mes anterior. (En general, los eclipses solares se consideran más potentes que los lunares). Será un eclipse total, los indios americanos lo llaman «luna de sangre». Y lo más importante es que influirá a tres planetas más: Mercurio, Urano y Venus. (Y si afecta a planetas importantes de tu carta astral personalizada, será incluso más fuerte aún). Tómate con calma esta temporada. Te conviene reducir tus actividades hasta el 22, pero sobretodo en el periodo del eclipse.

Como este eclipse tendrá lugar en tu signo, te obligará a redefinirte, a cambiar de aspecto y de imagen pública. Este tipo de redefinición es positiva. Somos seres que evolucionamos y cambiamos a lo largo de la vida, y es saludable ir cambiando de vez en cuando la idea que tenemos de nosotros mismos. Pero al verte ahora «obligado» a hacerlo, será menos agradable. Si no has seguido una dieta sana, este eclipse puede obligarte a depurar tu organismo. Tal vez parezca una enfermedad, pero en realidad estarás eliminando lo que le sobra a tu cuerpo. Como el eclipse afectará a Mercurio, se darán cambios en tu economía y tendrás que corregir su rumbo. Los acontecimientos del eclipse te mostrarán en qué aspecto tus estrategias y tus planes económicos no han estado siendo realistas. Los efectos del eclipse sobre Venus y Urano muestran cambios de empleo y de profesión. Las condiciones de tu lugar de trabajo cambiarán y surgirán problemas en él y con tus compañeros. Si te ocupas de las contrataciones en tu empresa, es posible que haya renovación de personal. Tus padres o figuras parentales, tus jefes, y las personas mayores de tu entorno se enfrentarán a dramas que les cambiarán la vida. En los próximos meses también se darán cambios importantes en tu programa de salud. Tu cónyuge, pareja o amante actual se enfrentará a dificultades sociales.

Tu salud y energía mejorarán a partir del 23. Mientras tanto, fortalece tu salud con dietas depurativas y por medio de la estimulación de los puntos reflejos del colon y de la vejiga. Y a partir del 17, con los masajes en los muslos y a través de la estimulación de los puntos reflejos del hígado.

Marte seguirá en tu casa del dinero el mes entero, aunque ahora es retrógrado. La intuición es importante en las finanzas, pero compruébala en esta temporada.

Diciembre

Mejores días en general: 4, 5, 6, 14, 15, 16, 23, 24
Días menos favorables en general: 12, 13, 19, 20, 25, 26
Mejores días para el amor: 2, 3, 6, 14, 15, 16, 19, 20, 23, 24
Mejores días para el dinero: 1, 2, 3, 7, 8, 11, 14, 15, 20, 21, 23, 24, 29
Mejores días para la profesión: 4, 5, 14, 15, 23, 24, 25, 26

Te espera un mes feliz y movido. Júpiter regresará a tu duodécima casa de la espiritualidad el 21. El año próximo ingresará en tu signo. La vida te está preparando espiritualmente para el éxito y la prosperidad. Tu salud ha mejorado mucho comparada con el mes anterior, y será muy buena a partir del 22. La actividad retrógrada también ha disminuido notablemente. El 80 por ciento de los planetas serán directos hasta el 24. A partir del 25, lo serán el 70 por ciento. Todo empezará a progresar en el mundo y en tu vida.

Tu octava casa será muy poderosa hasta el 22. Ahora eres más activo sexualmente. Sea cual sea tu edad o tu etapa de la vida, tu libido es más fuerte de lo habitual. Y lo más importante es que este mes es ideal para liberarte de lo innecesario y lo inútil. Es el momento idóneo para perder peso y las dietas depurativas. También lo es para la depuración económica, la planificación tributaria, la planificación de seguros, y si tienes la edad adecuada, para la planificación patrimonial.

Tu novena casa será poderosa el 22. (Venus, el regente de tu horóscopo, la ocupará incluso antes de esta fecha, a partir del 10). Este aspecto favorece los viajes al extranjero o las oportunidades para realizarlos. Si deseas ingresar en una universidad, tendrás buenas noticias. Si estás haciendo una carrera, rendirás en los estudios. Es una etapa para los descubrimientos teológicos y filosóficos.

Tres planetas saldrán fuera de límites, es decir, fuera de sus órbitas, este mes. Es un hecho muy inusual. Marte, tu planeta de la espiritualidad, lleva «fuera de límites» desde el mes anterior. Este aspecto muestra que en las cuestiones espirituales te estás moviendo ahora fuera de tu esfera habitual, probablemente estás explorando caminos que antes no te atraían. Venus fuera de límites del 2 al 24 indica que te estás moviendo fuera de tu esfera en tu vida personal, en tu forma de vestir y de presentarte a los demás. También estás explorando programas de salud y terapias que no son corrientes. Mercurio, tu planeta de la economía, estará fuera de límites del 1 al 22. De modo que lo mismo te ocurrirá en lo económico. Es un mes en el que pensarás y actuarás de una manera «fuera de lo común».

Mercurio, tu planeta de la economía, será retrógrado el 24. Los efectos de esta retrogradación no serán tan poderosos como los de septiembre. Pero aun así, procura realizar las adquisiciones y las inversiones importantes antes de esta fecha.

Tu vida amorosa mejorará a partir del 23, pero la coyuntura no es favorable al matrimonio. Disfruta del amor tal como es, sin hacer planes para el futuro.

Géminis

Los gemelos
Nacidos entre el 21 de mayo y el 20 de junio

Rasgos generales

GÉMINIS DE UN VISTAZO

Elemento: Aire

Planeta regente: Mercurio
  Planeta de la profesión: Neptuno
  Planeta de la salud: Plutón
  Planeta del amor: Júpiter
  Planeta del dinero: la Luna

Colores: Azul, amarillo, amarillo anaranjado
  Colores que favorecen el amor, el romance y la armonía social:
  Azul celeste
  Colores que favorecen la capacidad de ganar dinero: Gris, plateado

Piedras: Ágata, aguamarina

Metal: Mercurio

Aromas: Lavanda, lila, lirio de los valles, benjuí

Modo: Mutable (= flexibilidad)

Cualidad más necesaria para el equilibrio: Pensamiento profundo
  en lugar de superficial

Virtudes más fuertes: Gran capacidad de comunicación, rapidez y agilidad de pensamiento, capacidad de aprender rápidamente

Necesidad más profunda: Comunicación

Lo que hay que evitar: Murmuración, herir con palabras mordaces, superficialidad, usar las palabras para confundir o malinformar

Signos globalmente más compatibles: Libra, Acuario

Signos globalmente más incompatibles: Virgo, Sagitario, Piscis

Signo que ofrece más apoyo laboral: Piscis

Signo que ofrece más apoyo emocional: Virgo

Signo que ofrece más apoyo económico: Cáncer

Mejor signo para el matrimonio y/o las asociaciones: Sagitario

Signo que más apoya en proyectos creativos: Libra

Mejor signo para pasárselo bien: Libra

Signos que más apoyan espiritualmente: Tauro, Acuario

Mejor día de la semana: Miércoles

La personalidad Géminis

Géminis es para la sociedad lo que el sistema nervioso es para el cuerpo. El sistema nervioso no introduce ninguna información nueva, pero es un transmisor vital de impulsos desde los sentidos al cerebro y viceversa. No juzga ni pesa esos impulsos; esta función se la deja al cerebro o a los instintos. El sistema nervioso sólo lleva información, y lo hace a la perfección.

Esta analogía nos proporciona una indicación del papel de los Géminis en la sociedad. Son los comunicadores y transmisores de información. Que la información sea verdadera o falsa les tiene sin cuidado; se limitan a transmitir lo que ven, oyen o leen. Enseñan lo que dice el libro de texto o lo que los directores les dicen que digan. Así pues, son tan capaces de propagar los rumores más infames como de transmitir verdad y luz. A veces no tienen muchos escrúpulos a la hora de comunicar algo, y pueden hacer un gran bien o muchísimo daño con su poder. Por eso este signo es el de los Gemelos. Tiene una naturaleza doble.

Su don para transmitir un mensaje, para comunicarse con tanta facilidad, hace que los Géminis sean ideales para la enseñanza, la literatura, los medios de comunicación y el comercio. A esto contribuye el hecho de que Mercurio, su planeta regente, también rige estas actividades.

Los Géminis tienen el don de la palabra, y ¡menudo don es ese! Pueden hablar de cualquier cosa, en cualquier parte y en cualquier momento. No hay nada que les resulte más agradable que una buena conversación, sobre todo si además pueden aprender algo nuevo. Les encanta aprender y enseñar. Privar a un Géminis de conversación, o de libros y revistas, es un castigo cruel e insólito para él.

Los nativos de Géminis son casi siempre excelentes alumnos y se les da bien la erudición. Generalmente tienen la mente llena de todo tipo de información: trivialidades, anécdotas, historias, noticias, rarezas, hechos y estadísticas. Así pues, pueden conseguir cualquier puesto intelectual que les interese tener. Son asombrosos para el debate y, si se meten en política, son buenos oradores.

Los Géminis tienen tal facilidad de palabra y de convicción que aunque no sepan de qué están hablando, pueden hacer creer a su interlocutor que sí lo saben. Siempre deslumbran con su brillantez.

Situación económica

A los Géminis suele interesarles más la riqueza del aprendizaje y de las ideas que la riqueza material. Como ya he dicho, destacan en profesiones como la literatura, la enseñanza, el comercio y el periodismo, y no todas esas profesiones están muy bien pagadas. Sacrificar las necesidades intelectuales por el dinero es algo impensable para los Géminis. Se esfuerzan por combinar las dos cosas.

En su segunda casa solar, la del dinero, tienen a Cáncer en la cúspide, lo cual indica que pueden obtener ingresos extras, de un modo armonioso y natural, invirtiendo en propiedades inmobiliarias, restaurantes y hoteles. Dadas sus aptitudes verbales, les encanta regatear y negociar en cualquier situación, pero especialmente cuando se trata de dinero.

La Luna rige la segunda casa solar de los Géminis. Es el astro que avanza más rápido en el zodiaco; pasa por todos los signos y casas cada 28 días. Ningún otro cuerpo celeste iguala la velocidad de la Luna ni su capacidad de cambiar rápidamente. Un análisis de la Luna, y de los fenómenos lunares en general, describe muy bien las actitudes geminianas respecto al dinero. Los Géminis son versátiles y flexibles en los asuntos económicos. Pueden ganar dinero de muchas maneras. Sus actitudes y necesidades en este sentido parecen variar diariamente. Sus estados de ánimo respecto al dinero son cambiantes. A veces les entusiasma muchísimo, otras apenas les importa.

Para los Géminis, los objetivos financieros y el dinero suelen ser solamente medios para mantener a su familia y tienen muy poco sentido en otros aspectos.

La Luna, que es el planeta del dinero en la carta solar de los Géminis, tiene otro mensaje económico para los nativos de este signo: para poder realizar plenamente sus capacidades en este ámbito, han de desarrollar más su comprensión del aspecto emocional de la vida. Es necesario que combinen su asombrosa capacidad lógica con una comprensión de la psicología humana. Los sentimientos tienen su propia lógica; los Géminis necesitan aprenderla y aplicarla a sus asuntos económicos.

Profesión e imagen pública

Los Géminis saben que se les ha concedido el don de la comunicación por un motivo, y que este es un poder que puede producir mucho bien o un daño increíble. Ansían poner este poder al servicio de las verdades más elevadas y trascendentales. Este es su primer objetivo: comunicar las verdades eternas y demostrarlas lógicamente. Admiran a las personas que son capaces de trascender el intelecto, a los poetas, pintores, artistas, músicos y místicos. Es posible que sientan una especie de reverencia sublime ante las historias de santos y mártires religiosos. Uno de los logros más elevados para los Géminis es enseñar la verdad, ya sea científica, histórica o espiritual. Aquellas personas que consiguen trascender el intelecto son los superiores naturales de los Géminis, y estos lo saben.

En su casa diez solar, la de la profesión, los Géminis tienen el signo de Piscis. Neptuno, el planeta de la espiritualidad y el altruismo, es su planeta de la profesión. Si desean hacer realidad su más elevado potencial profesional, los Géminis han de desarrollar su lado trascendental, espiritual y altruista. Es necesario que comprendan la perspectiva cósmica más amplia, el vasto fluir de la evolución humana, de dónde venimos y hacia dónde vamos.

Sólo entonces sus poderes intelectuales ocuparán su verdadera posición y Géminis podrá convertirse en el «mensajero de los dioses». Es necesario que cultive la facilidad para la «inspiración», que no se origina «en» el intelecto, sino que se manifiesta «a través» de él. Esto enriquecerá y dará más poder a su mente.

Amor y relaciones

Los Géminis también introducen su don de la palabra y su locuacidad en el amor y la vida social. Una buena conversación o una contienda verbal es un interesante preludio para el romance. Su único problema en el amor es que su intelecto es demasiado frío y desapasionado para inspirar pasión en otra persona. A veces las emociones los perturban, y su pareja suele quejarse de eso. Si estás enamorado o enamorada de una persona Géminis, debes comprender a qué se debe esto. Los nativos de este signo evitan las pasiones intensas porque estas obstaculizan su capacidad de pensar y comunicarse. Si adviertes frialdad en su actitud, comprende que esa es su naturaleza.

Sin embargo, los Géminis deben comprender también que una cosa es hablar del amor y otra amar realmente, sentir el amor e irradiarlo. Hablar elocuentemente del amor no conduce a ninguna parte. Es necesario que lo sientan y actúen en consecuencia. El amor no es algo del intelecto, sino del corazón. Si quieres saber qué siente sobre el amor una persona Géminis, en lugar de escuchar lo que dice, observa lo que hace. Los Géminis son muy generosos con aquellos a quienes aman.

A los Géminis les gusta que su pareja sea refinada y educada, y que haya visto mucho mundo. Si es más rica que ellos, tanto mejor. Si estás enamorado o enamorada de una persona Géminis, será mejor que además sepas escuchar.

La relación ideal para los Géminis es una relación mental. Evidentemente disfrutan de los aspectos físicos y emocionales, pero si no hay comunión intelectual, sufrirán.

Hogar y vida familiar

En su casa, los nativos de Géminis pueden ser excepcionalmente ordenados y meticulosos. Tienden a desear que sus hijos y su pareja vivan de acuerdo a sus normas y criterios idealistas, y si estos no se cumplen, se quejan y critican. No obstante, se convive bien con ellos y les gusta servir a su familia de maneras prácticas y útiles.

El hogar de los Géminis es acogedor y agradable. Les gusta invitar a él a la gente y son excelentes anfitriones. También son buenos haciendo reparaciones y mejoras en su casa, estimulados por su necesidad de mantenerse activos y ocupados en algo que les agrada hacer. Tienen muchas aficiones e intereses que los mantienen ocupados cuando están solos. La persona Géminis comprende a sus hijos y se lleva bien con ellos, sobre todo porque ella misma se mantiene joven. Dado que es una excelente comunicadora, sabe la manera de explicar las cosas a los niños y de ese modo se gana su amor y su respeto. Los Géminis también alientan a sus hijos a ser creativos y conversadores, tal como son ellos.

Horóscopo para el año 2022*

Principales tendencias

2021 fue un año próspero y 2022 lo será incluso más aún. Tu carrera laboral se está expandiendo a pasos agigantados. Al igual que tu cargo. Si diriges un negocio, este subirá de nivel. Júpiter transitará por tu décima casa este año hasta el 11 de mayo. (Regresará brevemente a ella del 29 de octubre al 21 de diciembre, por si te ha quedado algún asunto laboral por ultimar). Volveremos a este tema más adelante.

Tu salud es buena, pero mejorará incluso más todavía a partir del 12 de mayo, cuando Júpiter deje de formar un aspecto desfavorable en tu carta astral. A partir de esta fecha, solo un planeta lento —Neptuno— lo formará. Los otros formarán aspectos armoniosos o no te crearán ningún problema. Volveremos a este tema más adelante.

Tu economía no destacará este año, ya que tu casa del dinero no es poderosa. Pero en general cuando la profesión prospera, la economía va bien. Volveremos a este tema más adelante.

---

* Las previsiones de este libro se basan en el Horóscopo Solar y en todos los signos derivados del mismo: tu signo solar se convierte en el Ascendente, y las casas se numeran a partir de él. Tu horóscopo personal, el trazado concretamente para ti (según la fecha, hora y lugar exactos de tu nacimiento) podría modificar lo que se indica aquí. Joseph Polansky.

Plutón ya lleva muchos años en tu octava casa y en este la seguirá ocupando. (El próximo año se dispondrá a abandonarla y en 2024 la dejará del todo). De modo que te has estado enfrentando con la muerte y con cuestiones relacionadas con ella durante un tiempo. Quizá tus tíos o tías, o tus suegros, han pasado por el quirófano o han vivido experiencias cercanas a la muerte. En este año seguirá dándose esta tendencia.

Como Saturno lleva en tu novena casa desde 2021 (la visitó brevemente en 2020), ahora estas ordenando de nuevo tus creencias religiosas, filosóficas y metafísicas. Viajarás poco en esta temporada. Los estudiantes universitarios tendrán que estudiar más. Esta tendencia seguirá dándose este año.

Urano ya lleva varios años ocupando tu duodécima casa de la espiritualidad. Este aspecto muestra el deseo de experimentar y de hacer muchos cambios en tu vida espiritual. Ahora cambias con rapidez de enseñanzas y maestros. Te atraen los caminos y los sistemas nuevos. Volveremos a este tema más adelante.

Las áreas que más te interesarán este año serán el sexo, la transformación personal y el ocultismo. Los estudios superiores, la religión, la filosofía, la teología y los viajes al extranjero. La profesión, los amigos, los grupos, las actividades grupales y la ciencia (del 11 de mayo al 29 de octubre, y a partir del 21 de diciembre). Y la espiritualidad, el cuerpo, la imagen y el aspecto personal (a partir del 20 de agosto).

Lo que más te llenará este año será tu profesión (hasta el 11 de mayo, y del 29 de octubre al 21 de diciembre). Los amigos, los grupos, las actividades grupales y la ciencia (del 11 de mayo al 29 de octubre, y a partir del 21 de diciembre). Y la espiritualidad.

Salud

(Ten en cuenta que se trata de una perspectiva astrológica de la salud, no de una médica. En el pasado, no había ninguna diferencia, ambas eran idénticas, pero en la actualidad podrían diferir mucho. Para obtener un punto de vista médico, consulta a tu médico de cabecera o a un profesional de la salud).

Tu salud, como he señalado, será buena este año. Hasta el 11 de mayo solo dos planetas lentos formarán una alineación desfavorable en tu carta astral. Y a partir del 12 de mayo solo la formará uno. (Del 29 de octubre al 21 de diciembre, cuando Júpiter regrese a Piscis en su retrogradación, volverán a ser dos los que la formarán, pero solo será por poco tiempo).

Tu sexta casa de la salud está vacía, lo cual es a mi modo de ver positivo, ya que al estar sano no necesitas estar pendiente de este aspecto de tu vida. Y en el caso de sufrir algún problema de salud, descubrirás que va a menos este año.

Ten en cuenta que habrá temporadas en las que puedes padecer algún que otro achaque debido a los tránsitos de los planetas rápidos. Pero durarán poco y no será la tendencia del año. Cuando los tránsitos desaparezcan, volverás a gozar de tu salud y energía habituales.

Por buena que sea tu salud, siempre puedes mejorarla. Presta más atención a las siguientes zonas vulnerables de tu carta astral.

El corazón. Este órgano solo será importante hasta el 11 de mayo, y del 29 de octubre al 21 de diciembre. Te irá bien trabajar los puntos reflejos del corazón. Los masajes torácicos, en especial en el esternón y en la parte superior de la caja torácica, también son beneficiosos para ti. Lo más importante para el corazón es evitar las preocupaciones y la ansiedad, las dos emociones que lo estresan. Cultiva la fe y despréndete de las preocupaciones.

Los brazos, los hombros, los pulmones y el sistema respiratorio. Estas zonas son siempre importantes para los Géminis. Los masajes regulares en los brazos y los hombros también son saludables, y además te permiten eliminar la tensión acumulada en los hombros. Las sesiones de reflexología en las manos son una terapia excelente. Rodéate, además, de aire puro y respira a fondo de manera rítmica.

El colon, la vejiga y los órganos sexuales. Te irá bien trabajar los puntos reflejos de estas partes del cuerpo. Estos órganos siguen siendo importantes para los Géminis. Aunque en 2024 ya no lo serán tanto. Los masajes regulares en la espalda y las rodillas te sentarán bien. Visitar con regularidad a un quiropráctico o un osteópata es una buena idea, ya que las vértebras tienen que estar bien alineadas. Si tomas el sol, utiliza un buen protector solar. Una buena higiene dental también es importante.

Como hace ya muchos años que Plutón, tu planeta de la salud, se aloja en el signo de Capricornio, te atrae la medicina tradicional. Te gusta lo que se ha demostrado que funciona. Aunque optaras por las terapias alternativas, preferirías las que se ha comprobado que funcionan con el paso del tiempo. (En las cuestiones espirituales eres en cambio muy experimentador).

Al encontrarse tu planeta de la salud en un signo de tierra, tienes una buena conexión con los poderes curativos de este elemento. La terapia con cristales es interesante y potente para ti en esta temporada. Si notas que tu tono vital está bajo, pasa un tiempo en un paraje montañoso o en bosques antiguos, en lugares donde abunde la energía de la tierra. Solo tienes que absorber la energía y nada más (son unos buenos lugares para meditar). Las compresas de barro aplicadas en cualquier parte del cuerpo que te duela también son una buena idea. A algunas personas les gusta darse baños en aguas con un elevado contenido en minerales (los minerales pertenecen al elemento tierra), y esta terapia también es muy saludable para ti. Las aguas naturales siempre son la mejor opción, pero si no te es posible ir a este tipo de espacios de la naturaleza, puedes comprar minerales y agregarlos al agua antes de sumergirte en la bañera.

Hogar y vida familiar

Esta esfera no será demasiado importante para ti este año por diversas razones. Ante todo, tu cuarta casa está vacía. Y como solo la visitarán brevemente algunos planetas rápidos, sus efectos serán pasajeros. Además, tu décima casa de la profesión es muy poderosa, sobre todo hasta el 11 de mayo. Y quizá lo más importante es que TODOS los planetas lentos se encuentran ahora en el hemisferio diurno de tu carta astral, el de la actividad y los logros externos. Por eso triunfar en tu profesión y ser un buen proveedor es el mejor modo de ayudar a tu familia este año. Es maravilloso estar con tus hijos e irlos a ver cuando participan en las obras de teatro escolares o en los partidos de fútbol, pero ahora les ayudarás más si prosperas en tu profesión.

Este año el éxito exterior generará armonía emocional.

La familia siempre es importante para los Géminis. Mercurio, el regente de tu horóscopo, es tu planeta de la familia. Este aspecto muestra un vínculo emocional y una conexión muy fuertes con los tuyos. Pero este año no lo será tanto como de costumbre.

Mercurio es un planeta de movimiento rápido, como saben nuestros lectores. Al transitar por todo tu horóscopo a lo largo del año, se darán muchas tendencias de corta duración relacionadas con la familia que dependerán de dónde esté Mercurio y de los aspectos que reciba. En las previsiones mes a mes hablaré de estas tendencias con más detalle.

Mercurio será retrógrado en tres ocasiones este año (la cantidad habitual): del 14 de enero al 3 de febrero, del 10 de mayo al 2 de junio, y del 10 de septiembre al 1 de octubre. Esta última retrogradación será la más potente al sumarse a los efectos de otros muchos planetas retrógrados. Evita tomar decisiones importantes relacionadas con el hogar o la familia en esta temporada. Intenta ver con claridad la situación. Obtén más detalles. Resuelve las dudas. Lo que tú crees tal vez no sea cierto.

Como Marte no visitará tu cuarta casa este año, si estás planeando hacer reformas u obras importantes en tu hogar, es mejor dejarlas para el año que viene. Pero si tienes pensado decorar de nuevo tu hogar o comprar objetos de arte para embellecerlo, del 5 al 10 de septiembre es un bueno momento, y también del 29 de octubre al 16 de noviembre.

Tus padres o figuras parentales están teniendo un buen año. A uno de ellos la vida social le va de maravilla. Y el otro está gozando de un gran año en el aspecto económico y lleva una vida acomodada. Si están en edad de tener hijos, ahora son sumamente fértiles. No es probable que cambien de domicilio. (Pero podrían hacer reformas en su hogar).

Es más probable que tus hermanos o figuras fraternas efectúen una mudanza en el año 2024 que en este.

Tus hijos o figuras filiales tal vez hagan reformas en su hogar, pero lo más probable es que no cambien de domicilio este año.

Es muy posible que tus nietos, en el caso de tenerlos (o los que desempeñan este papel en tu vida), se muden a otro lugar este año o el próximo.

Profesión y situación económica

Tu profesión —el trabajo y la misión de tu vida— será mucho más importante para ti que el dinero este año. Tu casa del dinero está en esencia vacía. Solo la visitarán los planetas rápidos y sus efectos serán pasajeros. Este aspecto se puede interpretar como algo positivo. Indica que estás satisfecho con la situación y que no necesitas hacer ningún cambio importante. Todo tenderá a seguir igual en esta parcela de tu vida. Tus ingresos serán los mismos que el año anterior.

Este año habrá dos eclipses lunares, y como la Luna es tu planeta de la economía, te obligará a corregir el rumbo de tus finanzas y generará dramas en tu vida económica. Aunque como ocurre dos veces al año (y en ocasiones tres), a estas alturas ya sabes manejarlos. Se darán el 16 de mayo y el 8 de noviembre. En las previsiones mes a mes hablaré de estos eclipses con más detalle.

La Luna, tu planeta de la economía, es el más rápido de todos. Mercurio, Venus y el Sol tardan un año en transitar por tu carta astral (este año Mercurio y Venus lo harán en 11 meses). En cambio, la Luna lo hace cada mes. En las previsiones mes a mes hablaré con más detalle de las numerosas tendencias de corta duración relacionadas con la Luna que se darán en tu vida.

En general, tu poder adquisitivo es mayor los días de luna creciente (cuando crece de tamaño).

En tu calidad de Géminis, se te da bien cualquier área que tenga que ver con la comunicación, como el periodismo, la escritura, las telecomunicaciones, la publicidad, la educación con fines de lucro y las conferencias. Los transportes, la industria minorista y el comercio, es decir, la compraventa, también son unos negocios, trabajos o inversiones interesantes para ti.

Al ser la Luna tu planeta de la economía, el sector inmobiliario, el sector alimentario, los restaurantes, los hoteles, los moteles y las empresas de reparto de comida, son también un buen trabajo, negocio o inversión.

Como he señalado, tu profesión es el principal titular este año. Júpiter transitará por tu décima casa hasta el 11 de mayo (y lo hará de nuevo del 29 de octubre al 21 de diciembre). Es una señal clásica de éxito y expansión profesional. Se te revelarán nuevos horizontes y oportunidades. Las limitaciones del pasado quedarán atrás.

Júpiter es tu planeta del amor. Esto se puede interpretar de muchas formas. Tu cónyuge, pareja o amante actual es una persona muy activa y útil en tu profesión. Tus amigos también. Tus contactos sociales están jugando un gran papel en ello. Por lo general, tu encanto social te lleva a lo más alto y te abre puertas. A tu cónyuge, pareja o amante actual —y también a tus amigos— le están yendo las cosas de maravilla. Ahora estás conociendo a personas poderosas y encumbradas socialmente que pueden ayudarte en tu carrera. (Más adelante hablaré de algunas otras interpretaciones). Este año es importante para ti organizar las fiestas y reuniones adecuadas, o asistir a ellas.

Otra manera de interpretarlo sería que tu vida social, tu matrimonio y tu vida amorosa serán tu profesión real este año, es decir, apoyar a tu cónyuge o pareja, y a tus amigos.

Amor y vida social

Tu vida amorosa y social será por lo visto muy feliz este año.

Aunque tu séptima casa esté vacía —solo la visitarán planetas rápidos—, Júpiter, tu planeta del amor, se encuentra en una posición muy poderosa, en la cúspide de tu carta astral, la de mayor poder. Júpiter estará además en su propio signo hasta el 11 de mayo, y esto le da más poder aún. Gozarás de un gran encanto social y atractivo en esta temporada. Tu vida social aumentará. Si no tienes pareja, es posible que contraigas matrimonio este año. Y si mantienes una relación, se dará más romanticismo en ella.

Como tu planeta del amor se encuentra en tu décima casa, ahora te atraen las personas encumbradas y poderosas, las importantes y prominentes. El poder es un gran afrodisíaco en estos días. Pero no te basta con el nivel social y el poder. También te atraen las personas espirituales, creativas e idealistas. Júpiter se encuentra en Piscis y además viaja cerca de Neptuno. Tu pareja ideal (si no mantienes una relación) sería alguien de un alto nivel social que participe en causas altruistas y actos benéficos. Alguien como, por ejemplo, el director ejecutivo de una compañía que le guste en su tiempo libre escribir poesía o componer música. Una persona práctica que pase quizá sus vacaciones en un retiro espiritual o en un ashram. Este es el tipo de personas que ahora te atraen. Y además serán las que conocerás.

Tu planeta del amor en la décima casa muestra que buena parte de tu vida social tiene que ver con tu profesión.

Uno de los problemas con esta posición planetaria es la tendencia a salir con alguien por conveniencia en lugar de por amor. Tendrás que plantearte cuál es tu verdadera razón.

Las oportunidades románticas y sociales surgirán mientras intentas alcanzar tus objetivos profesionales, y quizá con personas implicadas en tu profesión.

Júpiter ingresará en tu undécima casa el 11 de mayo y la ocupará hasta el 29 de octubre. Y después volverá a visitarla el 21 de diciembre. Tus actitudes amorosas cambiarán un poco en esta temporada. Te atraerán las relaciones equitativas —de igual a igual— en lugar de las jerárquicas. Desearás que tu pareja te ofrezca amistad y que sea tu amante a la vez.

Tu planeta del amor en Aries del 11 de mayo al 29 de octubre (y a partir del 21 de diciembre), indica alguien que se enamora a primera vista. Te volverás más agresivo en el amor en estos días. Ya no te limitarás a jugar. Irás al grano. Si te gusta alguien, se lo harás saber. Se dará la tendencia a lanzarte a una relación muy rápido, quizá demasiado.

Tu planeta del amor en la undécima casa muestra que las oportunidades románticas pueden surgir en Internet, en las redes sociales y en los portales de citas. Ello suele indicar que alguien que no era «más que un amigo o amiga» se puede convertir en algo más. A menudo a los amigos les gusta hacer de Cupido en esta coyuntura.

Tu planeta del amor en la undécima casa tiende a ser afortunado. Indica una temporada donde las «esperanzas y deseos más profundos» se hacen realidad.

Progreso personal

Urano ya lleva varios años en tu duodécima casa de la espiritualidad y la seguirá ocupando varios más. Como nuestros lectores saben, el tránsito de un planeta lento no es en realidad un acontecimiento, sino un «proceso». Al igual que le ocurre a tu vida espiritual. Espiritualmente, te estás desprendiendo de todos los manuales antiguos —las tradiciones antiguas, las antiguas normas de lo que debemos o no debemos hacer—, para comprobar por ti mismo lo que te funciona. Los caminos tradicionales son indicaciones que nos llevan al espíritu, pero en el fondo «Yo soy el camino». Cada uno lo encontramos a nuestra propia manera. Se darán muchos cambios y transformaciones en tu vida espiritual este año. Estudiarás los distintos caminos, con distintos maestros y distintas enseñanzas, buscarás lo nuevo y lo desconocido. Estás aprendiendo lo que a ti te funciona a base de probar y equivocarte.

Como Urano rige tu novena casa de la religión, tu horóscopo muestra que es el momento de explorar los caminos místicos de tu religión. Siempre has tenido la clave de la Iluminación, pero no lo sabías. Viajar a lugares sagrados también te ayudará en el camino espiritual.

Urano favorece además abordar lo Divino con un enfoque científico. Bajo toda la aparente «palabrería», hay una ciencia. Este es un buen año para explorar esta realidad. También propicia la astrología esotérica, el aspecto espiritual y filosófico de la astrología. Y este es un camino tan válido como cualquier otro. (Tal vez te guste leer mi libro *A Spiritual View of the 12 Signs*, trata sobre la astrología esotérica).

Como Venus es tu planeta de la espiritualidad, cuando sientes amor —te encuentras en un estado de armonía—, conectas fácilmente con lo divino. El amor en sí es un camino válido. (Pero necesitas respaldarlo con la ciencia hasta cierto punto).

Venus rige además tu quinta casa de la creatividad. El camino de la creatividad también es muy válido. Al aprender las leyes de la creación y aplicarlas en nuestra vida, podemos entender la actuación del Gran Creador.

Previsiones mes a mes

Enero

Mejores días en general: 4, 5, 13, 14, 23, 24, 31
Días menos favorables en general: 1, 6, 7, 21, 22, 27, 28
Mejores días para el amor: 1, 2, 3, 6, 11, 12, 16, 21, 22, 27, 21, 25, 28, 29, 30
Mejores días para el dinero: 2, 3, 6, 11, 12, 16, 17, 23, 25
Mejores días para la profesión: 6, 7, 17, 26

TODOS los planetas, salvo la Luna (y solo temporalmente), se encuentran en el hemisferio diurno de tu carta astral. Tu décima casa de la profesión es ahora muy poderosa, en cambio tu cuarta casa del hogar y de la familia está en esencia vacía. (Solo la Luna la visitará el 21 y 22). Estos aspectos reflejan un claro mensaje: céntrate en tu profesión y deja a un lado por un tiempo los asuntos familiares.

Te espera un mes muy fructífero y los meses siguientes lo serán más aún. Tu trayectoria llena de triunfos justo acaba de empezar. Ahora ocupas un lugar elevado en tu profesión y en tu posición social.

Júpiter, tu planeta del amor, se encuentra en la cúspide de tu carta astral. Es un aspecto fabuloso para tu profesión y tu vida romántica. Muestra focalización. El amor es ahora importante en tu vida, constituye una de tus prioridades. Las oportunidades románticas se te presentarán mientras persigues tus objetivos profesionales o te relacionas con gente que tiene que ver con tu profesión. El nivel social y el poder son unos poderosos afrodisíacos. Gran parte de tu socialización está relacionada con tu trabajo. Estás conociendo a personas de un alto nivel social. Tus contactos sociales promueven tu carrera.

Tu salud será buena este mes. Plutón, tu planeta de la salud, recibe aspectos favorables. Los días 1, 2, 27 y 28 son especialmente buenos para la salud y también para encontrar trabajo. Por buena que sea tu salud, siempre puedes mejorarla con los métodos citados en las previsiones de este año.

Este mes tu economía no progresará. Tu casa del dinero está vacía. Solo la Luna la visitará el 16 y 17. Este tránsito hace que la situación siga como siempre en este sentido. Tu carrera es ahora más estimulante e importante que el dinero. (Generalmente, si la profesión va bien, la economía también progresa, aunque no siempre es así). Un cargo prestigioso te atrae más ahora que un cargo sin prestigio con un mayor salario. Gozarás de más energía y entusiasmo en el ámbito de las finanzas del 2 al 17, a medida que la luna sea creciente. Es el momento idóneo para aumentar tus ganancias y hacer inversiones. Después del 17 es un buen momento para reducir las deudas con el dinero sobrante.

Mercurio, el regente de tu horóscopo, formará un aspecto dinámico con Urano del 12 al 17. Evita los viajes largos en esos días. Conduce también con más precaución y presta más atención al plano físico, ya que tenderás a poner a prueba los límites de tu cuerpo. Está bien que lo hagas si eres consciente de ello y no actúas imprudentemente.

Febrero

Mejores días en general: 1, 9, 10, 11, 19, 20, 28
Días menos favorables en general: 2, 3, 17, 18, 24, 25
Mejores días para el amor: 2, 3, 7, 8, 12, 13, 17, 18, 21, 22, 24, 25, 27
Mejores días para el dinero: 1, 2, 3, 9, 10, 12, 13, 21, 22, 23
Mejores días para la profesión: 2, 3, 12, 13, 22, 23

Te espera un mes feliz y próspero, Géminis, disfrútalo. Tu novena casa —sumamente benéfica— seguirá siendo poderosa hasta el 18. Como el mes anterior, este aspecto propicia los estudios superiores, y es muy positivo para los estudiantes universitarios y los que desean ingresar en una facultad. Y también para los viajes al extranjero y los estudios religiosos y teológicos.

El Sol cruzará tu medio cielo e ingresará en tu décima casa el 18. A partir de ese momento vivirás una de tus mejores temporadas profesionales del año (y es posible que de toda tu vida). Triunfarás en muchos sentidos. Tendrás éxito en tu profesión y también en el amor.

Vigila más tu salud a partir del 18. Aunque no tendrás ningún problema serio, no serán más que molestias pasajeras causadas por los aspectos desfavorables de los planetas rápidos. Descansa bastante en esos días. Tu profesión te exige ahora un gran esfuerzo, pero progresarás a buen ritmo. Deja a un lado lo que no sea esencial en tu vida. Vuélcate en tus prioridades. Fortalece tu salud con los métodos citados en las previsiones de este año.

Mercurio empezará a ser directo el 4 y a partir de esta fecha TODOS los planetas estarán avanzando en el firmamento. El ritmo de los acontecimientos aumentará con rapidez. Te sentirás lleno de confianza y de claridad.

La mayoría de los planetas se encuentran en la mitad occidental de tu carta astral, la de la vida social, y Júpiter, tu planeta del amor, sigue predominando. No es el momento para autoafirmarte ni hacer las cosas a tu manera, sino más bien para desarrollar tus habilidades sociales y llevarlo a cabo todo mediante el consenso en lugar de imponer tus deseos. Deja que los buenos momentos lleguen a tu vida de manera natural en lugar de forzar las situaciones.

La capacidad de comunicación de los Géminis es legendaria. Este mes tus superiores se percatarán de ella. Le dará un empujón a tu carrera. Tus contactos sociales también promueven tu trayectoria profesional.

Tu economía seguirá en un punto muerto, ya que la situación tiende a seguir igual. Tu casa del dinero continúa vacía. Solo la Luna la visitará el 12 y 13. Si te vuelcas en tu profesión, el dinero acabará entrando. La mejor temporada para tu economía será del 1 al 16, durante la fase de la luna creciente. Es el momento de ahorrar, invertir y trabajar para aumentar tus ingresos. A partir del 17, será el momento perfecto para saldar las deudas con el dinero ahorrado (y para abandonar aquello de lo que quieras desprenderte).

Marzo

Mejores días en general: 1, 9, 10, 18, 19, 27, 28
Días menos favorables en general: 2, 3, 16, 17, 23, 24, 30, 31
Mejores días para el amor: 2, 3, 9, 11, 12, 18, 19, 21, 22, 23, 24, 27, 28, 30, 31
Mejores días para el dinero: 2, 3, 11, 12, 13, 21, 22, 23, 30, 31
Mejores días para la profesión: 2, 3, 11, 12, 21, 22, 30, 31

Sigue vigilando tu salud y tu energía hasta el 20. Como siempre, descansa bastante y escucha los mensajes del cuerpo. Mejora tu salud con los métodos citados en las previsiones de este año.

Marte viajará con Plutón del 2 al 4, un aspecto muy dinámico. Sé en esos días más consciente en el plano material. Es posible que te sugieran una cirugía o que se la aconsejen a alguno de tus amigos. Surgirán problemas en el lugar de trabajo. Marte formará aspectos dinámicos con Urano del 20 al 22. Sé también en esos días más consciente en el plano físico. Conduce con más precaución y controla tu carácter. Esto también es aplicable a tus amigos.

Seguirás viviendo una temporada de gran éxito este mes. Mercurio, el regente de tu horóscopo, ingresará en tu décima casa el 10. Este tránsito muestra éxito personal. Ahora triunfas no solo por tus habilidades profesionales, sino también por quien eres. Estás en la cima, por encima del resto de los que te rodean. (En ocasiones, este tránsito muestra alguien que aspira a estar por encima de todo el mundo.) La profesión te irá de maravilla el mes entero, pero el 27 o el 28 te ocurrirá algo fabuloso. Mercurio viajará con Neptuno.

Tu vida amorosa también será estupenda este mes. El Sol viajará con Júpiter, tu planeta del amor, del 4 al 6. Este tránsito crea unas oportunidades románticas y sociales felices. Mercurio viajará con tu planeta del amor el 20 y 21, si no tienes pareja este aspecto trae grandes encuentros románticos. Tu encanto social pocas veces ha sido tan poderoso como ahora.

Mercurio, un planeta muy importante en tu carta astral, tendrá su solsticio el 29 y 30. Se detendrá en el firmamento y luego cambiará de sentido, en latitud. Lo mismo te ocurrirá a ti. Habrá una pausa en tus asuntos personales y después un cambio de rumbo. Es una pausa positiva, una pausa natural, en lugar de ser forzada. Cuando la dejes atrás, te sentirás renovado y vital.

Tu economía sigue como siempre. Tu profesión es ahora mucho más importante que el dinero. Tu casa del dinero continúa vacía. Solo la Luna la visitará el 11, 12 y 13. Del 2 al 18 es cuando más poder económico tendrás, durante la fase creciente de tu planeta de las finanzas. Es un buen momento para aumentar tu poder adquisitivo, hacer depósitos en tu cuenta de ahorros, o abrir cuentas de inversión, es decir, para todo aquello que aumente tus ingresos. A partir del 19, es el momento perfecto para saldar deudas con el dinero ahorrado.

Abril

Mejores días en general: 5, 6, 15, 16, 23, 24
Días menos favorables en general: 13, 14, 19, 20, 25, 26
Mejores días para el amor: 8, 9, 17, 18, 19, 20, 25, 26, 27
Mejores días para el dinero: 1, 2, 8, 9, 10, 11, 17, 18, 20, 21, 26, 27, 30
Mejores días para la profesión: 9, 18, 25, 26, 27

Sigue vigilando tu salud este mes, sobre todo a partir del 15. Préstale más atención a tu corazón. Trabaja los puntos reflejos de este órgano y también los del pecho. Fortalece además tu salud con los métodos citados en las previsiones de este año.

Tu profesión continúa exigiéndote un gran esfuerzo. Marte cruzará el medio cielo e ingresará en tu décima casa el 15. Este aspecto muestra la necesidad de ser agresivo en tu carrera. Al parecer ahora eres muy combativo. Estás lidiando con una gran competencia en tu profesión. Tus amigos están triunfando y te ayudan en tu carrera.

Júpiter viajará con tu planeta de la profesión del 1 al 17. Este aspecto trae expansión y oportunidades profesionales, se darán unos progresos muy positivos. También es un buen signo para el amor. Si no tienes pareja, te surgirán oportunidades amorosas con tus jefes o con personas de un alto nivel social. El problema es que debes asegurarte de que sea amor y no simplemente una relación de conveniencia.

Te espera un mes muy activo socialmente, tanto en el aspecto romántico como en el de las amistades. Por lo visto, ahora estás muy dedicado a tus amigos y ellos también lo están a ti.

El Sol ingresará en tu duodécima casa el 20 y empezarás una temporada muy espiritual. Esto puede ser complicado, ya que tu carrera te exige un gran esfuerzo, al igual que la espiritualidad. Tienes que aunar —integrar— estos dos profundos deseos. (Es un reto con el que has estado lidiando toda la vida, pero en esta temporada todavía lo harás con más intensidad).

El eclipse solar del 30 ocurrirá en tu duodécima casa de la espiritualidad. Por lo que vivirás cambios espirituales en tu interior y también cambios que tendrán que ver con los maestros, las enseñanzas y la práctica espiritual que sigues. Es posible que surjan dificultades y problemas en las organizaciones espirituales o benéficas en las que participas, y dramas en la vida de tus líderes religiosos. Este eclipse será relativamente suave, pero es probablemente una buena idea conducir con mayor precaución y de una manera más defensiva. Los vehículos y los equipos de comunicación pueden fallar. La buena noticia es que tu duodécima casa será muy poderosa a partir del 21, y que la actividad espiritual y la focalización son la mejor forma de afrontar un eclipse.

Tu situación económica seguirá igual este mes. Del 1 al 16 es cuando mayor será tu poder adquisitivo. Procura aumentar tus ingresos en esos días, en la fase de la luna creciente. A partir del 17 es un buen momento para saldar deudas con el dinero ahorrado.

Mayo

Mejores días en general: 2, 3, 4, 12, 13, 21, 30, 31
Días menos favorables en general: 10, 11, 16, 17, 23, 24
Mejores días para el amor: 6, 7, 8, 15, 16, 17, 24
Mejores días para el dinero: 5, 6, 10, 11, 16, 20, 25, 30
Mejores días para la profesión: 6, 15, 23, 24

Te espera un mes intenso —con algunos retos—, pero en esencia feliz. Júpiter, tu planeta del amor, realizará una transición importante de Piscis a Aries el 11. El poder planetario se encuentra ahora de forma arrolladora en la mitad oriental de tu carta astral, la del yo. El 70 por ciento, y en ocasiones el 80 por ciento, de los planetas ocupan la mitad oriental. Tu primera casa será poderosísima a partir del 21. Si le añades a esta coyuntura el eclipse lunar del 16, obtienes una receta para unos cambios espectaculares.

Ahora te encuentras en una temporada de máxima independencia personal. Al igual que en el próximo mes. Es el momento para ejercer tu iniciativa personal y ocuparte de tu felicidad. Haz los cambios que debas hacer. No es necesario que lo consultes con los demás o que obtengas su aprobación, sobre todo si los cambios no son destructivos. (Incluso Júpiter, tu planeta del amor, se encuentra en la mitad oriental, de modo que los demás aprobarán en cierto modo tu independencia).

La transición de tu planeta del amor de Piscis a Aries muestra un gran cambio en las actitudes y las necesidades amorosas. Ahora pareces ser la clase de persona que «se enamora a primera vista». Eres por lo visto intrépido en el amor. Si te gusta alguien, no te andas con rodeos. Te lanzas a por lo que quieres. Eres proactivo en el amor. Y te atraen las personas que son también así. En los últimos meses el amor ha sido más espiritual para ti, pero ahora es más físico. Te surgirán oportunidades amorosas y sociales mientras participas en grupos, organizaciones y actividades grupales, y también en las redes sociales y en el mundo de Internet.

El eclipse lunar del 16 ocurrirá en tu sexta casa. Este aspecto planetario muestra cambios de empleo o modificaciones en las condiciones laborales. O tal vez algún que otro susto relacionado con la salud, pero como tu salud es buena este mes, lo más probable es que no vaya a más. Realizarás cambios importantes en tu programa de salud en los próximos meses. Si te ocupas de las contrataciones de una empresa, habrá renovaciones de personal. Como este eclipse afecta a Saturno, quizá tengas encuentros psicológicos con la muerte o experiencias cercanas a la muerte. Cada eclipse lunar afecta a la economía. Los acontecimientos te lo mostrarán a través de algún problema o dificultad. Estos eclipses se dan dos veces al año y los resultados son positivos. (Aunque la experiencia no sea demasiado agradable cuando ocurre).

Junio

Mejores días en general: 9, 10, 17, 18, 26, 27
Días menos favorables en general: 6, 7, 13, 14, 19, 20
Mejores días para el amor: 4, 6, 7, 13, 14, 16, 21, 26
Mejores días para el dinero: 1, 2, 3, 4, 9, 10, 13, 18, 21, 28, 29, 30
Mejores días para la profesión: 2, 3, 12, 19, 20, 29, 30

Te espera un mes estupendo, Géminis, disfrútalo.

El mes anterior el Sol ingresó en tu signo el 21 y empezaste uno de tus momentos más placenteros del año. Se prolongará hasta el 21. Es el momento para disfrutar de los placeres de los sentidos, mimarte y ponerte en forma del modo que deseas. Ahora tu autoestima y confianza interior son buenas, sobre todo a partir del 14, cuando Mercurio ingrese también en tu signo. Tienes un aspecto fabuloso. Desprendes un aura luminosa. Y el sexo opuesto se da cuenta.

Tu independencia personal seguirá siendo muy alta este mes, quizá lo será más todavía que el mes anterior. Así que haz los cambios necesarios para ser feliz. Más adelante, cuando los planetas cambien a la mitad occidental, te costará más llevarlos a cabo.

Te espera además un mes muy próspero. El Sol ingresará en tu casa del dinero el 21 y empezará una de tus mejores temporadas económicas del año. Y la Luna, tu planeta de la economía, transitará por tu casa del dinero el triple del tiempo habitual. La visitará en dos ocasiones (normalmente solo lo hace una vez) y la ocupará más tiempo. En lugar de quedarse dos días a lo largo del mes, serán seis. Este aspecto aumenta los ingresos. Muestra focalización.

El Sol en tu casa del dinero a partir del 21 indica que los ingresos te entrarán de tus principales puntos fuertes: la comunicación, las ventas, el marketing, los escritos, la docencia, la publicidad, las relaciones públicas y el comercio. Tu capacidad de comunicación es también una fuente de ganancias.

Por buena que sea tu salud, siempre puedes mejorarla con los métodos citados en las previsiones de este año.

Alguien a quien considerabas tu amigo o amiga quizá quiera tener algo más contigo. Tus hijos o figuras filiales llevarán una vida social muy activa en esta temporada. Si tienen la edad adecuada, es posible que inicien una relación sentimental seria.

Julio

Mejores días en general: 6, 7, 14, 15, 23, 24
Días menos favorables en general: 4, 5, 10, 11, 16, 17, 31
Mejores días para el amor: 1, 2, 6, 7, 10, 11, 15, 18, 19, 26, 28, 29
Mejores días para el dinero: 1, 2, 8, 9, 10, 11, 17, 18, 19, 26, 27, 28, 29
Mejores días para la profesión: 9, 16, 17, 27

Tu salud y energía son excelentes este mes. Tu reto consistirá en usar la energía sobrante, que es como dinero en el banco, de formas positivas.

Tu economía es el principal titular en julio. Tu casa del dinero es la más poderosa de tu carta astral. El 30 por ciento, y en ocasiones el 40 por ciento de los planetas, la transitarán este mes. Todavía te encuentras en uno de tus mejores momentos económicos del año. Lo más probable es que tengas más dinero a finales de mes del que poseías al inicio.

Este mes aparece un cambio interesante. A principios de año —hasta el 11 de mayo— tu profesión era más importante que el dinero. Te atraían más el prestigio y la posición social. Pero ahora es lo contrario. El dinero es más importante para ti que tu profesión. No te importaría ocupar un cargo de un nivel inferior si el sueldo fuera más jugoso que el que ahora ganas. (Quizá ya tienes el nivel social que necesitas y ahora quieres aumentar tus ingresos).

Tu vida amorosa será más complicada por el movimiento retrógrado que Júpiter iniciará el 28. Si tienes que tomar decisiones amorosas importantes, hazlo antes de esta fecha. Venus en tu signo hasta el 18 muestra un gran encanto social y atractivo físico. Es un buen momento para comprar ropa y accesorios al ser tu gusto excelente. Ahora tu aspecto personal es importante en el terreno económico, en especial del 5 al 19. Vistes con ropa cara.

El ingreso de Venus en tu casa del dinero el 18 muestra una buena intuición financiera. También indica «dinero feliz» ganado de formas agradables y que gastas en cosas placenteras. En esta temporada tus hijos o figuras filiales te apoyarán económicamente. Si son jóvenes, te inspirarán a ganar más dinero y quizá tengan ideas provechosas. Y si son mayores, te apoyarán de maneras más prácticas.

Mercurio formará aspectos favorables con Neptuno (tu planeta de la profesión) el 16 y 17, o sea que te ocurrirá algo estupendo en el ámbito profesional. Si no tienes pareja, los aspectos favorables que Mercurio formará con Júpiter, tu planeta del amor, el 22 y 23, propiciarán las oportunidades románticas.

Agosto

Mejores días en general: 2, 3, 11, 12, 20, 21, 29, 30
Días menos favorables en general: 1, 7, 8, 13, 14, 27, 28
Mejores días para el amor: 4, 5, 7, 8, 15, 25, 26
Mejores días para el dinero: 7, 8, 15, 16, 22, 23, 25
Mejores días para la profesión: 5, 13, 14, 23

Si bien el hemisferio nocturno de tu carta astral se encuentra en el punto más poderoso del año, no es el que predomina. Sigue siendo un buen momento para dejar de invertir tanta energía en tu profesión y estar más pendiente de tu hogar, tu familia y tu bienestar emocional. Tu carrera sigue siendo muy importante y no puedes ignorarla, pero ahora puedes dedicarte más a tu familia. Como tu planeta de la profesión es retrógrado, es un buen momento para centrarte en los tuyos. Los asuntos profesionales llevarán su tiempo y de momento no puedes hacer gran cosa para resolverlos.

Aunque la actividad retrógrada sea intensa este mes (el 40 por ciento de los planetas serán retrógrados hasta el 24, y el 50 por ciento a partir del 25), los planetas importantes de tu carta astral, es decir, Mercurio, el regente de tu horóscopo, y la Luna, tu planeta de la economía, son directos. De modo que estás progresando en el sentido personal y económico.

Te espera al parecer un mes feliz. Tu salud y energía serán buenas hasta el 23, e incluso a partir del 24 las molestias que puedas sentir serán pasajeras al venir de los aspectos desfavorables de los planetas rápidos. A partir del 24, descansa bastante y fortalece tu salud con los métodos citados en las previsiones de este año.

Te espera un mes feliz, ya que tu tercera casa —tu preferida— es poderosísima. El cosmos te empuja a hacer aquello que más te apasiona: leer, escribir, estudiar, enseñar y comunicarte. Tus facultades mentales, que siempre han sido buenas, serán incluso más brillantes este mes. Si eres un estudiante, destacarás en los estudios.

Venus seguirá en tu casa del dinero hasta el 11. Este aspecto muestra una gran intuición financiera y una buena racha en la especulación. Ahora gastas en tu familia y tus hijos, y los ingresos también te entran de este entorno. El 12 habrás alcanzado tus objetivos económicos a corto plazo y podrás centrarte en lo que te gusta: la comunicación y tus intereses intelectuales. (Incluso más aún que a principios de mes).

Mercurio, el regente de tu horóscopo, un planeta muy importante en tu carta astral, tendrá su solsticio del 22 al 24. Se detendrá en el firmamento y después cambiará de sentido, en latitud. Por lo que se dará una pausa y un cambio de rumbo en tu vida personal.

Septiembre

Mejores días en general: 7, 8, 16, 17, 26, 27
Días menos favorables en general: 3, 4, 9, 10, 23, 24, 30
Mejores días para el amor: 3, 4, 5, 11, 13, 14, 15, 21, 30
Mejores días para el dinero: 3, 5, 6, 11, 14, 15, 18, 19, 20, 21, 25, 26, 30
Mejores días para la profesión: 2, 9, 10, 19, 20, 29

Marte ingresó en tu signo el 20 de agosto y lo ocupará el resto del año. Este aspecto tiene sus ventajas y sus desventajas. Por un lado, es positivo porque serás más valiente interiormente, tendrás la actitud de «¡puedo hacerlo!» y lo llevarás todo a cabo con rapidez. Destacarás en los deportes y en los programas de ejercicio, en tus marcas personales. Pero la desventaja de este tránsito es que te hace ser impaciente (lo cual no es bueno cuando la actividad retrógrada alcanza su punto máximo del año este mes), combativo y temperamental. No aguantas las estupideces ajenas en esta temporada. Las prisas y la impaciencia pueden hacerte sufrir accidentes y lesiones. Si tienes que apresurarte, hazlo prestando atención.

Vigila más tu salud este mes, aunque las molestias pasajeras que puedas sufrir vendrán de los tránsitos de los planetas rápidos. No te espera nada serio. Si tienes algún problema de salud, tal vez lo notes con mayor intensidad en esta temporada, pero durará poco. Fortalece tu salud descansando más y con los métodos citados en las previsiones de este año.

El poder este mes se encuentra en tu cuarta casa del hogar y de la familia. Como tu vida ha bajado de ritmo por la abundante actividad retrógrada, vuélcate en los tuyos y en tu bienestar emocional. Si estás recibiendo terapias psicológicas pautadas harás grandes progresos. Ahora percibes mejor tus estados de ánimo, tus sentimientos y emociones. E incluso aunque no estés siguiendo una terapia psicológica la naturaleza será tu terapeuta. Te vendrán antiguos recuerdos a la mente y los reinterpretarás con tu estado de conciencia actual. Es muy probable que disfrutes haciendo tu árbol genealógico y buscando quiénes fueron tus antepasados en esta temporada.

Tu salud y energía (y tu bienestar en general) volverán a ser buenas a partir del 23. El Sol ingresará en tu quinta casa y empezará otra de tus temporadas más placenteras del año. Muchos Géminis son escritores. Es un buen mes para la escritura creativa.

Ahora te atraen más las lecturas de entretenimiento que los libros educativos. Es el momento ideal para leer acurrucado en el sofá una buena novela o historia de amor y sumergirte en ella.

Tu vida amorosa será más complicada a partir del 24. Júpiter, tu planeta del amor, continuará siendo retrógrado y recibiendo aspectos desfavorables. Por lo que las experiencias amorosas serán agitadas. Aunque tal vez no sea tu culpa, lo más probable es que tu pareja atraviese un mal momento y sea esta la causa del problema. Además, ahora te muestras más distante con tu ser amado. Tenéis formas opuestas de ver las cosas. El reto consistirá en salvar vuestras diferencias y en encontrar un punto medio.

Octubre

Mejores días en general: 4, 5, 13, 14, 23, 24
Días menos favorables en general: 1, 7, 21, 22, 27, 28
Mejores días para el amor: 1, 4, 5, 8, 9, 13, 14, 18, 25, 26, 27, 28
Mejores días para el dinero: 4, 5, 8, 9, 13, 14, 16, 17, 18, 25, 26, 27
Mejores días para la profesión: 7, 8, 17, 26

Tu salud es buena este mes, pero el eclipse solar del 25 puede complicar las cosas. Ocurrirá en tu sexta casa de la salud y provocará cambios en tu programa de salud de los próximos meses. En ocasiones, también te puedes llevar algún que otro susto relacionado con la salud. Pueden darse cambios de empleo o modificaciones en las condiciones laborales. Si te ocupas de las contrataciones de tu empresa, tal vez haya renovación de personal y dramas en la vida de los trabajadores. Cada eclipse solar afecta a tus hermanos o figuras fraternas. Trae dramas y crisis a sus vidas. A menudo son incidentes que les cambian la vida. Los vehículos y los equipos de comunicación también pueden fallar, es decir, funcionar de manera irregular, y a menudo será necesario repararlos o cambiarlos. Los alumnos de primaria o secundaria tendrán problemas en su centro docente y es posible que su plan de estudios cambie. En ocasiones, cambiarán de escuela.

Júpiter, tu planeta del amor, sigue siendo retrógrado, pero a partir del 24 recibirá aspectos más favorables. El amor mejorará después del 23. Júpiter tendrá su solsticio del 1 al 16, y luego se detendrá en el firmamento y cambiará de sentido, en latitud. Por lo que se dará una pausa en tu vida amorosa y después tomará otro rumbo. (Este cambio de dirección también se refleja en otros aspectos planetarios, Júpiter volverá a cambiar de signos a finales de mes, abandonará Aries e ingresará en Piscis).

Habrá un gran trígono en el elemento aire el mes entero. Es un aspecto planetario maravilloso para ti, ya que el aire es el elemento de tu signo zodiacal. Tu capacidad de comunicación y tus facultades intelectuales están ahora en su mejor momento. El problema puede venir de un exceso de brillantez, es decir, de hablar y pensar demasiado, y de una actividad intelectual excesiva. La mente está sobreestimulada y vampiriza la energía que el cuerpo necesita para otras cosas, como la regeneración celular, el sistema inmunitario... Usa la mente, pero no dejes que tu mente te use a ti.

Mercurio tendrá otro solsticio del 13 al 16. No te alarmes si tu vida personal experimenta una pausa. En realidad, es positiva. Será el preludio de un cambio de rumbo.

Tu economía seguirá igual este mes. Tu casa del dinero está vacía. Solo la Luna la visitará el 16 y 17. Del 1 al 9, y a partir del 25, es un buen momento para dedicarte a aumentar tus ingresos. Del 9 al 25 es el momento perfecto para saldar deudas con el dinero ahorrado y reducir gastos.

Noviembre

Mejores días en general: 1, 2, 10, 11, 19, 20, 28, 29
Días menos favorables en general: 3, 4, 17, 18, 24, 25, 30
Mejores días para el amor: 3, 4, 13, 14, 23, 24, 25
Mejores días para el dinero: 3, 4, 12, 13, 14, 23, 24, 25
Mejores días para la profesión: 3, 4, 13, 14, 23, 30

El principal titular de este mes es el eclipse lunar del 8. Aunque no te impacte directamente, afectará a muchos planetas importantes de tu carta astral, como Mercurio, Urano y Venus. Además, al ser un eclipse total, es más potente. Te conviene reducir tus actividades en este periodo.

El eclipse ocurrirá en tu duodécima casa de la espiritualidad y provocará trastornos en la organización espiritual o benéfica en la que participas. Surgirán dramas en la vida de tus figuras de gurú. Lo más probable es que se den también cambios en la práctica espiritual, las enseñanzas y los maestros que sigues. Como la Luna es tu planeta de la economía, es posible que te enfrentes a problemas y contratiempos económicos. Pueden ser graves. Tendrás que hacer cambios. Tus planes financieros no han sido realistas. Los efectos del eclipse sobre Mercurio indican que sentirás la necesidad de redefinirte, es decir, de cambiar el concepto que tienes de ti, tu autoimagen, y cómo los demás te ven. Por lo que cambiarás de aspecto —de imagen—, en los próximos meses. Si no has seguido una dieta saludable, este eclipse puede traerte la depuración del cuerpo. Aunque no se tratará de una enfermedad, sino del organismo intentando desprenderse de las toxinas. Como Mercurio es también tu planeta de la familia, pueden surgir dramas en tu hogar y en la vida de los miembros de tu familia. A menudo será necesario hacer reparaciones en el hogar en esta temporada. Los efectos del eclipse sobre Urano sugieren modificaciones en el plan de estudios de los estudiantes universitarios o en el de los que desean entrar en una facultad. Los planes de estudios cambiarán. Y la especialización también puede cambiar. En ocasiones, puede darse un cambio de universidad. No es un buen momento para los viajes al extranjero. Si no te queda más remedio, procura viajar unos días antes o después del eclipse. Surgirán trastornos en tu lugar de culto y en la vida de tus líderes religiosos.

Será un eclipse muy intenso.

Tu salud será buena hasta el 22. Por lo visto, ahora estás pendiente de ella. Si buscas trabajo gozarás de muchas oportunidades laborales. Después del 22 descansa y relájate más. Fortalece tu salud con los métodos citados en las previsiones de este año.

El Sol ingresará en tu séptima casa del amor el 22 y empezará uno de tus mejores momentos amorosos y sociales del año. Si no tienes pareja, te saldrán muchas oportunidades románticas, pero como Júpiter, tu planeta del amor, sigue siendo retrógrado, no acabes ante el altar, espera un tiempo.

Mercurio ingresará en tu séptima casa a partir del 17. Este tránsito muestra popularidad personal. Estás ahí para los amigos. Los apoyas y te pones de su lado. Antepones sus intereses a los tuyos. Por eso eres popular. (Además, el poder planetario se encuentra ahora en la mitad occidental de tu carta astral, la de la vida social, o sea que esta es la actitud correcta. Poner a los demás en primer lugar).

Este mes no estarás demasiado pendiente de tu economía. Tu casa del dinero está prácticamente vacía, solo la Luna la visitará el 12 y 13. Este aspecto hace que las cosas sigan igual. Del 1 al 8, y a partir del 28 es cuando más poder adquisitivo tendrás, durante la luna creciente. Como siempre, en esta fase lunar es un buen momento para hacer aquello que aumente tus ingresos (planes de ahorro). Y del 8 al 28, durante la luna menguante, es el momento para saldar deudas.

Diciembre

Mejores días en general: 7, 8, 17, 18, 25, 26
Días menos favorables en general: 1, 14, 15, 16, 21, 22, 27, 28
Mejores días para el amor: 1, 2, 3, 11, 14, 20, 21, 22, 23, 24, 29
Mejores días para el dinero: 1, 2, 3, 9, 10, 11, 13, 20, 21, 22, 23, 29
Mejores días para la profesión: 1, 10, 11, 20, 27, 28

El poder planetario sigue en su mayor parte en la mitad occidental de tu carta astral, la de la vida social. Incluso Mercurio, el regente de tu horóscopo, se encuentra en ella. Como el mes anterior, céntrate en los demás y en sus necesidades. Ahora eres menos independiente que de costumbre, pero de momento no es necesario que lo seas demasiado. Tu tarea es cultivar las habilidades sociales y alcanzar tus objetivos mediante el consenso. Lo bueno de la vida te llegará de los demás en lugar de por medio de tus esfuerzos.

Seguirás viviendo una de tus mejores temporadas amorosas y sociales del año hasta el 22. Además, tu planeta del amor es directo y cambiará de signo el 21. El amor mejorará mucho, fluirá más en tu vida. Tu planeta del amor se alojará en tu undécima casa de los amigos hasta el año que viene. Este aspecto muestra que las oportunidades románticas te llegarán a través de los amigos —quizá jueguen a ser Cupido—, de actividades *online* y de las redes sociales, y a menudo de alguien que considerabas un amigo o amiga y que acaba siendo más que esto.

Tu octava casa también es poderosa este mes. Es un mes más activo sexualmente. Sea cual sea tu edad o etapa en la vida, tu libido es más potente de lo habitual. Pero también muestra otros aspectos. Aunque tu economía siga igual, tu cónyuge, pareja o amante actual tendrá un mes excelente en lo que respecta a la economía. Será más generoso contigo. Es un buen mes tanto para la planificación tributaria como para la de seguros. Si tienes la edad adecuada, también es un buen momento para la planificación patrimonial.

Dado que tu octava casa será poderosa a partir del 7, es un mes para «deshacerte» de lo superfluo y lo innecesario en tu vida. Para dar a luz a tu ‹yo› ideal o a la persona que quieres ser, o para progresar en este sentido. Pero antes debes desprenderte de un montón de cosas que están de más. Como los objetos innecesarios y los pensamientos y hábitos emocionales que ya no te sirven. El cosmos te mostrará cómo hacerlo.

Tu salud mejorará enormemente después del 22.

Cáncer

El Cangrejo
Nacidos entre el 21 de junio y el 20 de julio

Rasgos generales

CÁNCER DE UN VISTAZO

Elemento: Agua

Planeta regente: Luna
   Planeta de la profesión: Marte
   Planeta de la salud: Júpiter
   Planeta del amor: Saturno
   Planeta del dinero: el Sol
   Planeta de la diversión y los juegos: Plutón
   Planeta del hogar y la vida familiar: Venus

Colores: Azul, castaño rojizo, plateado
   Colores que favorecen el amor, el romance y la armonía social: Negro, azul índigo
   Colores que favorecen la capacidad de ganar dinero: Dorado, naranja

Piedras: Feldespato, perla

Metal: Plata

Aromas: Jazmín, sándalo

Modo: Cardinal (= actividad)

Cualidad más necesaria para el equilibrio: Control del estado de ánimo

Virtudes más fuertes: Sensibilidad emocional, tenacidad, deseo de dar cariño

Necesidad más profunda: Hogar y vida familiar armoniosos

Lo que hay que evitar: Sensibilidad exagerada, estados de humor negativos

Signos globalmente más compatibles: Escorpio, Piscis

Signos globalmente más incompatibles: Aries, Libra, Capricornio

Signo que ofrece más apoyo laboral: Aries

Signo que ofrece más apoyo emocional: Libra

Signo que ofrece más apoyo económico: Leo

Mejor signo para el matrimonio y/o las asociaciones: Capricornio

Signo que más apoya en proyectos creativos: Escorpio

Mejor signo para pasárselo bien: Escorpio

Signos que más apoyan espiritualmente: Géminis, Piscis

Mejor día de la semana: Lunes

La personalidad Cáncer

En el signo de Cáncer los cielos han desarrollado el lado sentimental de las cosas. Esto es lo que es un verdadero Cáncer: sentimientos. Así como Aries tiende a pecar por exceso de acción, Tauro por exceso de inacción y Géminis por exceso de pensamiento, Cáncer tiende a pecar por exceso de sentimiento.

Los Cáncer suelen desconfiar de la lógica, y tal vez con razón. Para ellos no es suficiente que un argumento o proyecto sea lógico, han de «sentirlo» correcto también. Si no lo sienten correcto lo rechazarán o les causará irritación. La frase «sigue los dictados de tu corazón» podría haber sido acuñada por un Cáncer, porque describe con exactitud la actitud canceriana ante la vida.

Sentir es un método más directo e inmediato que pensar. Pensar es un método indirecto. Pensar en algo jamás toca esa cosa.

Sentir es una facultad que conecta directamente con la cosa o tema en cuestión. Realmente la tocamos y experimentamos. El sentimiento es casi otro sentido que poseemos los seres humanos, un sentido psíquico. Dado que las realidades con que nos topamos durante la vida a menudo son dolorosas e incluso destructivas, no es de extrañar que Cáncer elija erigirse barreras de defensa, meterse dentro de su caparazón, para proteger su naturaleza vulnerable y sensible. Para los Cáncer se trata sólo de sentido común.

Si se encuentran en presencia de personas desconocidas o en un ambiente desfavorable, se encierran en su caparazón y se sienten protegidos. Los demás suelen quejarse de ello, pero debemos poner en tela de juicio sus motivos. ¿Por qué les molesta ese caparazón? ¿Se debe tal vez a que desearían pinchar y se sienten frustrados al no poder hacerlo? Si sus intenciones son honestas y tienen paciencia, no han de temer nada. La persona Cáncer saldrá de su caparazón y los aceptará como parte de su círculo de familiares y amigos.

Los procesos del pensamiento generalmente son analíticos y separadores. Para pensar con claridad hemos de hacer distinciones, separaciones, comparaciones y cosas por el estilo. Pero el sentimiento es unificador e integrador. Para pensar con claridad acerca de algo hay que distanciarse de aquello en que se piensa. Pero para sentir algo hay que acercarse. Una vez que un Cáncer ha aceptado a alguien como amigo, va a perseverar. Tendrías que ser muy mala persona para perder su amistad. Un amigo Cáncer jamás te abandonará, hagas lo que hagas. Siempre intentará mantener cierto tipo de conexión, incluso en las circunstancias más extremas.

Situación económica

Los nativos de Cáncer tienen una profunda percepción de lo que sienten los demás acerca de las cosas, y del porqué de esos sentimientos. Esta facultad es una enorme ventaja en el trabajo y en el mundo de los negocios. Evidentemente, es indispensable para formar un hogar y establecer una familia, pero también tiene su utilidad en los negocios. Los cancerianos suelen conseguir grandes beneficios en negocios de tipo familiar. Incluso en el caso de que no trabajen en una empresa familiar, la van a tratar como si lo fuera. Si un Cáncer trabaja para otra persona, entonces su jefe o jefa se convertirá en la figura parental y sus compañeros de trabajo en sus hermanas y hermanos. Si la persona Cáncer es el jefe o la jefa, entonces considerará a todos los empleados sus hijos. A los cancerianos les gusta la sensación de ser los proveedores de los demás. Disfrutan sabiendo que otras personas reciben su sustento gracias a lo que ellos hacen. Esta es otra forma de proporcionar cariño y cuidados.

Leo está en la cúspide de la segunda casa solar, la del dinero, de Cáncer, de modo que estas personas suelen tener suerte en la especulación, sobre todo en viviendas, hoteles y restaurantes. Los balnearios y las salas de fiesta son también negocios lucrativos para los nativos de Cáncer. Las propiedades junto al mar los atraen. Si bien básicamente son personas convencionales, a veces les gusta ganarse la vida de una forma que tenga un encanto especial.

El Sol, que es el planeta del dinero en la carta solar de los Cáncer, les trae un importante mensaje en materia económica: necesitan tener menos cambios de humor; no pueden permitir que su estado de ánimo, que un día es bueno y al siguiente malo, interfiera en su vida laboral o en sus negocios. Necesitan desarrollar su autoestima y un sentimiento de valía personal si quieren hacer realidad su enorme potencial financiero.

Profesión e imagen pública

Aries rige la cúspide de la casa diez, la de la profesión, en la carta solar de los Cáncer, lo cual indica que estos nativos anhelan poner en marcha su propia empresa, ser más activos en la vida pública y política y más independientes. Las responsabilidades familiares y el temor a herir los sentimientos de otras personas, o de hacerse daño a sí mismos, los inhibe en la consecución de estos objetivos. Sin embargo, eso es lo que desean y ansían hacer.

A los Cáncer les gusta que sus jefes y dirigentes actúen con libertad y sean voluntariosos. Pueden trabajar bajo las órdenes de un superior que actúe así. Sus líderes han de ser guerreros que los defiendan.

Cuando el nativo de Cáncer está en un puesto de jefe o superior se comporta en gran medida como un «señor de la guerra». Evidentemente sus guerras no son egocéntricas, sino en defensa de aquellos que están a su cargo. Si carece de ese instinto luchador, de esa independencia y ese espíritu pionero, tendrá muchísimas dificultades para conseguir sus más elevados objetivos profesionales. Encontrará impedimentos en sus intentos de dirigir a otras personas.

Debido a su instinto maternal, a los Cáncer les gusta trabajar con niños y son excelentes educadores y maestros.

Amor y relaciones

Igual que a los Tauro, a los Cáncer les gustan las relaciones serias y comprometidas, y funcionan mejor cuando la relación está claramente definida y cada uno conoce su papel en ella. Cuando se casan, normalmente lo hacen para toda la vida. Son muy leales a su ser amado. Pero hay un profundo secretillo que a la mayoría de nativos de Cáncer les cuesta reconocer: para ellos casarse o vivir en pareja es en realidad un deber. Lo hacen porque no conocen otra manera de crear la familia que desean. La unión es simplemente un camino, un medio para un fin, en lugar de ser un fin en sí mismo. Para ellos el fin último es la familia.

Si estás enamorado o enamorada de una persona Cáncer debes andar con pies de plomo para no herir sus sentimientos. Te va a llevar un buen tiempo comprender su profunda sensibilidad. La más pequeña negatividad le duele. Un tono de voz, un gesto de irritación, una mirada o una expresión puede causarle mucho sufrimiento. Advierte el más ligero gesto y responde a él. Puede ser muy difícil acostumbrarse a esto, pero persevera junto a tu amor. Una persona Cáncer puede ser una excelente pareja una vez que se aprende a tratarla. No reaccionará tanto a lo que digas como a lo que sientas.

Hogar y vida familiar

Aquí es donde realmente destacan los Cáncer. El ambiente hogareño y la familia que crean son sus obras de arte personales. Se esfuerzan por hacer cosas bellas que los sobrevivan. Con mucha frecuencia lo consiguen.

Los Cáncer se sienten muy unidos a su familia, sus parientes y, sobre todo, a su madre. Estos lazos duran a lo largo de toda su vida y maduran a medida que envejecen. Son muy indulgentes con aquellos familiares que triunfan, y están apegados a las reliquias de familia y los recuerdos familiares. También aman a sus hijos y les dan todo lo que necesitan y desean. Debido a su naturaleza cariñosa, son muy buenos padres, sobre todo la mujer Cáncer, que es la madre por excelencia del zodiaco.

Como progenitor, la actitud de Cáncer se refleja en esta frase: «Es mi hijo, haya hecho bien o mal». Su amor es incondicional. Haga lo que haga un miembro de su familia, finalmente Cáncer lo perdonará, porque «después de todo eres de la familia». La preservación de la institución familiar, de la tradición de la familia, es uno de los principales motivos para vivir de los Cáncer. Sobre esto tienen mucho que enseñarnos a los demás.

Con esta fuerte inclinación a la vida de familia, la casa de los Cáncer está siempre limpia y ordenada, y es cómoda. Les gustan los muebles de estilo antiguo, pero también les gusta disponer de todas las comodidades modernas. Les encanta invitar a familiares y amigos a su casa y organizar fiestas; son unos fabulosos anfitriones.

Horóscopo para el año 2022[*]

Principales tendencias

Ahora que Saturno ha dejado de formar un aspecto desfavorable (a finales de 2020) en tu carta astral, tu salud y energía han mejorado enormemente. Como tienes más energía, podrás llevar a cabo muchas más cosas. Volveremos a este tema más adelante.

Saturno ingresó en tu octava casa en diciembre de 2020 y la ocupará el resto del año. Este aspecto tenderá a reducir (aunque no a eliminar) el deseo sexual. Ahora te fijarás en la cualidad en lugar de en la cantidad. En el amor, el magnetismo sexual será lo más importante para ti, pero no es necesario excederse en ello. Volveremos a este tema más importante.

Neptuno lleva ya muchos años en tu novena casa de la religión, la filosofía y la teología, y la seguirá ocupando varios más. Tus creencias religiosas se están volviendo más espirituales y refinadas. Este aspecto planetario también repercutirá en tus preferencias relacionadas con

---

* Las previsiones de este libro se basan en el Horóscopo Solar y en todos los signos derivados del mismo: tu signo solar se convierte en el Ascendente, y las casas se numeran a partir de él. Tu horóscopo personal, el trazado concretamente para ti (según la fecha, hora y lugar exactos de tu nacimiento) podría modificar lo que se indica aquí. Joseph Polansky.

los viajes. Preferirás viajar por el agua —en cruceros— en lugar de por el aire o por la tierra. Como Júpiter se alojará también en tu novena casa hasta el 11 de mayo, y del 29 de octubre al 21 de diciembre, viajarás más este año. Lo harás de distintas maneras, pero los viajes marítimos serán tus preferidos. Es el año ideal para ir de crucero.

Te espera un año muy próspero. El próximo también lo será. Júpiter ingresará en tu décima casa de la profesión el 11 de mayo y este tránsito es una señal clásica de éxito. Posees una buena ética laboral y tus superiores lo tienen en cuenta.

Como Urano ya lleva varios años en tu undécima casa, tu círculo social está cambiando. Ahora entablas nuevas amistades de manera súbita e inesperada. También te atraen las personas poco convencionales. Los amigos que conservas están haciendo muchos cambios personales.

Marte pasará mucho más tiempo de lo habitual en tu duodécima casa de la espiritualidad. Normalmente se queda cerca de un mes y medio en una casa, pero este año se quedará unos cuatro. Tu vida espiritual se volverá más activa a partir del 20 de agosto. Estas actividades le darán impulso a tu profesión. Volveremos a este tema más adelante.

Las áreas que más te interesarán este año serán el amor y las relaciones amorosas. El sexo, la transformación personal y el ocultismo. Los estudios superiores, la religión, la filosofía, la teología y los viajes al extranjero. La profesión (del 11 de mayo al 29 de octubre, y a partir del 21 de diciembre). Y la espiritualidad (a partir del 20 de agosto).

Lo que más te llenará este año será la religión, la filosofía, la teología y los viajes al extranjero (hasta el 11 de mayo, y del 29 de octubre al 21 de diciembre). La profesión (del 11 de mayo al 29 de octubre, y a partir del 21 de diciembre). Y los amigos, los grupos, las actividades grupales y la ciencia.

Salud

(Ten en cuenta que se trata de una perspectiva astrológica de la salud, no de una médica. En el pasado, no había ninguna diferencia, ambas eran idénticas, pero en la actualidad podrían diferir mucho. Para obtener un punto de vista médico, consulta a tu médico de cabecera o a un profesional de la salud).

Tu salud mejoró muchísimo a partir de 2021, como he señalado. Aunque Plutón siga formando un aspecto desfavorable en tu carta astral, solo lo notarás si has nacido en los últimos días de Cáncer (del 18 al 22 de junio). Si no es así, no te afectará. Júpiter formará aspectos desfavorables en tu carta astral del 11 de mayo al 29 de octubre, y a partir del 21 de diciembre. Pero los efectos de Júpiter serán suaves. Incluso sus aspectos desfavorables suelen traer situaciones venturosas y de expansión. Si tu salud mejora en esta temporada, tal vez creas que ha sido gracias al médico, al terapeuta, a los medicamentos o al tratamiento recibido, pero aunque estos factores hayan ayudado en ello, en realidad se deberá a que el poder planetario te es ahora favorable.

Por buena que sea tu salud, siempre puedes mejorarla. Presta más atención a las siguientes áreas vulnerables de tu carta astral.

El corazón. Este órgano lleva ya cerca de veinte años siendo importante para ti, desde que Plutón ingresó en Capricornio. Pero en los próximos años, cuando Plutón lo abandone, no será tan importante. Te sentará bien trabajar los puntos reflejos del corazón. Los masajes torácicos —sobre todo en el esternón y en la parte superior de la caja torácica, revitalizan y equilibran el corazón. Lo más importante para este órgano es evitar las preocupaciones y la ansiedad, las dos emociones que lo estresan. Despréndete de las preocupaciones y cultiva la fe.

El estómago y los senos. Estas partes del cuerpo siempre son importantes para los Cáncer. Te sentará bien trabajar los puntos reflejos de estas zonas. La dieta es muy importante, lo es más para ti que para el resto de los signos zodiacales. (Quizá por eso los Cáncer son tan buenos cocineros). Lo que COMES es importante y es positivo que un dietista revise tu alimentación. Pero CÓMO comes tal vez sea más importante aún. Procura elevar el acto de comer de un simple apetito animal a un acto de culto. Eleva las vibraciones de este acto. Come con calma y relajación. Bendice la comida (con tus propias palabras) antes de comer, y al terminar da las gracias (a tu propia manera) por los alimentos que has tomado. Así no solo elevarás las vibraciones de la comida, sino también las de tu sistema digestivo, por lo que obtendrás lo más elevado y sustancioso de ella. La digerirás mejor. Será más nutritiva. Si eres mujer, te conviene palparte los senos con regularidad para evitar cualquier problema que pudiera surgir.

El hígado y los muslos. Estas zonas también son siempre importantes para los Cáncer. Te sentará bien trabajar sus puntos reflejos. Los masajes regulares en los muslos no solo fortalecen esta parte del cuerpo, sino también el hígado y las lumbares.

Los pies. Esta zona será importante hasta el 11 de mayo, y del 29 de octubre al 21 de diciembre. Los masajes regulares en los pies son excelentes para ti.

La cabeza y el rostro. Estas partes también serán importantes del 11 de mayo al 29 de octubre, y del 21 de diciembre hasta bien entrado el próximo año. Como Júpiter, tu planeta de la salud, ingresará en Aries, los masajes regulares en el rostro y el cuero cabelludo también son buenos para ti, ya que no solo fortalecen estas zonas, sino también el cuerpo entero. La terapia craneosacral es excelente para el cuero cabelludo.

Las suprarrenales. Estas glándulas, al igual que el rostro y la cabeza, serán importantes del 11 de mayo al 29 de octubre, y a partir del 21 de diciembre. Y el próximo año también. Te sentará bien trabajar los puntos reflejos de las suprarrenales. Lo más importante para la buena salud de estas glándulas es evitar la ira y el miedo, las dos emociones que las estresan. La meditación te vendrá de perlas para mantenerlas en forma.

La musculatura. Esta parte del cuerpo será importante del 11 de mayo al 29 de octubre, y a partir del 21 de diciembre. No hace falta que seas un culturista con unos músculos de infarto, lo único que necesitas es tener un buen tono muscular. Hacer ejercicio físico vigoroso de acuerdo con tu edad y con la etapa de tu vida es bueno para ti. Unos músculos débiles o fofos pueden desalinear la columna y el esqueleto, y esto podría causarte todo tipo de problemas adicionales.

Júpiter, tu planeta de la salud, pasará cerca de medio año en el signo de Piscis. Y además viajará con Neptuno, el planeta más espiritual de todos. Por lo que este año las técnicas espirituales de curación serán muy beneficiosas, y además responderás bien a ellas. Si notas que tu tono vital es bajo, recurre a un sanador espiritual.

Hogar y vida familiar

El hogar y la familia siempre son importantes para ti, pero todo es relativo en la vida. Este año —como en los últimos— no serán tan importantes como de costumbre. Tu cuarta casa está vacía, solo la visitarán los planetas rápidos, y sus efectos serán pasajeros. En cambio, tu décima casa de la profesión se volverá muy importante a partir del 12 de mayo. Además, el hemisferio diurno de tu carta astral, el de los logros externos, será más poderoso que el hemisferio nocturno este año. TODOS los planetas lentos se encontrarán en la mitad superior de tu carta astral. Aunque el hemisferio nocturno, que rige el hogar, la familia y el bienestar emocional, vaya ganando fuerza a lo largo del año, no llegará a predominar.

A mi modo de ver, estos aspectos indican que triunfar en tu profesión y en los asuntos mundanos es la mejor forma de ayudar a tu familia en esta temporada. Cerrar ese nuevo trato o venta, o ascender en el trabajo, tal vez sea mejor a la larga que ir a las obras de teatro escolares o a los partidos de fútbol de tus hijos. No te preocupes, no estarás ignorando a tu familia, sino que la ayudarás de otras formas.

El hecho de no estar ahora tan pendiente de tu familia puede interpretarse como algo positivo. Muestra que estás satisfecho con la situación y no necesitas hacer cambios importantes, todo va bien en tu hogar. Las cosas tenderán a seguir igual en esta parcela de tu vida. No es probable que os mudéis a otra parte.

Venus es tu planeta de la familia. Como saben los lectores, es un planeta raudo. A lo largo del año transita por todo tu horóscopo. De modo que se darán muchas tendencias de corta duración relacionadas con el hogar y la familia que dependerán de dónde se encuentre Venus y de los aspectos que reciba. En las previsiones mes a mes hablaré de estas tendencias con más detalle.

Al ser Venus tu planeta de la familia, indica que procuras gozar de una familia y de una vida familiar afectuosa y armoniosa. También te gusta que tu casa sea acogedora. Por eso la llenas de objetos bonitos y te dedicas a decorarla de nuevo constantemente.

Si estás planeando renovar tu hogar o construirte una vivienda, es mejor dejarlo para el año que viene, ya que Marte no visitará tu cuarta casa. (En las épocas del año en que Marte y Venus viajen juntos, o formen aspectos armoniosos el uno con el otro, es un buen momento para hacer reformas en tu hogar. Del 1 al 9 de marzo y del 1 al 20 de octubre también son unos buenos días para ello). Pero si no son urgentes, es mejor dejarlas para el próximo año.

Si estás pensando volver a pintar o decorar tu hogar para embellecerlo, del 29 de septiembre al 23 de octubre es un buen momento. Al igual que para comprar objetos atractivos.

Uno de tus padres o figura parental hará reformas en su hogar este año. También llevará una vida amorosa y social muy activa. Si no tiene pareja, es posible que inicie una relación seria e incluso que contraiga matrimonio. Al otro miembro de la pareja las cosas le están yendo de maravilla en el aspecto económico. Ahora lleva un tren de vida alto, viaja y disfruta de los placeres de los sentidos. Aunque no es probable que cambie de domicilio.

La vida amorosa de tus hermanos o figuras fraternas también es estupenda desde hace varios años. Es probable que se casen o que mantengan una relación que sea «como» un matrimonio. Tal vez efectúen una mudanza a partir del 12 de mayo e incluso el próximo año.

A tus hijos o figuras filiales no les conviene mudarse este año. Es mejor que hagan un buen uso del espacio de su hogar. Les bastará con organizarse un poco.

A tus nietos, en el caso de tenerlos, este año las cosas les están yendo de maravilla. Gozan de prosperidad. Su situación familiar seguirá siendo la misma.

Profesión y situación económica

Tu casa del dinero no será importante este año. No será una casa poderosa. Solo la visitarán los planetas rápidos y sus efectos serán pasajeros. Este año el dinero no será importante para ti. Tu profesión lo será mucho más. Tu carta astral muestra que ahora prefieres tener un trabajo más prestigioso, aunque el sueldo sea menor, a desempeñar un trabajo mejor pagado de menos prestigio.

Esta falta de interés por el dinero se puede interpretar como algo positivo. Estás satisfecho con tu economía y no necesitas hacer cambios importantes (aunque acabarán ocurriendo de todos modos). Tus ganancias serán similares a las del año pasado.

Este año habrá dos eclipses en tu horóscopo. Y repercutirán en las finanzas. (El Sol es tu planeta de la economía). Un eclipse solar ocurrirá el 30 de abril y el otro el 25 de octubre. Generarán trastornos económicos y te obligarán a corregir el rumbo de tus finanzas. Normalmente, los eventos generados por el eclipse muestran en qué sentido tus suposiciones y estrategias financieras han estado siendo poco realistas. Pero no te preocupes, como ocurren dos veces al año, a estas alturas ya sabes manejarlos.

El Sol es un planeta raudo. A lo largo del año transita por TODOS los signos y casas de tu carta astral. De ahí que se den muchas tendencias económicas de corta duración que dependerán de dónde esté el Sol y de los aspectos que reciba. En las previsiones mes a mes hablaré de estas tendencias con más detalle.

Tu profesión es el principal titular este año. Tendrás mucho éxito en esta faceta de tu vida. Júpiter, como he señalado, visitará tu décima casa de la profesión del 11 de mayo al 29 de octubre, y a partir del 21 de diciembre. Este tránsito te traerá oportunidades profesionales prestigiosas y la expansión general de tus horizontes profesionales. Como Júpiter es además tu planeta de la salud y del trabajo, una forma de interpretarlo es que ahora tu misión en la vida es mantenerte sano. También muestra oportunidades profesionales en el campo de la salud. Tu buena ética laboral, como he señalado, también fomentará tu éxito profesional.

Marte, tu planeta de la profesión, pasará mucho más tiempo del habitual en tu duodécima casa de la espiritualidad. La ocupará a partir del 20 de agosto. Este tránsito indica el deseo de dedicarte a una profesión más espiritual que te llene más el alma. Pero también muestra que participar en actividades benéficas o altruistas le dará impulso a tu carrera. Estas actividades positivas de por sí, te ayudarán a progresar en el mundo laboral (quizá al hacer contactos importantes o al realizar tu perfil profesional).

Amor y vida social

Tu séptima casa del amor lleva ya muchos años siendo poderosa. Lo fue sobre todo de 2018 a 2020. Aunque este año no predomine tanto, seguirá siendo importante para ti.

Como Saturno es tu planeta del amor, has tendido a ser conservador en esta parcela de tu vida. Tradicional. Pero desde que Saturno ingresó en Acuario el año pasado, ahora eres más experimentador en el amor. Antes te gustaban las personas ambiciosas y con recursos económicos, pero ahora también quieres que sean menos convencionales y más excitantes. Te atraerán los científicos, los astrónomos, los astrólogos, los programadores y los inventores. Te gusta además que sean personas fuera de lo común.

Como tu planeta del amor rige tu octava casa, este aspecto indica que te gusta el dinero. Si mantienes una relación, tu pareja está ahora prosperando en la vida y se dedica a ganar dinero. Esta situación es quizá buena para ti, ya que compensa tu falta de interés en la economía este año.

Tu planeta del amor en tu octava casa también indica que ahora el magnetismo sexual es importante en tu vida. Aunque una persona sea una lumbrera, además de rica y exitosa, si carece de magnetismo sexual no te atraerá. En cambio, una que solo tenga magnetismo sexual te encantará como pareja. Sí, un buen sexo encubre muchos pecados en una relación, pero solo durante un tiempo. En una relación son necesarias otras cosas para que funcione.

Plutón, tu planeta genérico que rige el sexo, lleva cerca de veinte años en tu séptima casa. Este aspecto reafirma lo importante que es el magnetismo sexual para ti.

Si no tienes pareja, no es probable que te cases este año. Es mejor que mantengas relaciones esporádicas que te permitan explorar el amor y acumular nuevas vivencias sentimentales. Además, el regente de tu quinta casa en tu casa del amor no favorece el matrimonio. Desearás simplemente pasártelo bien en esta temporada (y quizá saldrás con personas que también busquen solo esto). No estarás interesado en afrontar los aspectos áridos de una relación.

Te saldrán oportunidades amorosas en los portales de citas y en las redes sociales. Y mientras haces actividades con grupos o participas en organizaciones. También puedes llegar a conocer a alguien en funerales, velorios o mientras reconfortas a una persona desconsolada.

El mundo de las amistades será muy activo este año. Experimentará muchas transformaciones. Una buena parte de tus amistades serán puestas a prueba. En muchas ocasiones, no se deberá a la propia relación, sino a los dramas personales de los amigos y a los cambios que afrontarán en su vida. Muchos vivirán incidentes que les cambiarán la vida, en algunos casos se verán obligados a pasar por el quirófano o tendrán experiencias cercanas a la muerte. Es posible que muchas de tus amistades se rompan, pero entablarás otras. Harás nuevos amigos en cualquier momento y lugar. A menudo, cuando menos te lo esperes.

Cuando la influencia de Urano desaparezca en tu carta astral —en los próximos años—, tu círculo social será otro totalmente nuevo.

Progreso personal

Este año será una etapa muy espiritual, sobre todo a partir del 20 de agosto. Marte, tu planeta de la profesión, pasará muchos meses —se instalará— en tu duodécima casa de la espiritualidad.

Este aspecto se puede interpretar de muchas formas. Si te dedicas a una profesión mundana, la fomentarás con tu práctica y tus conocimientos espirituales. Y también le darás impulso, como he señalado, por medio de donaciones benéficas y al participar en organizaciones espirituales y causas altruistas.

Pero otra manera de interpretar este aspecto astrológico es que tu práctica y crecimiento espiritual SERÁN tu verdadera profesión en esta etapa. Tu auténtica misión en la vida.

Marte en tu duodécima casa favorece una espiritualidad activista. Es el deseo de expresar tus ideales y tus conocimientos espirituales por medio de acciones constructivas. No se trata solo de dedicarte a la meditación y la contemplación, ni de «conectar con el silencio», sino que es en realidad poner en acción tus valores espirituales. Por eso favorece senderos como el del hatha yoga (el yoga del cuerpo físico) y el karma yoga (el yoga de la acción). Procura leer sobre estos temas lo máximo posible.

Marte en tu duodécima casa es la imagen de un guerrero espiritual. El guerrero pacífico de Dan Millman es un libro maravilloso. Trata de las guerras pacíficas. Muchos de los problemas del mundo actual (quizá TODOS los problemas que vemos) no son conflictos reales, aunque se manifiesten en el mundo, sino conflictos espirituales entre las fuerzas espirituales invisibles. La forma de resolverlos es con medios espirituales. Es muy probable que sientas el deseo de intentar solucionarlos.

Mercurio es tu planeta de la espiritualidad. Este aspecto indica que a pesar de ser una persona «bhakti» por naturaleza, es decir, aunque te atraiga de manera natural el camino del amor y de la devoción, necesitas respaldarlo con una cierta lógica y sensatez. Necesitas abordar el espíritu de una forma más racional. Depender solo de los sentimientos es muy inestable, porque cuando nos sentimos bien, vemos a Dios y los coros celestiales. Pero cuando nos sentimos mal, nos volvemos ateos. La racionalidad, en cambio, nos permite ser ecuánimes. Sea cual sea nuestro estado de ánimo, seguimos teniendo fe.

Mercurio es un planeta raudo, y como saben nuestros lectores, transita por todos los signos y casas de tu carta astral a lo largo del año. De ahí que se den muchas tendencias de corta duración relacionadas con la espiritualidad que dependen de dónde esté Mercurio y de los aspectos que reciba. En las previsiones mes a mes hablaré de estas tendencias con más detalle.

Mercurio se vuelve retrógrado tres veces al año (es lo habitual). Ocurrirá del 14 de enero al 3 de febrero, del 10 de mayo al 2 de junio, y del 10 de septiembre al 1 de octubre. En estos días tendrás una gran intuición y tu vida onírica será muy activa. Aunque tal vez interpretes mal tus sueños o tus corazonadas. Tómate tu tiempo para resolver tus dudas.

Previsiones mes a mes

Enero

Mejores días en general: 6, 7, 16, 17, 25, 26
Días menos favorables en general: 2, 3, 8, 9, 23, 24, 29, 30
Mejores días para el amor: 2, 3, 4, 5, 11, 12, 13, 14, 21, 22, 23, 24, 29, 30, 31
Mejores días para el dinero: 2, 3, 6, 11, 12, 16, 18, 19, 23, 25
Mejores días para la profesión: 1, 8, 9, 19, 29

Aunque tu salud haya mejorado mucho a lo largo de 2019 y 2020 (también mejoró el año anterior), este mes, debido a los aspectos desfavorables de los planetas rápidos, vigílala más. Como siempre, descansa bastante. Los masajes en los pies y los métodos de curación espirituales son ahora muy eficaces. Préstale más atención a tu corazón. Los masajes torácicos y trabajar los puntos reflejos del corazón te serán de gran ayuda. Como Marte ocupará tu sexta casa de la salud hasta el 25, los masajes en la cabeza y el rostro, el ejercicio físico vigoroso, y trabajar los puntos reflejos de las suprarrenales, también es beneficioso. Se trata de medidas temporales. El 20 notarás que tu salud y energía han mejorado enormemente.

El poder planetario se encuentra de forma arrolladora en la mitad occidental este mes. El 80 por ciento, y en ocasiones el 90 por ciento de los planetas, ocupan esta parte. Tu séptima casa del amor y de las actividades sociales es poderosísima, en cambio tu primera casa del yo está prácticamente vacía (solo la Luna la visitará el 16 y 17). Ahora no es el momento de ser sumamente independiente y asertivo, sino de llevarte bien con la gente y de alcanzar los objetivos por unanimidad. Si pones en primer lugar a los demás, te llegará lo bueno de la vida de manera normal y natural.

Seguirás viviendo uno de tus mejores momentos amorosos y sociales del año hasta el 20. Aunque tu vida amorosa seguirá siendo estupenda después de esta fecha. Si no tienes pareja, tendrás más citas de las habituales y numerosas opciones románticas. Y si ya mantienes una relación, socializarás con todo tipo de personas distintas.

El Sol, tu planeta de la economía, ocupará tu séptima casa hasta el 20. Este aspecto muestra lo importantes que son los contactos sociales para las finanzas. Ahora tus amigos son ricos y te ofrecen oportunidades para aumentar tus ingresos. Tu encanto social (que estás cultivando este mes) juega un gran papel en tus finanzas. Tu planeta de la economía en Capricornio es positivo, ya que te da un buen criterio financiero, una visión realista de la economía. Es un aspecto muy venturoso para los planes de ahorro y de inversiones a largo plazo. Tu planeta de la economía ingresará en Acuario después del 20, y este tránsito propicia la experimentación. Y también las empresas emergentes, la alta tecnología y el mundo de Internet. Este mes prosperarás haciendo prosperar a los demás. Mientras lo llevas a cabo, cosecharás tus propias ganancias de manera normal y natural según la ley kármica.

Febrero

Mejores días en general: 2, 3, 12, 13, 21, 22, 23
Días menos favorables en general: 5, 6, 19, 20, 26, 27
Mejores días para el amor: 1, 7, 8, 9, 10, 11, 17, 18, 19, 20, 26, 27, 28
Mejores días para el dinero: 1, 2, 3, 9, 10, 12, 13, 14, 15, 16, 21, 22, 23
Mejores días para la profesión: 5, 6, 7, 8, 17, 18, 26, 27

Tu salud ha mejorado mucho comparada con la del mes anterior. Pero puedes fortalecerla más aún con masajes en los pies y por medio de técnicas espirituales de curación.

Marte, tu planeta de la profesión, ingresará en tu séptima casa el 25 de enero y la ocupara el mes entero. Este aspecto se puede interpretar de distintas formas. En primer lugar, evita las luchas de poder en tu relación de pareja. Si lo consigues, es una buena señal. Muestra que el amor es una de tus prioridades. Tu misión este mes es tu matrimonio y los amigos, estar ahí para tu pareja y tus amistades. Te surgirán oportunidades románticas con personas poderosas y de un nivel social más alto que el tuyo. Ahora tu carrera es promovida por la actividad social, al organizar las fiestas y las reuniones adecuadas, o al asistir a ellas. Gran parte de tu socialización este mes tiene que ver con tu profesión.

Tu planeta de la economía ocupará tu octava casa hasta el 18. Este aspecto es una señal económica estupenda para tu cónyuge, pareja o amante actual. La economía le irá de maravilla, y tú probablemente tengas que ver en ello. Tu planeta de la economía en tu octava casa favorece tanto la planificación tributaria como la de seguros. Si tienes la edad adecuada, propicia también la planificación patrimonial. Es un buen momento para revisar tus pertenencias y desprenderte de los objetos que ya no necesites o uses. Véndelos o dónalos a organizaciones benéficas. Despeja el camino para que pueda entrar lo nuevo y lo mejor. Si tienes buenas ideas, es el momento de atraer inversores del extranjero para tus proyectos. También es un buen momento para saldar deudas o pedir préstamos, depende de lo que necesites.

Tu novena casa ha sido poderosa el año entero y lo será incluso más todavía a partir del 19. Es muy probable que viajes. Es posible que hagas progresos religiosos o filosóficos. Si eres un estudiante universitario, rendirás en los estudios, y si deseas entrar en una facultad, te esperan buenas noticias al respecto.

Vivirás una breve crisis económica el 3 y 4, pero la superarás enseguida. Tu planeta de la economía en tu novena casa a partir del 18 es un aspecto positivo para los ingresos.

Tu profesión empieza ahora a ser más importante para ti de lo que lo fue el mes anterior (a partir del 25). TODOS los planetas (salvo la Luna) se encuentran en la mitad superior de tu carta astral, en el hemisferio diurno. Es el momento de empezar a dedicarte a tus objetivos externos.

Marzo

Mejores días en general: 2, 3, 11, 12, 13, 21, 22, 30, 31
Días menos favorables en general: 4, 5, 18, 19, 25, 26
Mejores días para el amor: 1, 9, 10, 18, 19, 25, 26, 27, 28
Mejores días para el dinero: 2, 3, 11, 12, 14, 15, 21, 22, 23, 30, 31
Mejores días para la profesión: 4, 5, 9, 18, 19, 27, 28

Tu salud será excelente hasta el 20. E incluso después de esta fecha, aunque tendrás que vigilarla más. El problema viene de los aspectos desfavorables de corta duración de los planetas rápidos. Fortalece tu salud al mantener un alto nivel de energía y por medio de masajes en los pies y de técnicas espirituales de curación. A partir del 21, te sentarán bien los masajes torácicos y trabajar los puntos reflejos del corazón. La natación y los deportes acuáticos son un ejercicio excelente en estos días.

Aunque tu casa del dinero esté vacía y las finanzas no te interesen ahora demasiado, te espera un mes próspero. El Sol, tu planeta de la economía, ocupará la expansiva novena casa —es benéfica— hasta el 20. Después cruzará el medio cielo e ingresará en tu décima casa, otro aspecto positivo para la economía. El Sol viajará con Júpiter del 4 al 6, y este tránsito propiciará una buena recompensa económica. El Sol viajará con Neptuno, el regente de tu novena casa y un planeta benéfico en tu carta astral, el 11 y 12. O sea que tu economía aumentará más aún. Los extranjeros o las compañías extranjeras pueden ser importantes en tus finanzas este mes. Cuando el Sol ingrese en tu décima casa el 20, tal vez goces de aumentos salariales. Tus jefes, tus padres o figuras parentales, y las personas mayores de tu vida te apoyan en tus objetivos económicos. Tu buena reputación profesional también te trae oportunidades económicas.

El ingreso del Sol en la décima casa el 20 inicia una de tus mejores temporadas profesionales del año. Tu carrera va viento en popa. Por lo visto, estás volcado en ella. TODOS los planetas siguen encontrándose en el hemisferio diurno de tu carta astral. Es una época en que el éxito y los logros externos crean armonía emocional y familiar.

Surgirán algunos dramas pasajeros en tu hogar y tu familia del 18 al 20. Pero desaparecerán rápidamente, sigue dedicándote a tu carrera.

Marte, tu planeta de la profesión, ingresará en tu octava casa el 6 y la ocupará el resto del mes. Puede que tus padres o figuras parentales, y tus jefes, se enfrenten a dramas en su vida. Quizá tengan que pasar por el quirófano o vivan experiencias cercanas a la muerte. Tu planeta de la profesión en tu octava casa muestra que estás intentando crear la carrera de tus sueños para transformarlo completamente todo. Lo más probable es que progreses en ello este mes.

Abril

Mejores días en general: 8, 9, 17, 18, 25, 26
Días menos favorables en general: 1, 2, 15, 16, 21, 22, 28, 29

Mejores días para el amor: 5, 6, 8, 15, 16, 17, 18, 21, 22, 23, 24, 25, 26, 27
Mejores días para el dinero: 1, 2, 8, 9, 10, 11, 17, 18, 20, 21, 26, 27, 30
Mejores días para la profesión: 1, 2, 5, 6, 17, 25, 26, 28, 29

Este mes seguirás viviendo una temporada llena de éxitos, uno de tus mejores momentos profesionales del año. Dedícate a tu profesión y deja de lado las cuestiones de tu hogar y tu familia. Ahora lo mejor para los tuyos es que triunfes en el mundo exterior, hay muchas formas de servir a tu familia, y esta es tan válida como cualquier otra.

Tus finanzas seguirán siendo buenas. El Sol, tu planeta de la economía, ocupará tu décima casa hasta el 20. Este aspecto indica, como el mes anterior, los favores económicos de tus jefes, padres o figuras parentales, y de las personas mayores de tu vida. También muestra aumentos salariales, sean oficiales o no oficiales. El eclipse solar del 30 generará algunos problemas financieros. Pero acabarán bien. Tendrás que corregir el rumbo de tu economía, ya que tus ideas financieras no han sido realistas.

Como este eclipse ocurrirá en tu undécima casa, tus amigos se enfrentarán a dramas en su vida y quizá tus amistades sean puestas a prueba. Surgirán trastornos en las organizaciones comerciales o profesionales en las que participas. Es posible que el equipo de alta tecnología y los aparatos electrónicos fallen. A menudo tendrás que repararlos o cambiarlos. Mantén actualizados tus programas de antivirus y anti-hacking, y no abras los e-mails sospechosos. Haz copias de seguridad de tus archivos importantes. Es posible que las personas adineradas de tu vida también se enfrenten a dramas. Uno de tus padres o figura parental está haciendo importantes cambios en las finanzas. Tu cónyuge, pareja o amante actual quizá cambie de trabajo. También hará cambios importantes en su programa de salud. Tus hijos o figuras filiales están viviendo cambios profesionales. Tus hermanos o figuras fraternas están experimentando cambios espirituales.

Júpiter, tu planeta de la salud, viajará con Neptuno del 1 al 17. La curación espiritual ha sido poderosa todo el año, pero sobre todo ahora. Si notas que tu tono vital está bajo, recurre a un sanador espiritual. Tu salud mejorará después del 20. Mientras tanto, sigue con los masajes torácicos y trabaja los puntos reflejos del corazón.

El ingreso del Sol en tu undécima casa el 20 es bueno para la economía. Es una casa benéfica. Pero el eclipse agitará tu vida.

Mayo

Mejores días en general: 5, 6, 14, 15, 23, 24
Días menos favorables en general: 12, 13, 19, 25, 26
Mejores días para el amor: 3, 4, 7, 8, 13, 16, 17, 19, 21, 22, 31
Mejores días para el dinero: 6, 7, 8, 9, 10, 11, 16, 20, 25, 30
Mejores días para la profesión: 7, 8, 9, 17, 18, 25, 26

El mes anterior fue próspero y este lo será más aún. Júpiter influirá de forma decisiva en tu décima casa de la profesión el 11. Venus ocupará tu décima casa del 3 al 28, y Marte el 25. Tu profesión progresará y se expandirá. Tus horizontes se ensanchan. Lo que parecía imposible ahora te parece muy posible. En tu profesión cuentas además con el gran apoyo de tu familia. Tal vez lo ven como un «proyecto familiar». Tu familia como un todo también ha subido de nivel social y está prosperando.

Vigila más tu salud este mes. El cambio de signos de Júpiter, tu planeta de la salud, muestra un cambio en tus necesidades y actitudes relacionadas con este aspecto de tu vida. Fortalece tu salud con masajes en los pies y por medio de técnicas espirituales curativas hasta el 11. A partir del 12, te sentarán bien los masajes en el cuero cabelludo, el rostro y la cabeza. Trabajar los puntos de las suprarrenales también es beneficioso. Al igual que un ejercicio físico vigoroso. Pero lo esencial es mantener un alto nivel de energía, ya que es siempre la mejor defensa contra las enfermedades.

Ocurrirá un eclipse lunar el 16 de este mes. Tendrá lugar en tu quinta casa y afectará a tus hijos o figuras filiales. Sentirán la necesidad (y tú también) de redefinirse, es decir, de cambiar la imagen y el concepto que tienen de sí mismos, lo que piensan de ellos y la forma en que los demás los ven. Para ti es una experiencia muy normal. Te suele ocurrir dos veces al año. Pero para tus hijos podría ser más traumática. Os conviene reducir vuestras actividades en esta temporada. También se puede dar una depuración tanto en tu organismo como en el de tus hijos. No se tratará de una enfermedad, aunque lo parezca por los síntomas. Solo se trata del cuerpo eliminando toxinas. Uno de tus progenitores o figura parental se verá obligado a hacer cambios económicos importantes. A tus hermanos o figuras fraternas les conviene conducir con más precaución. Si eres un estudiante, es posible que tu plan de estudios cambie o que cambies de facultad.

Tu economía progresará este mes. El Sol transitará por tu undécima casa hasta el 21. El Sol en Tauro da un buen criterio financiero. El Sol viajará con Urano el 4 y 5, y este tránsito puede causar cambios económicos. Tu cónyuge, pareja o amante actual y tú tenéis que cooperar económicamente. Tu planeta de la economía ingresará en tu duodécima casa de la espiritualidad el 21 y la ocupará el resto del mes. Tu intuición financiera jugará un papel importante en esta temporada. Te llegará información económica por medio de sueños, videntes, tarotistas, astrólogos o médiums. El espíritu participa ahora activamente en tu vida económica. Se preocupa de esta parcela de tu vida.

Junio

Mejores días en general: 1, 2, 3, 11, 12, 19, 20, 28, 29, 30
Días menos favorables en general: 3, 9, 10, 15, 16, 21, 22
Mejores días para el amor: 2, 3, 6, 7, 10, 15, 16, 18, 26, 29, 30
Mejores días para el dinero: 4, 5, 9, 10, 13, 18, 21, 28, 29
Mejores días para la profesión: 4, 13, 14, 21, 22

Tu profesión sigue yendo sobre ruedas, pero la pausa y el cambio de rumbo que experimentará el 1 y 2 serán positivos. Es lo que tu planeta de la profesión está haciendo en el firmamento.

Te espera un mes muy espiritual. Aunque esta situación puede ser todo un reto, ya que tu profesión también es muy absorbente. Con frecuencia, no es fácil compaginar los objetivos mundanos con los espirituales. Tu tarea será aunarlos, integrarlos. Aunque seas una persona espiritual, puedes seguir triunfando en el mundo. Una cosa no excluye a la otra.

Te espera un mes próspero. El Sol, tu planeta de la economía, seguirá en tu duodécima casa hasta el 21. Así que este mes, como hiciste en el anterior, déjate guiar por tu intuición, el atajo a la riqueza. Una intuición real —aunque solo se dé una fracción de segundo— puede equivaler a muchos años de duro trabajo. Es positivo profundizar las leyes espirituales de la prosperidad este mes. Probablemente seas también más generoso. Participar en causas benéficas y altruistas hará que tus resultados económicos sean más jugosos aún. Es posible que hagas contactos importantes en estos días. El Sol cruzará tu ascendente y entrará en tu signo, tu primera casa, el 21. Este tránsito te traerá prosperidad. Te llegarán ganancias inesperadas. Las oportunidades económicas te están ahora buscando a ti. No es necesario hacer nada en especial, simplemente sigue con tus asuntos cotidianos. Ahora las personas adineradas de tu vida están dedicadas a ti —están de tu parte— y se muestran muy bien dispuestas. Es probable que te regalen objetos personales caros. En estos días gastarás en ti. Adoptarás una imagen de opulencia. Los demás te verán como una persona adinerada.

El ingreso del Sol en tu signo es bueno tanto para tu salud como para tu aspecto personal. Te da carisma y el aura de una estrella. Y las personas del sexo opuesto lo notan. La Luna se alojará en tu signo el triple del tiempo habitual este mes. Normalmente se queda dos días en un signo. Pero en junio se quedará seis. Esto también realza tu aspecto personal, tu autoestima y tu confianza interior.

Tu vida amorosa será estupenda hasta el 21. Saturno, tu planeta del amor, recibe aspectos positivos. Pero como empezará a ser retrógrado el 4, pueden surgir retrasos e incertidumbres en esta esfera de tu vida. Disfruta de la vivencia tal como es, sin hacer planes para el futuro.

Julio

Mejores días en general: 8, 9, 16, 17, 26, 27
Días menos favorables en general: 6, 7, 12, 13, 18, 19, 20
Mejores días para el amor: 6, 7, 12, 13, 15, 24, 26
Mejores días para el dinero: 1, 2, 8, 9, 10, 11, 17, 18, 19, 28, 29
Mejores días para la profesión: 2, 3, 12, 13, 18, 19, 20, 21, 22

Te espera un mes feliz y próspero, Cáncer, disfrútalo. Tu primera casa es incluso más poderosa que el mes anterior. Estás viviendo uno de tus momentos del año en el que más independiente eres, porque desde el mes pasado la mitad oriental, la del yo, predomina por encima de la mitad occidental, la de los demás. Es el momento de hacerlo todo a tu manera. De ser tú la persona más importante. De hacerte responsable de tu propia felicidad. De ti depende. Haz los cambios necesarios para ser feliz. Ahora es el momento. Más adelante, cuando los planetas vuelvan a ocupar la mitad occidental de tu carta astral, te costará más conseguirlo. La iniciativa personal es importante.

La prosperidad aumentará este mes. El Sol, tu planeta de la economía, seguirá en tu signo hasta el 22. Por lo que te llegarán entradas de dinero inesperadas y oportunidades económicas, el dinero te persigue. Ahora tienes el aspecto de una persona opulenta, te sientes rico, y los demás te ven así, como una persona próspera. El Sol ingresará en tu casa del dinero, su propio signo y casa, el 23. En este lugar es poderosísimo. En esta temporada tendrás un gran poder adquisitivo. Además, empezará uno de tus mejores momentos económicos del año. El día 28 de luna nueva será una jornada excelente para tu economía. Y lo más importante es que te permitirá ver tus finanzas con claridad a medida que transcurre el mes. Te llegará de manera natural toda la información necesaria para tomar buenas decisiones económicas. Tu aspecto personal también será fabuloso este mes. El Sol en tu signo, como el mes anterior, te da carisma y un aura de estrella. Mercurio ocupará tu signo del 5 al 19. Le dará glamur a tu imagen —una cualidad espiritual— una especie de belleza sobrenatural. El ingreso de Venus en tu signo el 18, también te aportará belleza, carisma y encanto social. Hará que desprendas estilo y elegancia. Esto te ayudará en tu vida amorosa, pero como Saturno, tu planeta del amor, sigue siendo retrógrado, tómate las cosas con calma en este aspecto de tu vida.

El ritmo de tu vida profesional aflojará un poco este mes. Júpiter sigue ocupando tu décima casa, pero como ahora es retrógrado, te tomará su tiempo resolver muchas cuestiones laborales. Marte, tu planeta de la profesión, ingresará en tu undécima casa el 5. Este tránsito muestra que los contactos sociales, la experiencia en alta tecnología y las actividades *online* promoverán tu carrera. Tus amigos están triunfando ahora en la vida y te son útiles. También puedes darle un empujón a tu carrera al implicarte en grupos y en organizaciones comerciales y profesionales.

Tu salud será buena, pero puedes fortalecerla más aún por medio del ejercicio físico y de masajes en la cabeza, el rostro y el cuero cabelludo. Evita la ira y el miedo para que tus suprarrenales estén en plena forma. La termoterapia —la aplicación de calor con fines terapéuticos— también te sentará bien en estos días.

Agosto

Mejores días en general: 4, 5, 13, 14, 22, 23
Días menos favorables en general: 2, 3, 9, 10, 15, 16, 29, 30

Mejores días para el amor: 3, 4, 5, 9, 10, 12, 15, 21, 25, 26, 30
Mejores días para el dinero: 7, 8, 15, 16, 25, 26
Mejores días para la profesión: 1, 9, 10, 15, 16, 18, 19, 29

Si bien el hemisferio nocturno de tu carta astral no es el que predomina, es sin embargo su momento más poderoso del año. Tu carrera y los objetivos externos siguen siendo una prioridad para ti, pero ahora puedes prestarle un poco más de atención —aunque no demasiada—, a tu hogar, tu familia y tu bienestar emocional. Como Júpiter en tu décima casa de la profesión sigue siendo retrógrado, tardarás más tiempo en resolver muchas cuestiones profesionales, aunque sean positivas.

Tu salud será buena este mes. Pero puedes fortalecerla más aún por medio del ejercicio físico y de los masajes en el cuero cabelludo, el rostro y la cabeza. La terapia craneosacral y trabajar los puntos reflejos de las suprarrenales también te vendrá de maravilla.

La actividad retrógrada aumentará este mes. El 40 por ciento de los planetas serán retrógrados hasta el 24. A partir del 25, lo serán el 50 por ciento. El ritmo de los acontecimientos está bajando. En el mundo abunda la indecisión. «Ten paciencia» es la palabra clave en estos días.

Dos planetas importantes en tu carta astral nunca son retrógrados: el Sol, tu planeta de la economía, y la Luna, el regente de tu horóscopo. Por lo que tu economía no se verá afectada este mes. A decir verdad, te espera un mes próspero. Seguirás viviendo una de tus mejores temporadas económicas del año hasta el 23. Ahora gastas en tus hijos o figuras filiales, pero ellos también pueden ser catalizadores de tus entradas de dinero. Si son jóvenes, te inspirarán a ganar más dinero, y si son mayores, pueden contribuir económicamente. Venus ingresará en tu casa del dinero el 12. Este tránsito te traerá un gran apoyo familiar y la ayuda de los amigos en las finanzas.

El movimiento directo de la Luna muestra que estás progresando en tus objetivos personales.

Tu planeta de la economía ingresará en Virgo, tu tercera casa, el 23. Este tránsito propicia escribir, la docencia, las ventas, el marketing, la publicidad y las relaciones públicas. También fomenta la industria minorista y el comercio. Sea cual sea tu profesión, es importante dar a conocer tu producto.

Tu vida amorosa pasará por momentos difíciles este mes, pero mejorará a partir del 24. Saturno, tu planeta del amor, no solo es retrógrado, sino que además está recibiendo aspectos desfavorables. Sé paciente en el amor en estos días.

A tus hijos o figuras filiales les saldrán oportunidades laborales estupendas en esta temporada, pero tienen que analizarlas más a fondo, tal vez no sean lo que ellos creen.

Septiembre

Mejores días en general: 1, 2, 9, 10, 18, 19, 20, 28, 29
Días menos favorables en general: 5, 6, 11, 12, 26, 27
Mejores días para el amor: 4, 5, 6, 7, 8, 13, 14, 15, 16, 17, 26, 27
Mejores días para el dinero: 3, 5, 6, 7, 8, 11, 14, 15, 21, 23, 24, 30
Mejores días para la profesión: 7, 8, 11, 12, 16, 17, 26, 27

Un montón de cosas positivas estás sucediendo en el mundo este mes, y como tú formas parte de él, también es bueno para ti. Se darán dos grandes trígonos en septiembre. Incluso uno es un fenómeno muy inusual, pero este mes habrá dos. El primero ocurrirá en el elemento tierra (el mes pasado también se dio), y el segundo en el elemento aire. Estos aspectos planetarios indican que la energía fluirá sin trabas en las cuestiones materiales e intelectuales. Además, potencian considerablemente las habilidades organizativas, la capacidad de comunicación y las facultades intelectuales tanto en el mundo como en ti.

Si bien el hemisferio nocturno de tu carta astral no es el que predomina ni de lejos, ahora es su momento más poderoso del año. Te encuentras en la hora mágica de la medianoche de tu año. Es un buen momento para renovar y reagrupar tus energías y planes. Para dedicar parte de la energía invertida en tu profesión, que sigue siendo muy positiva, en tu hogar y en tu familia, y en las actividades nocturnas. Intenta alcanzar tus objetivos profesionales a través de acciones «internas», como la visualización y la meditación, y el sueño constructivo, es decir, el sueño lúcido. Las acciones visibles les seguirán sin duda como la noche le sigue al día. Aunque quizá no se manifiesten de inmediato.

Vigila más tu salud después del 23. Tal vez tengas algún que otro achaque causado por los aspectos desfavorables de los planetas rápidos, pero durará poco y no será nada serio. Mantén un nivel alto de energía y fortalece tu salud por medio del ejercicio físico, de los masajes en la cabeza, el rostro y el cuero cabelludo, y de la estimulación de los puntos reflejos de las suprarrenales. Prestarle más atención al corazón es una buena idea. Los masajes torácicos y trabajar los puntos reflejos del corazón también te serán de gran ayuda.

Tu economía progresará este mes. Hasta el 23 es un buen momento para las ventas, el marketing, la publicidad y las relaciones públicas. Es importante hacer un buen uso de los medios de comunicación. Es una temporada excelente para los escritores, los profesores y los vendedores. Tu criterio financiero será bueno. Después del 23, a medida que tu planeta de la economía ingrese en tu cuarta casa, será el momento propicio para ganar dinero a través de, la familia y los contactos familiares. En esta temporada gastarás más en tu hogar y en tu familia, pero también te entrará dinero de este entorno. Esta coyuntura propicia las inversiones en el sector inmobiliario, los hoteles, los moteles, los restaurantes y las empresas alimentarias en general. Los aspectos favorables que el Sol formará con Urano el 10 y 11 propician la alta tecnología, los ordenadores y el mundo *online*. Es una buena temporada para atraer a inversores del extranjero para tus proyectos. Y también para saldar deudas o pedir préstamos.

Octubre

Mejores días en general: 7, 16, 17, 25, 26
Días menos favorables en general: 2, 3, 9, 10, 23, 24, 30
Mejores días para el amor: 2, 3, 4, 5, 13, 14, 23, 24, 25, 30
Mejores días para el dinero: 4, 5, 8, 9, 13, 14, 18, 19, 25, 26, 27
Mejores días para la profesión: 5, 9, 10, 14, 15, 24

El mes anterior se dio la máxima actividad retrógrada del año. Este mes seguirá siendo intensa, pero irá disminuyendo poco a poco. A finales de octubre, la actividad retrógrada habrá bajado a la mitad comparada con la del mes anterior. Aunque todavía se den retrasos, el ritmo de la vida empezará a aumentar.

Marte y Júpiter, los dos planetas que tienen que ver con tu profesión, serán retrógrados este mes. De modo que puedes dedicarte a tu hogar y tu familia (tu verdadera pasión) sin perderte nada. El hogar, la familia y el bienestar emocional son los cimientos en los que se asientan las profesiones exitosas. Es el momento de trabajar en estos cimientos.

Es un mes para los descubrimientos psicológicos y las percepciones interiores. El pasado siempre vive con nosotros, aunque no

debería impedirnos alcanzar nuestros objetivos. Podemos redefi-
nirlo y reinterpretarlo de una manera más saludable. Incluso los
acontecimientos históricos —los sucesos que afectaron al mundo
entero— se pueden redefinir y reinterpretar.

Vigila más tu salud hasta el 23. Consulta las previsiones del mes
anterior. Notarás una mejoría espectacular a partir del 23. Será
como si hubieras pulsado un «interruptor cósmico» y volvieras a
sentirte lleno de energía.

Te espera un mes feliz. El Sol ingresará en tu quinta casa el 23
y empezará una de tus temporadas más placenteras del año. Es el
momento de disfrutar de la vida. De gozar de tus hijos o figuras
filiales. De ser un poco más infantil. Son los niños (y tu niño interior) los que saben ser felices.

Un eclipse solar ocurrirá en tu quinta casa el 25. Será relativamente suave contigo, pero afectará a tus hijos o figuras filiales de
tu vida. Les conviene reducir sus actividades. Algunas de las crisis
que afrontarán son las que ocurren al crecer: la pubertad, el primer amor, el instituto... Pero para ellos será una conmoción. Uno
de tus progenitores o figura parental se verá obligado a hacer cambios y ajustes económicos. Y a ti también te ocurrirá. Aunque en
estos días tiendas a la especulación —sobre todo después del 23—,
es mejor evitarla durante el periodo del eclipse.

Noviembre

Mejores días en general: 3, 4, 12, 13, 22, 23, 30
Días menos favorables en general: 5, 6, 19, 20, 26, 27
Mejores días para el amor: 1, 2, 3, 4, 10, 11, 13, 19, 20, 23, 24,
26, 27, 28, 29
Mejores días para el dinero: 3, 4, 13, 14, 15, 16, 23
Mejores días para la profesión: 1, 2, 5, 6, 10, 11, 19, 20, 28, 29

El eclipse lunar del 8 es probablemente el principal titular del mes.
Será muy poderoso. Además de ser total, afectará a muchos otros
planetas, como Mercurio, Urano y Venus. Será potente para ti y
para el mundo en general.

No todos los eclipses lunares te afectan con fuerza. Como la
Luna es la regente de tu carta astral, cada eclipse lunar te plantea
retos —te obliga a redefinirte, a cambiar tu imagen y a redescubrirte—, te obliga a cambiar el modo de verte y el concepto que
deseas que los demás tengan de ti. Te conviene reducir tu agenda.

Haz lo que tengas que hacer, pero deja para más adelante lo que puedas posponer (sobre todo si son asuntos estresantes). Tu cónyuge, pareja o amante actual vivirá dramas sociales. Tus amistades serán puestas a prueba (este eclipse tendrá lugar en tu undécima casa). Surgirán dramas en la vida de tus amigos. Es posible que los aparatos de alta tecnología fallen, y a menudo tendrás que repararlos o cambiarlos. El efecto del eclipse sobre Mercurio muestra cambios espirituales y trastornos en la organización espiritual o benéfica en la que participas. Habrá dramas en la vida de los gurús o de tus figuras de gurú. Los vehículos y el equipo de comunicación pueden fallar. Surgirán dramas en tu familia y en la vida de los tuyos. Tal vez tengas que hacer reparaciones en tu hogar. Tus hermanos o figuras fraternas y tú os enfrentaréis a cambios en vuestra economía. Es posible que tu vida onírica también sea perturbadora. Pero no le des importancia, no es más que la conmoción del eclipse reflejada en el plano astral.

Pese al eclipse, será un mes feliz. Seguirás viviendo una de tus temporadas más placenteras del año hasta el 22. A uno de tus progenitores o figura parental las finanzas le están yendo de maravilla este mes y su salud es buena.

Aunque ahora te apetezca dedicarte a la especulación, no es aconsejable en este momento, sobre todo alrededor de los días del eclipse lunar. Pero tu economía progresará y los cambios que hagas en este sentido también serán positivos. Gastarás dinero en tus hijos o figuras filiales de tu vida hasta el 22. Ganarás dinero y lo gastarás de formas placenteras. El 22, cuando tu planeta de la economía ingrese en Sagitario, tus ingresos aumentarán.

Diciembre

Mejores días en general: 1, 9, 10, 11, 19, 20, 27, 28
Días menos favorables en general: 2, 3, 17, 18, 23, 24, 29, 30
Mejores días para el amor: 2, 3, 7, 8, 14, 17, 18, 23, 24, 25, 26
Mejores días para el dinero: 1, 2, 3, 11, 12, 13, 20, 21, 22, 23, 29
Mejores días para la profesión: 2, 3, 7, 8, 17, 18, 25, 26, 29, 30

Este mes el poder planetario se encuentra en gran parte en la mitad occidental, la de la vida social. Ya lleva siendo así varios meses, pero ahora es su momento más poderoso del año. Te conviene centrarte en tus habilidades sociales y anteponer las necesidades ajenas a las tuyas. Ahora es mejor no hacer las cosas a tu manera.

(La energía planetaria está apoyando a los demás más que a ti). Es un mes para progresar por medio del encanto social y de la búsqueda de consenso. No es el momento para la asertividad ni la iniciativa personal. Si te ocupas de los demás, te llegará lo bueno de la vida de manera normal y natural.

Tu salud será buena este mes, pero vigílala más después del 22. Además se te han complicado las cosas porque tu planeta de la salud planeará entre dos signos: Piscis y Aries. Hasta el 21 (mientras se encuentre en Piscis), potencia tu salud con masajes en los pies (fortalecen todo el cuerpo) y con técnicas espirituales de curación. A partir del 22, los masajes en el cuero cabelludo, el rostro y la cabeza, el ejercicio físico y la estimulación de los puntos reflejos de las suprarrenales te vendrán de maravilla. (En realidad, deberías hacer también todo esto un poco este mes).

Tu vida amorosa será activa y feliz este mes. Saturno, tu planeta del amor, es directo y tu séptima casa del amor será muy poderosa a partir del 22. Además, como he señalado, la mitad occidental de tu carta astral, la de la vida social, será muy potente el mes entero. Si no tienes pareja, tendrás numerosas oportunidades románticas. Tu criterio financiero es ahora bueno. El próximo mes también será venturoso para el amor.

Júpiter regresará a tu décima casa de la profesión el 21 y la ocupará hasta el próximo año. Triunfarás en tu carrera (y el año que viene tendrás incluso más éxito aún). Marte, tu planeta de la profesión, además de ser retrógrado —creará varios retrasos y contratiempos—, estará «fuera de límites». De modo que te moverás fuera de tu terreno habitual en lo profesional. Y también en otras esferas de tu vida. Dos planetas más —Venus y Mercurio— también estarán «fuera de límites». Los miembros de tu familia se moverán fuera de su mundo habitual en esta temporada. Tú también lo harás en lo que respecta a las cuestiones espirituales y a tus intereses intelectuales. Pensar de una manera «fuera de lo común» te resultará útil en esos días.

Leo

El León
Nacidos entre el 21 de julio y el 21 de agosto

Rasgos generales

LEO DE UN VISTAZO

Elemento: Fuego

Planeta regente: Sol
   Planeta de la profesión: Venus
   Planeta de la salud: Saturno
   Planeta del amor: Urano
   Planeta del dinero: Mercurio

Colores: Dorado, naranja, rojo
   Colores que favorecen el amor, el romance y la armonía social: Negro, azul índigo, azul marino
   Colores que favorecen la capacidad de ganar dinero: Amarillo, amarillo anaranjado

Piedras: Ámbar, crisolita, diamante amarillo

Metal: Oro

Aroma: Bergamota, incienso, almizcle

Modo: Fijo (= estabilidad)

Cualidad más necesaria para el equilibrio: Humildad

Virtudes más fuertes: Capacidad de liderazgo, autoestima y confianza en sí mismo, generosidad, creatividad, alegría

Necesidad más profunda: Diversión, alegría, necesidad de brillar

Lo que hay que evitar: Arrogancia, vanidad, autoritarismo

Signos globalmente más compatibles: Aries, Sagitario

Signos globalmente más incompatibles: Tauro, Escorpio, Acuario

Signo que ofrece más apoyo laboral: Tauro

Signo que ofrece más apoyo emocional: Escorpio

Signo que ofrece más apoyo económico: Virgo

Mejor signo para el matrimonio y/o las asociaciones: Acuario

Signo que más apoya en proyectos creativos: Sagitario

Mejor signo para pasárselo bien: Sagitario

Signos que más apoyan espiritualmente: Aries, Cáncer

Mejor día de la semana: Domingo

La personalidad Leo

Cuando pienses en Leo, piensa en la realeza; de esa manera te harás una idea de cómo es Leo y por qué los nativos de este signo son como son. Es verdad que debido a diversas razones algunos Leo no siempre expresan este rasgo, pero aun en el caso de que no lo expresen, les gustaría hacerlo.

Un monarca no gobierna con el ejemplo (como en el caso de Aries) ni por consenso (como hacen Capricornio y Acuario), sino por su voluntad personal. Su voluntad es ley. Sus gustos personales se convierten en el estilo que han de imitar todos sus súbditos. Un rey tiene en cierto modo un tamaño más grande de lo normal. Así es como desea ser Leo.

Discutir la voluntad de un Leo es algo serio. Lo considerará una ofensa personal, un insulto. Los Leo nos harán saber que su voluntad implica autoridad, y que desobedecerla es un desacato y una falta de respeto.

Una persona Leo es el rey, o la reina, en sus dominios. Sus subordinados, familiares y amigos son sus leales súbditos. Los Leo reinan con benevolente amabilidad y con miras al mayor bien para los demás. Su presencia es imponente, y de hecho son personas poderosas. Atraen la atención en cualquier reunión social. Destacan porque son los astros en sus dominios. Piensan que, igual que el Sol, están hechos para brillar y reinar. Creen que nacieron para disfrutar de privilegios y prerrogativas reales, y la mayoría de ellos lo consiguen, al menos hasta cierto punto.

El Sol es el regente de este signo, y si uno piensa en la luz del Sol, es muy difícil sentirse deprimido o enfermo. En cierto modo la luz del Sol es la antítesis misma de la enfermedad y la apatía. Los Leo aman la vida. También les gusta divertirse, la música, el teatro y todo tipo de espectáculos. Estas son las cosas que dan alegría a la vida. Si, incluso en su propio beneficio, se los priva de sus placeres, de la buena comida, la bebida y los pasatiempos, se corre el riesgo de quitarles su voluntad de vivir. Para ellos, la vida sin alegría no es vida.

Para Leo la voluntad humana se resume en el poder. Pero el poder, de por sí, y al margen de lo que digan algunas personas, no es ni bueno ni malo. Únicamente cuando se abusa de él se convierte en algo malo. Sin poder no pueden ocurrir ni siquiera cosas buenas. Los Leo lo saben y están especialmente cualificados para ejercer el poder. De todos los signos, son los que lo hacen con más naturalidad. Capricornio, el otro signo de poder del zodiaco, es mejor gerente y administrador que Leo, muchísimo mejor. Pero Leo eclipsa a Capricornio con su brillo personal y su presencia. A Leo le gusta el poder, mientras que Capricornio lo asume por sentido del deber.

Situación económica

Los nativos de Leo son excelentes líderes, pero no necesariamente buenos jefes. Son mejores para llevar los asuntos generales que los detalles de la realidad básica de los negocios. Si tienen buenos jefes, pueden ser unos ejecutivos excepcionales trabajando para ellos. Tienen una visión clara y mucha creatividad.

Los Leo aman la riqueza por los placeres que puede procurar. Les gusta llevar un estilo de vida opulento, la pompa y la elegancia. Incluso aunque no sean ricos, viven como si lo fueran. Por este motivo muchos se endeudan, y a veces les cuesta muchísimo salir de esa situación.

Los Leo, como los Piscis, son generosos en extremo. Muchas veces desean ser ricos sólo para poder ayudar económicamente a otras personas. Para ellos el dinero sirve para comprar servicios y capacidad empresarial, para crear trabajo y mejorar el bienestar general de los que los rodean. Por lo tanto, para los Leo, la riqueza es buena, y ha de disfrutarse plenamente. El dinero no es para dejarlo en una mohosa caja de un banco llenándose de polvo, sino para disfrutarlo, distribuirlo, gastarlo. Por eso los nativos de Leo suelen ser muy descuidados con sus gastos.

Teniendo el signo de Virgo en la cúspide de su segunda casa solar, la del dinero, es necesario que los Leo desarrollen algunas de las características de análisis, discernimiento y pureza de Virgo en los asuntos monetarios. Deben aprender a cuidar más los detalles financieros, o contratar a personas que lo hagan por ellos. Tienen que tomar más conciencia de los precios. Básicamente, necesitan administrar mejor su dinero. Los Leo tienden a irritarse cuando pasan por dificultades económicas, pero esta experiencia puede servirles para hacer realidad su máximo potencial financiero.

A los Leo les gusta que sus amigos y familiares sepan que pueden contar con ellos si necesitan dinero. No les molesta e incluso les gusta prestar dinero, pero tienen buen cuidado de no permitir que se aprovechen de ellos. Desde su «trono real», a los Leo les encanta hacer regalos a sus familiares y amigos, y después disfrutan de los buenos sentimientos que estos regalos inspiran en todos. Les gusta la especulación financiera y suelen tener suerte, cuando las influencias astrales son buenas.

Profesión e imagen pública

A los Leo les gusta que los consideren ricos, porque en el mundo actual la riqueza suele equivaler a poder. Cuando consiguen ser ricos, les gusta tener una casa grande, con mucho terreno y animales.

En el trabajo, destacan en puestos de autoridad y poder. Son buenos para tomar decisiones a gran escala, pero prefieren dejar los pequeños detalles a cargo de otras personas. Son muy respetados por sus colegas y subordinados, principalmente porque tienen el don de comprender a los que los rodean y relacionarse bien con ellos. Generalmente luchan por conquistar los puestos más elevados, aunque hayan comenzado de muy abajo, y trabajan muchísimo por llegar a la cima. Como puede esperarse de un signo tan carismático, los Leo siempre van a tratar de mejorar su situación laboral, para tener mejores oportunidades de llegar a lo más alto.

Por otro lado, no les gusta que les den órdenes ni que les digan lo que han de hacer. Tal vez por eso aspiran a llegar a la cima, ya que allí podrán ser ellos quienes tomen las decisiones y no tendrán que acatar órdenes de nadie.

Los Leo jamás dudan de su éxito y concentran toda su atención y sus esfuerzos en conseguirlo. Otra excelente característica suya es que, como los buenos monarcas, no intentan abusar del poder o el éxito que consiguen. Si lo llegan a hacer, no será voluntaria ni intencionadamente. En general a los Leo les gusta compartir su riqueza e intentan que todos los que los rodean participen de su éxito.

Son personas muy trabajadoras y tienen buena reputación, y así les gusta que se les considere. Es categóricamente cierto que son capaces de trabajar muy duro, y con frecuencia realizan grandes cosas. Pero no olvidemos que, en el fondo, los Leo son en realidad amantes de la diversión.

Amor y relaciones

En general, los Leo no son del tipo de personas que se casan. Para ellos, una relación es buena mientras sea agradable. Cuando deje de serlo, van a querer ponerle fin. Siempre desean tener la libertad de dejarla. Por eso destacan por sus aventuras amorosas y no por su capacidad para el compromiso. Una vez casados, sin embargo, son fieles, si bien algunos tienen tendencia a casarse más de una vez en su vida. Si estás enamorado o enamorada de un Leo, limítate a procurar que se lo pase bien, viajando, yendo a casinos y salas de fiestas, al teatro y a discotecas. Ofrécele un buen vino y una deliciosa cena; te saldrá caro, pero valdrá la pena y os lo pasaréis muy bien.

Generalmente los Leo tienen una activa vida amorosa y son expresivos en la manifestación de su afecto. Les gusta estar con personas optimistas y amantes de la diversión como ellos, pero acaban asentándose con personas más serias, intelectuales y no convencionales. Su pareja suele ser una persona con más conciencia política y social y más partidaria de la libertad que ellos mismos. Si te casas con una persona Leo, dominar su tendencia a la libertad se convertirá ciertamente en un reto para toda la vida, pero ten cuidado de no dejarte dominar por tu pareja.

Acuario está en la cúspide de la casa siete, la del amor, de Leo. De manera, pues, que si los nativos de este signo desean realizar al máximo su potencial social y para el amor, habrán de desarrollar perspectivas más igualitarias, más acuarianas, con respecto a los demás. Esto no es fácil para Leo, porque «el rey» sólo encuentra a sus iguales entre otros «reyes». Pero tal vez sea esta la solución para su desafío social: ser «un rey entre reyes». Está muy bien ser un personaje real, pero hay que reconocer la nobleza en los demás.

Hogar y vida familiar

Si bien los nativos de Leo son excelentes anfitriones y les gusta invitar a gente a su casa, a veces esto es puro espectáculo. Sólo unos pocos amigos íntimos verán el verdadero lado cotidiano de un Leo. Para este, la casa es un lugar de comodidad, recreo y transformación; un retiro secreto e íntimo, un castillo. A los Leo les gusta gastar dinero, alardear un poco, recibir a invitados y pasárselo bien. Disfrutan con muebles, ropa y aparatos de última moda, con todas las cosas dignas de reyes.

Son apasionadamente leales a su familia y, desde luego, esperan ser correspondidos. Quieren a sus hijos casi hasta la exageración; han de procurar no mimarlos ni consentirlos demasiado. También han de evitar dejarse llevar por el deseo de modelar a los miembros de su familia a su imagen y semejanza. Han de tener presente que los demás también tienen necesidad de ser ellos mismos. Por este motivo, los Leo han de hacer un esfuerzo extra para no ser demasiado mandones o excesivamente dominantes en su casa.

Horóscopo para el año 2022*

Principales tendencias

Vigila más tu salud y energía este año, ya que dos planetas lentos —y poderosos— están formando una alineación desfavorable en tu carta astral. Descansa bastante. Volveremos a este tema más adelante.

Este año no tendrás tanta suerte en el amor como en el anterior. Deberás trabajar y esforzarte más en esta faceta de tu vida, aunque como tu planeta del amor se encuentra en tu décima casa, seguramente lo harás. Si no tienes pareja, lo más probable es que no te cases este año. Volveremos a este tema más adelante.

Tu octava casa será muy poderosa todo el año, pero sobre todo hasta el 11 de mayo. Este año serás sexualmente activo. Al margen de cuál sea tu edad y tu etapa en la vida, tu libido será más potente de lo habitual. Como Neptuno ya lleva muchos años en tu octava casa, tu expresión sexual se está volviendo ahora más refinada y espiritual, y esta también será la tendencia de este año.

Al estar tu casa del dinero prácticamente vacía este año, la economía no te interesará demasiado. Pero como a tu cónyuge, pareja o amante actual las finanzas le están yendo de maravilla, esto compensará tu falta de interés. Volveremos a este tema más adelante.

Júpiter ingresará en tu novena casa el 11 de mayo y la ocupará hasta el 29 de octubre, y luego volverá a visitarla a partir del 21 de diciembre. Este tránsito muestra que viajarás al extranjero en esta temporada. También es un aspecto estupendo para los estudiantes universitarios o los que solicitan ingresar en una facultad. Indica buena suerte.

Urano ya lleva en tu décima casa de la profesión varios años y la ocupará algunos más. Este aspecto indica que el amor es importante en tu vida y que ahora estás volcado en él. También muestra muchos cambios profesionales. Tu simpatía y tu encanto social te

---

* Las previsiones de este libro se basan en el Horóscopo Solar y en todos los signos derivados del mismo: tu signo solar se convierte en el Ascendente, y las casas se numeran a partir de él. Tu horóscopo personal, el trazado concretamente para ti (según la fecha, hora y lugar exactos de tu nacimiento) podría modificar lo que se indica aquí. Joseph Polansky.

ayudarán a triunfar en tu profesión. Volveremos a este tema más adelante.

Las áreas que más te interesarán este año serán la salud y el trabajo. El amor y las relaciones amorosas. El sexo, la transformación personal y el ocultismo. Los estudios superiores, los viajes al extranjero, la religión, la filosofía y la teología. La profesión. Y los amigos, los grupos y las actividades grupales (a partir del 20 de agosto).

Lo que más te llenará este año será el sexo, la transformación personal y el ocultismo (hasta el 11 de mayo, y del 29 de octubre al 21 de diciembre). Los viajes al extranjero, los estudios superiores, la religión, la teología y la filosofía (del 11 de mayo al 29 de octubre, y a partir del 21 de diciembre). Y la profesión.

Salud

(Ten en cuenta que se trata de una perspectiva astrológica de la salud, no de una médica. En el pasado, no había ninguna diferencia, ambas eran idénticas, pero en la actualidad podrían diferir mucho. Para obtener un punto de vista médico, consulta a tu médico de cabecera o a un profesional de la salud).

Como he señalado, vigila más tu salud este año, ya que Saturno y Urano, dos planetas poderosos, están formando aspectos desfavorables en tu carta astral. Pero si descansas bastante, lo superarás sin ningún problema.

Presta además más atención a las siguientes áreas vulnerables de tu carta astral, será en estas partes de tu cuerpo donde tenderás a tener problemas. Pero si las mantienes sanas y en forma, los evitarás. (Y aunque no consigas evitarlos del todo, reducirás su importancia notablemente).

El corazón. Este órgano siempre ha sido relevante para los Leo, pero sobre todo en los últimos años. Te sentará bien trabajar sus puntos reflejos. Los masajes torácicos —en especial en el esternón y en la parte superior de la caja torácica— son excelentes para ti. Si cultivas la fe y te desprendes de las preocupaciones y la ansiedad, tu corazón funcionará mejor. La meditación también te vendrá de perlas para mantenerlo en forma.

La columna, las rodillas, la dentadura, los huesos y la alineación esquelética en general. Estas zonas son siempre importantes para los Leo, ya que Saturno es tu planeta de la salud. Incluye los masajes regulares en la espalda y las rodillas en tu programa de salud. Las visitas metódicas al quiropráctico o al osteópata también te vendrán de maravilla. Mantén las vértebras de la columna alineadas. El yoga y el Pilates son unas terapias excelentes para la columna vertebral. Si tomas el sol, utiliza un buen protector solar. Te conviene además visitar con regularidad a un higienista dental.

Los tobillos y las pantorrillas. Estas partes del cuerpo se volvieron importantes el año pasado y en este lo siguen siendo. Los masajes regulares en estas zonas te sentarán bien. Unos tobillos frágiles pueden desalinear las vértebras de la columna, y esto te causaría todo tipo de problemas adicionales.

Como tu planeta de la salud se alojará en tu séptima casa el año entero, el amor estará muy conectado a tu salud. Gozar de una vida amorosa saludable es ahora muy importante para tu buena salud. Los problemas sentimentales podrían repercutir en tu salud. Si tienes algún problema amoroso, espero que no sea así, restablece la armonía con tu pareja lo antes posible.

En los últimos años has sido muy conservador en las cuestiones de la salud. Pero tu actitud ha cambiado desde el año pasado. Ahora lo sigues siendo, pero eres un poco más experimentador. Por lo visto, deseas probar nuevos métodos y tratamientos. Como Saturno es tu planeta de la salud, sueles recurrir a la medicina tradicional. Pero este año estás más abierto a las terapias alternativas. Sin embargo, seguramente optarás por las terapias clásicas, las que se ha demostrado con el paso del tiempo que funcionan. Este aspecto astrológico se puede también interpretar como que ahora eres una persona a la que le gusta «probar» métodos y tratamientos nuevos, pero con «precaución».

Hogar y vida familiar

Tu cuarta casa del hogar y de la familia no es poderosa este año, no predomina en tu carta astral. Solo la visitarán los planetas rápidos y sus efectos serán pasajeros, por lo que tu situación familiar seguirá siendo la misma. Muchos Leo cambiaron de domicilio en 2020, y no es necesario hacerlo este año. Te sientes satisfecho con tu situación doméstica actual.

Plutón, tu planeta de la familia, lleva ya cerca de veinte años en tu sexta casa. Por lo que has transformado tu hogar en un saludable balneario. Has comprado todo tipo de aparatos y accesorios de gimnasio para mantenerte sano y en forma. Y también lo has saneado eliminando el moho, las humedades o la pintura tóxica.

Ahora estás probablemente más pendiente de la salud de los miembros de tu familia que de la tuya.

Si estás planeando hacer obras o reformas en tu hogar, es mejor dejarlas para el año que viene. Pero si no te queda más remedio, del 26 de febrero al 6 de marzo, y del 13 al 16 de agosto es el mejor momento para ello.

Si estás pensando en decorar o embellecer de nuevo tu hogar, del 23 de octubre al 16 de noviembre es un buen momento. Al igual que para comprar objetos atractivos para tu casa.

Aunque tu situación familiar y doméstica siga siendo la misma, habrá varios trastornos y dramas en esta parcela de tu vida. Los dos eclipses que tendrán lugar en tu cuarta casa —el eclipse lunar del 16 de mayo, y el eclipse solar del 25 de octubre— traerán dramas en la vida de los tuyos. Y quizá tengas que hacer reparaciones en tu hogar. En las previsiones mes a mes hablaré de ello con más detalle.

Uno de tus padres o figura parental ha experimentado muchos cambios personales últimamente y le seguirá ocurriendo este año. Al parecer está inquieto —agitado—, y tal vez haya vivido en distintos lugares durante largas temporadas. Es más probable que cambie de domicilio en 2023 o 2024 que ahora. No te resulta fácil relacionarte con esta persona, porque no sabes por dónde te va a salir. Se muestra inestable emocionalmente. En cambio, al otro miembro de la pareja las cosas le están yendo de maravilla este año. Si se trata de tu madre, será más fértil este año. Y además, a partir del 12 de mayo se le presentarán unas oportunidades laborales estupendas. Es posible que el año anterior haya efectuado una mudanza. Este año su situación doméstica seguirá siendo la misma.

El matrimonio de tus padres o figuras parentales atravesará malos momentos este año, se parecerán a los de los años anteriores. Los cuatro eclipses afectarán su relación y la pondrán a prueba de una forma más contundente aún.

Es probable que tus hermanos o figuras fraternas hayan cambiado de domicilio el año pasado. Este año su situación doméstica seguirá igual. Si están solteros y tienen la edad adecuada, este año les espera el amor y quizá incluso el matrimonio. En el caso de ocurrirles, sería a partir del 12 de mayo o incluso el año que viene.

Tus hijos o figuras filiales tal vez cambien de residencia este año y la mudanza les irá bien. Se lo pasarán en grande este año y en el caso de ser mujeres, serán muy fértiles.

La situación familiar y doméstica de tus nietos, en el caso de tenerlos, seguirá siendo la misma este año.

Profesión y situación económica

Tu casa del dinero no es poderosa este año, no predomina en tu carta astral. Solo la visitarán los planetas rápidos y sus efectos serán pasajeros. Ya lleva muchos años siendo así. Como tu economía no te interesa demasiado, tu situación financiera seguirá siendo la misma. Te sientes satisfecho con ella y no necesitas hacer cambios importantes en esta parcela de tu vida.

Si surge algún problema económico, podría deberse a no haberle prestado demasiado atención a este aspecto de tu vida y te convendrá estar más pendiente de tus finanzas.

Mercurio, tu planeta de la economía, se mueve con rapidez por el firmamento. Transita por todos los signos y casas de tu carta astral a lo largo del año. En consecuencia, se manifestarán muchas tendencias de corta duración relacionadas con la economía que dependerán de dónde esté Mercurio y de los aspectos que reciba. En las previsiones mes a mes hablaré de estas tendencias con más detalle.

Como Mercurio rige la economía y las amistades, tu vida social está muy ligada a tus finanzas. Tiendes a tener amigos acaudalados que te son útiles. Al ser Mercurio el regente de tu undécima casa, favorece la prensa digital, el mundo de Internet y la alta tecnología. Todos estos campos son interesantes para ti en el plano laboral, las inversiones o los negocios.

Por lo visto, ahora te importa más tu profesión que el dinero. Tu décima casa de la profesión es poderosa este año, en cambio tu casa del dinero está vacía. Tu posición social y tu prestigio son más importantes para ti que el dinero. Prefieres una posición prestigiosa en la que ganes menos dinero a otra menos prestigiosa con un mayor sueldo.

Urano ya lleva varios años en tu décima casa y la seguirá ocupando varios más. Este tránsito de larga duración propicia las profesiones relacionadas con la alta tecnología, la ciencia y el mundo digital. Aunque tu campo profesional sea otro, tus conocimientos tecnológicos son importantes para ti.

Urano es tu planeta del amor, y esto muestra muchas cosas. Deseas dedicarte a una profesión que ofrezca oportunidades sociales. Te gusta relacionarte con tus jefes y con personas prestigiosas. Tus contactos sociales (y sobre todo, tu cónyuge, pareja o amante actual) están muy implicados en tu profesión de una forma útil. Gran parte de tu vida social está relacionada con tu profesión. Tu simpatía es importante en tu carrera. Tus buenas habilidades profesionales no te bastan por sí solas, ya que además es vital llevarte bien con los demás.

Urano en tu décima casa de la profesión también es propicio a las artes, a la industria cosmética y a las compañías que se dedican a embellecer a las personas y al mundo.

Como he señalado, prefieres trabajar por tu cuenta que estar en una empresa ajena con un horario fijo. Necesitas la variación y la excitación que te aporta tu trabajo. La libertad de poder innovar.

Amor y vida social

El amor será agridulce este año. Ahora estás muy pendiente de él, y esto es bueno. Tu séptima casa del amor es poderosa e importante. Pero quizá lo primordial es que tu planeta del amor se encuentra en tu décima casa, una posición poderosa y destacada. Tenderás a triunfar en esta faceta de la vida, pero te costará lo tuyo. Tendrás que superar un montón de dificultades y esforzarte mucho para gozar del amor.

Los dos planetas relacionados con el amor —Saturno (alojado en tu séptima casa) y Urano, tu planeta del amor— no favorecen demasiado el matrimonio. Si no tienes pareja, es mejor que no te cases este año. Y si mantienes una relación, atravesará malos momentos. Esta experiencia será positiva, aunque no te resulte agradable mientras la vives. Los fabricantes someten a sus productos a pruebas de resistencia mayores de las que soportarían en su uso habitual para ver los fallos y corregirlos. A tu relación también le ocurrirá lo mismo. Si tu pareja y tú lográis capear esta crisis, podréis con todo lo demás que la vida os depare.

Los Leo suelen enamorarse a primera vista, pero este año no serás tan enamoradizo como de costumbre. Te mostrarás más cauto en el amor. Te lo tomarás con más calma.

Te saldrán oportunidades amorosas mientras intentas alcanzar tus objetivos profesionales y los relacionados con tu salud este año. También te atraerán mucho las personas implicadas en

tu profesión o en tu salud. Al igual que tus compañeros de trabajo, aunque salir con alguno podría ser complicado en esta temporada.

Tu lugar de trabajo y tu carrera son ahora además un centro
social. Si buscas trabajo, tendrás en cuenta los aspectos sociales de
los trabajos que te ofrezcan tanto como el sueldo, el horario y los
beneficios.

Una visita al médico o al terapeuta puede acabar en algo más.
En general, te atraerán los profesionales sanitarios este año.

Durante varios años el poder y la posición social han sido importantes para ti en el amor. Henry Kissinger afirmó: «El poder es
el mayor afrodisíaco que existe». Tal vez no lo sea para todo el
mundo, pero para ti lo es. Este año conoces a este tipo de gente. Te
relacionas con personas poderosas que te son útiles en tu profesión. Como he señalado, buena parte de tu vida social está relacionada con tu carrera este año.

Uno de los problemas de esta temporada será sentir la gran tentación de mantener una relación con alguien por conveniencia en
lugar de por amor.

Progreso personal

Urano ya lleva varios años en tu décima casa y la seguirá ocupando muchos más. La principal lección vital que puedes extraer de
ello es sentirte cómodo con la inestabilidad (aparente) y los cambios en tu profesión. La trayectoria profesional y las reglas del juego
pueden cambiar en un santiamén. De manera súbita e inesperada.
Cultivar la fe te será ahora muy provechoso. En el mundo tridi-
mensional la estabilidad no existe. Puede ocurrir cualquier cosa en
cualquier momento. Pero saber que los cambios son positivos y
que al final habrán valido la pena te será de gran ayuda. En muchos casos esos cambios te permitirán seguir una trayectoria profesional más indicada para ti. Alégrate cuando te ocurran, son por
tu bien.

Neptuno lleva ya muchos años en tu octava casa del sexo. He
escrito sobre ello en previsiones de años anteriores. Tu vida sexual
se está volviendo más espiritual, refinada y profunda. La has elevado de la lascivia animal a un acto de culto. Y este año la tendencia es aún mayor que la de los años anteriores. Júpiter se unirá a
Neptuno en tu octava casa durante cerca de medio año. Los Leo
son activos sexualmente por naturaleza. Pero ahora incluso lo son

más todavía. No hay nada malo en ello, los Leo son así. Pero si no es más que lujuria, puede pasarle factura al cuerpo y a la salud. Como he escrito en las previsiones de años anteriores, es el momento de explorar las dimensiones espirituales del sexo. Lee sobre el kundalini y el tantra yoga lo máximo posible. En el hermetismo también se trata este tema (desde un enfoque occidental). Realizar el acto sexual de un modo espiritual no solo te permitirá estar más cerca de lo Divino, sino que además te protegerá la salud.

Como la Luna, el planeta más raudo de todos, es tu planeta de la espiritualidad, propicia la senda del bhakti. Y también las recitaciones, los cánticos y el tamborileo. Es necesario elevar las vibraciones de las emociones y los sentimientos. Y este tipo de prácticas los elevan y armonizan. Tus estados de ánimo son importantes en tus oraciones y en tu vida emocional. Antes de meditar, procura entrar en un estado de ánimo armonioso. Y después ponte a orar o a meditar.

El hecho de que la Luna sea tu planeta de la espiritualidad indica que puedes conectar con lo Divino que hay en ti de muchas formas. No solo hay UNA para ti. No siempre te funcionarán las mismas técnicas. Como la Luna es tan rauda avanzando por el firmamento, las que ayer te funcionaban quizá no lo hagan hoy. Ve cambiando constantemente de enfoque. Si solo practicas de una única forma, advertirás que algunos días te resulta más fácil conectar con lo Divino que hay dentro de ti y en otros te cuesta más. Se debe a la posición de la Luna y a los aspectos que recibe. Cuando los aspectos son armoniosos, las meditaciones te salen mejor. Y cuando los aspectos son inarmónicos, se te dificulta practicarlas. No te desanimes. Sigue practicando. El problema no viene de ti.

Previsiones mes a mes

Enero

Mejores días en general: 1, 8, 9, 18, 19, 27, 28
Días menos favorables en general: 4, 5, 11, 12, 25, 26, 31
Mejores días para el amor: 2, 3, 4, 5, 11, 12, 21, 22, 29, 30, 31
Mejores días para el dinero: 4, 5, 6, 13, 14, 16, 21, 22, 23, 25
Mejores días para la profesión: 2, 3, 11, 12, 21, 22, 29, 30

Empiezas el año con una sexta casa de la salud y del trabajo poderosísima. El 50 por ciento, y en ocasiones el 60 por ciento de los planetas, la ocuparán o transitarán por ella. Es un gran mes si estás buscando trabajo. Se te presentarán muchas oportunidades laborales. Ahora estás muy solicitado en el mercado. Y si ya estás trabajando, te surgirán oportunidades para hacer horas extras o dedicarte al pluriempleo. Además, ahora te cuidas. Aunque tu salud será buena hasta el 20, como te cuidas la has fortalecido para más adelante, por si acaso.

Como he señalado en las previsiones de este año, hay dos planetas lentos —son poderosos— formando aspectos desfavorables en tu carta astral. Y además algunos planetas rápidos se unirán a la fiesta el 20, empeorando las cosas. Descansa bastante y fortalece tu salud con los métodos citados en las previsiones de este año.

Aunque tu salud y energía podrían ser mejores después del 20, la situación es auspiciosa. El Sol ingresará en tu séptima casa del amor y empezará uno de tus mejores momentos amorosos y sociales del año. Este mes serás más popular, los demás serán lo primero para ti y procurarás ayudarles al máximo. En el amor también serás proactivo. Irás a por ello. Si alguien te gusta, se lo harás saber. No perderás el tiempo. Pero tu vida amorosa es ahora complicada, en realidad quizá te gusta así. A los Leo les encantan los dramas. Si no hay ninguno en su vida, los acaban creando. Si mantienes una relación, tendrás que esforzarte más para que os funcione. Por lo visto, no os ponéis de acuerdo. Quizá creas que estás actuando por su bien, pero es posible que tu pareja no lo vea así. Con todo, triunfarás en el amor. Este aspecto de tu vida es importante para ti y estás volcado en él. Estás dispuesto a superar todos los problemas que surjan en vuestra relación.

Mercurio, tu planeta de la economía, será retrógrado a partir del 14. Intenta realizar las adquisiciones o las inversiones importantes antes de esta fecha. A partir del 15 procura ver con claridad tu economía. El movimiento retrógrado de Mercurio no frenará tus ingresos, solo retrasará las cosas un poco. Asegúrate de gestionar todos los detalles de las transacciones económicas a la perfección. Esto minimizará los retrasos.

Febrero

Mejores días en general: 5, 6, 14, 15, 24, 25

Días menos favorables en general: 1, 7, 8, 16, 21, 22, 23, 28
Mejores días para el amor: 1, 7, 8, 17, 18, 26, 27, 28
Mejores días para el dinero: 2, 3, 8, 12, 13, 17, 18, 19, 20, 21, 22, 28
Mejores días para la profesión: 7, 8, 17, 18, 27

Cuando Mercurio, tu planeta de la economía, sea directo el 4, tu economía mejorará. Se alojará en Capricornio, tu sexta casa, hasta el 15. Este aspecto tiene muchas ventajas. Tu criterio financiero será bueno —conservador—, quizá demasiado conservador para tu gusto en esta temporada. Además favorece los ahorros a largo plazo y los planes de inversión. Ganarás el dinero a la antigua usanza, por medio del trabajo.

Mercurio ingresará en Acuario el 15 y este tránsito hará que seas más experimentador en las cuestiones económicas. También propicia las empresas en sociedad, las empresas emergentes, la alta tecnología y el mundo *online*. Si eres inversor, te atraerán estos sectores. Probablemente ahora gastes más en alta tecnología, pero también puede ser una fuente de dinero para ti. Mercurio viajará con Plutón el 10 y 11. Este tránsito te traerá oportunidades laborales (o pluriempleo). Mercurio formará un aspecto desfavorable con Urano el 23 y 24. Es posible que tengas algunos desacuerdos económicos con tu cónyuge, pareja o amante actual. Quizá debas hacer algunos ajustes económicos.

El amor te irá bien este mes. Seguirás viviendo uno de tus mejores momentos amorosos y sociales del año hasta el 18. Ahora llevas una vida social muy activa. Tu encanto social también te ayuda a obtener mejores resultados. Es posible que surja la oportunidad de montar un negocio con un socio o una empresa conjunta. El Sol viajará con Saturno el 3 y 4. Si no tienes pareja, te saldrán oportunidades románticas con un compañero o compañera de trabajo, o con alguien que tiene que ver con tu salud.

El Sol ingresará en tu octava casa el 18. Júpiter la lleva ocupando desde principios de año. Por lo que tu cónyuge, pareja o amante actual está disfrutando de una racha de prosperidad mayor incluso que la del mes anterior. Por lo visto, tienes mucho que ver en ello. Como ahora tu octava casa es tan poderosa —está llena de planetas benéficos—, tu actividad sexual es además un momento maravilloso para la transformación personal, para traer al mundo a la persona que quieres ser. Pero antes de lograrlo, tienes que deshacerte de lo viejo y lo superfluo, tanto si se trata de objetos materiales como de hábitos mentales y emocionales. Es un mes para madurar al desprenderte de lo innecesario, en lugar de añadir más cosas a tu vida. Más adelante ya llegará el momento de hacerlo. Ahora te toca analizar tus pensamientos y sentimientos, para ver lo que es destructivo en tu vida y deshacerte de ello. Hay muchas técnicas espirituales que te ayudarán a llevarlo a cabo. (En www.spiritual-stories.com, mi blog, encontrarás más información en inglés sobre este tema).

Marzo

Mejores días en general: 4, 5, 14, 15, 23, 24
Días menos favorables en general: 1, 6, 7, 8, 21, 22, 27, 28
Mejores días para el amor: 1, 6, 7, 9, 16, 17, 18, 19, 25, 26, 27, 28
Mejores días para el dinero: 1, 2, 3, 11, 12, 16, 17, 21, 22, 30, 31
Mejores días para la profesión: 6, 7, 8, 9, 18, 19,27,28

Cuando Marte y Venus ingresen en tu séptima casa del amor el 6, se volverá muy poderosa. A pesar de haber dejado atrás una de tus mejores temporadas amorosas y sociales del año, tu vida social sigue siendo activa. Este tránsito no propicia las relaciones serias, sino más bien las aventuras amorosas. Como Marte rige la quinta casa de la diversión, serán simplemente relaciones para pasártelo bien. El amor es ahora para ti un entretenimiento, como ir al cine o al teatro. No es más que esto.

Te espera un mes próspero. El raudo avance de Mercurio en marzo muestra rápidos progresos económicos y seguridad interior. El Sol viajará con Júpiter del 4 al 6. Este tránsito es posible que traiga una buena recompensa económica. También es un buen momento para la especulación, aunque no te conviene hacer este tipo de actividad automáticamente, solo guiado por tu intuición. Ahora te gusta más que de costumbre correr riesgos. Mercurio, tu planeta de la economía, viajará con Júpiter el 20 y 21. Este tránsito también propicia la expansión económica.

Vigila tu salud este mes, aunque notarás una gran mejoría a partir del 20. Mientras tanto, cuatro, y en ocasiones cinco planetas, estarán formando una alineación desfavorable en tu carta astral. Asegúrate de mantener un nivel alto de energía y fortalece tu salud con los métodos citados en las previsiones de este año.

Como tu octava casa seguirá siendo poderosa hasta el 20, ten en cuenta las previsiones del mes anterior. Dar vida a tu nuevo yo te dará mucho trabajo, pero los resultados serán buenos. Como el

Sol se alojará en tu octava casa hasta el 20, tal vez tengas encuentros con la muerte en el sentido psicológico. Lo más probable es que no sea físicamente, aunque podrías tener un roce con la muerte para que te tomes la vida más en serio. Esta sería su finalidad.

El Sol ingresará en tu novena casa el 20 y la ocupará el resto del mes. Ahora TODOS los planetas son directos y el Sol se encuentra en el dinámico Aries. Los acontecimientos progresan con rapidez. El ritmo de la vida es más rápido de lo habitual. Es posible que viajes al extranjero. Si eres estudiante universitario, rendirás en los estudios. Harás también descubrimientos religiosos y filosóficos.

Abril

Mejores días en general: 1, 2, 10, 11, 19, 20, 28, 29
Días menos favorables en general: 3, 4, 17, 18, 23, 24, 30
Mejores días para el amor: 3, 4, 8, 13, 14, 17, 18, 21, 22, 23, 24, 25, 26, 27, 30
Mejores días para el dinero: 1, 2, 8, 9, 12, 13, 14, 17, 18, 21, 22, 26, 27
Mejores días para la profesión: 3, 4, 8, 17, 18, 25, 26, 27, 30

Te espera un mes fructífero, Leo, pero sigue vigilando tu salud. El Sol en tu novena casa es un tránsito afortunado. En un futuro inmediato se ve optimismo y expansión. Si no viajaste al extranjero el mes pasado, es posible que lo hagas en abril.

Este mes toda la acción tendrá que ver con tu profesión. Urano lleva ocupando tu décima casa varios años. Cuando el Sol ingrese en ella el 20, empezará una de tus mejores temporadas profesionales del año. Por lo visto, las cosas ahora te van de maravilla en este sentido. Eres todo un triunfador. Pareces estar por encima de los que te rodean. Incluso los Leo más jóvenes que aún no se dedican a una profesión aspirarán a estar en lo más alto y a ser los que mandan, y quizá actúen así.

Cuando el regente de tu horóscopo se encuentra en la cúspide de tu carta astral, te sientes como «si estuvieras hecho para mandar, para llevar la batuta y estar en lo más alto». Muchas celebridades y políticos tienen este aspecto planetario en su carta natal.

El eclipse solar del 30 ocurrirá también en tu décima casa. Este aspecto creará problemas profesionales, trastornos en la jerarquía empresarial o en tu sector. Suele producir cambios en las normas gubernamentales que afectan a tu sector o empresa. Por lo que las reglas del juego cambian. A menudo fomenta episodios que les cambian la vida a tus jefes, a tus padres o figuras parentales, y a las personas mayores de tu entorno. Estos trastornos te crean oportunidades a ti. Generan incertidumbre, pero te abren puertas.

Cada eclipse solar te afecta con fuerza porque el Sol, el planeta eclipsado, es el regente de tu horóscopo. Por lo que sentirás el deseo de redefinirte, es decir, de redescubrirte, de cambiar el concepto que tienes de ti y tu aspecto personal. Aunque será una experiencia positiva. Somos seres que evolucionamos y nuestra forma de pensar tiene que reflejar esta maduración interior. Cambiarás tu forma de verte y la imagen que quieres que los demás tengan de ti. Y esto te llevará a cambiar de ropa, peinado y aspecto en los próximos meses.

Reduce tus actividades en el periodo del eclipse. A tus padres, tus jefes y las personas mayores de tu vida también les conviene tomarse las cosas con más calma.

Vigila tu salud. Fortalécela con los métodos citados en las previsiones de este año. El problema es que tu sexta casa está vacía y que podrías sentir la tentación de ignorar la situación.

Mayo

Mejores días en general: 7, 8, 9, 16, 17, 25, 26
Días menos favorables en general: 1, 14, 15, 21, 27, 28
Mejores días para el amor: 1, 7, 8, 10, 11, 16, 17, 19, 21, 27, 28
Mejores días para el dinero: 2, 3, 4, 6, 10, 11, 12, 13, 16, 18, 19, 25, 28
Mejores días para la profesión: 1, 7, 8, 16, 17, 27, 28

Tu profesión te va de maravilla este mes, es muy activa y próspera. Te exige mucho trabajo, pero las recompensas son buenas. Aunque el eclipse lunar del 16 que tendrá lugar en tu cuarta casa del hogar y de la familia te obligará a prestar más atención a esta esfera de tu vida.

La Luna es el planeta que rige el hogar y la familia. El hecho de que el eclipse ocurra en esta casa no hace más que enfatizar las cosas. Tu familia se enfrentará a dramas, sobre todo uno de tus padres o figura parental. Ahora las pasiones están enardecidas en tu hogar. Puede que te veas obligado a hacer reparaciones en tu casa al salir los fallos ocultos a la luz. Tus hermanos o figuras fraternas vivirán dramas económicos. Como la Luna es el planeta de la espiritualidad en tu carta astral, cada eclipse lunar crea cambios espirituales relacionados con las enseñanzas, los maestros y la práctica que sigues. Normalmente estos cambios son positivos. Suelen venir del crecimiento interior, son una señal de progreso. Tal vez surjan trastornos y dificultades en las organizaciones espirituales o benéficas en las que participas. Y también dramas en la vida de tus figuras de gurú. Tu vida onírica tenderá a ser hiperactiva en esta temporada, pero no le des demasiada importancia. Las imágenes que veas en tus sueños, aunque sean perturbadoras, no son más que los restos psíquicos derivados de los efectos del eclipse. Tus amigos tendrán problemas económicos y se verán obligados a hacer cambios en esta faceta de su vida.

Dado que este eclipse afecta a Saturno, tu planeta de la salud, es posible que te lleves algún que otro susto con ella, pero pide siempre una segunda opinión. En los próximos meses habrá cambios importantes en tu programa de salud. Este aspecto planetario también indica cambios de empleo, y dramas y problemas en el lugar de trabajo. Si te ocupas de las contrataciones en tu empresa, quizá haya renovación de personal este mes y también en los próximos.

Vigila más tu salud este mes y tómatelo todo con calma si es posible. Hazlo hasta el 20, pero sobre todo en el periodo del eclipse. Fortalece tu salud con los métodos citados en las previsiones de este año.

Tu situación financiera es buena, aunque complicada. Mercurio, tu planeta de la economía, será retrógrado el 10. Intenta realizar las adquisiciones o inversiones importantes antes de esta fecha. A partir del 11 ten una actitud de «esperemos a ver» en cuanto a las decisiones económicas importantes.

Junio

Mejores días en general: 4, 5, 13, 14, 21, 22
Días menos favorables en general: 11, 12, 17, 18, 23, 24, 25
Mejores días para el amor: 6, 7, 15, 16, 17, 18, 23, 24, 26
Mejores días para el dinero: 4, 6, 7, 13, 17, 21, 26, 27
Mejores días para la profesión: 6, 7, 16, 23, 24, 25, 26

Los dos planetas relacionados con tu novena casa tuvieron su solsticio el mes anterior. Marte, el regente de tu novena casa, empezó su solsticio el 27 de mayo y durará hasta el 2 de junio.

Júpiter, alojado en tu novena casa (es su regente genérico), empezó su solsticio el 12 de mayo y durará hasta el 11 de junio. Estos planetas se detendrán en el firmamento y luego cambiarán de sentido, en latitud. Si eres estudiante universitario, experimentarás una pausa en los estudios y luego un cambio de rumbo. También ocurrirá lo mismo con los problemas jurídicos (si tienes alguno).

Tu salud y energía han mejorado mucho comparadas con el mes anterior. Si tuviste problemas de salud en mayo, ahora notarás una mejoría sorprendente. Quizá creas que ha sido por la pastilla, el brebaje o la terapia a la que recurriste, pero en realidad se deberá al cambio de la energía planetaria.

Ya has alcanzado la mayoría de tus objetivos profesionales (al menos los de a corto plazo) y ahora puedes dedicarte a los frutos de tu éxito profesional, a salir con los amigos y hacer actividades en grupo adecuadas a tu nivel económico. El poder este mes se encuentra en tu undécima casa de los amigos. Te olvidarás de tus mayores esperanzas y deseos, y como la noche que llega al final del día, nacerán en ti «nuevas esperanzas y deseos». Te interesará más la ciencia y la tecnología en esta temporada. Tu conocimiento de estas materias aumentará. Muchas personas se hacen trazar su horóscopo cuando la undécima casa es poderosa. Esta casa rige la astrología. También es un buen momento para comprar equipo de alta tecnología, en especial después del 14. Harás unas buenas compras.

Tu economía mejorará este mes. Mercurio, tu planeta de la economía, será directo el 4 y ocupará una posición poderosa. Hasta el 14 se alojará en tu décima casa de la profesión. Este aspecto suele indicar subidas salariales. Como Mercurio en la cúspide de tu carta astral es poderoso, tu poder adquisitivo aumentará. Mercurio ingresará en Géminis, su propio signo y casa, el 14. En este lugar también es extremadamente poderoso. Se encuentra muy cómodo. Todos estos aspectos favorecen al poder adquisitivo.

Marte y Júpiter viajarán juntos en estos días. Este tránsito muestra logros positivos, acciones positivas. Es probable que viajes al extranjero.

Julio

Mejores días en general: 1, 2, 10, 11, 18, 19, 20, 28, 29

Días menos favorables en general: 8, 9, 14, 15, 21, 22
Mejores días para el amor: 4, 5, 6, 7, 12, 13, 14, 15, 21, 22, 26, 31
Mejores días para el dinero: 1, 2, 4, 5, 8, 10, 11, 16, 17, 18, 19, 28, 29, 31
Mejores días para la profesión: 6, 7, 15, 21, 22, 26

Marte cruzará el medio cielo de tu horóscopo y entrará en tu décima casa el 5. Normalmente este aspecto muestra agresividad y combatividad en la profesión. Tal vez te ocurra a ti, pero como en tu carta astral Marte es un planeta benéfico, el regente de tu novena casa, aunque seas combativo los resultados serán buenos. Harás un viaje laboral este mes.

Debido a la cuadratura de Marte con Plutón el 1 y 2, a los miembros de tu familia y, en especial, a uno de tus padres o figura parental, les conviene prestar más atención al plano físico. Tal vez les recomienden una cirugía. (No significa que tenga que ocurrir, pero se la pueden aconsejar). Hacia finales de mes —el 30 y 31— Marte viajará con Urano. Este aspecto también es dinámico. Tanto tu cónyuge, pareja o amante actual como tú debéis prestar más atención al plano físico. Este tránsito puede traer un viaje al extranjero con tu pareja.

Te espera un mes espiritual. La acción tendrá lugar en tu duodécima casa de la espiritualidad. Cuando se da este tipo de tránsito planetario es normal desear la soledad, querer estar solo. Pero no te ocurre nada malo. Simplemente necesitas percibir tu propia aura y sentirte cómodo contigo mismo, a gusto en tu piel. Te implicarás más en organizaciones benéficas y en donaciones caritativas. Tu planeta de la economía ocupará tu duodécima casa del 5 al 19. Tu intuición financiera será buena en estos días. El asesoramiento económico te llegará de sueños, astrólogos, videntes, tarotistas o médiums, o a través de todos estos canales. Descubrirás que lo Divino se preocupa mucho por tu bienestar económico. (Solo tienes que hacer las cosas bien).

El Sol ingresará en tu signo y en tu primera casa el 23. Empezará una de tus temporadas más placenteras del año. Es el momento de disfrutar de los placeres del cuerpo y de los sentidos. De ponerte en forma tal como deseas. De hacer aquello que mejora tu aspecto físico.

Tu economía será buena este mes. Tu planeta de la economía ingresará en tu signo el 19. Este tránsito viene acompañado de entradas de dinero inesperadas y oportunidades. En esta temporada gastarás en ti y tendrás la imagen de una persona próspera. La gente te verá de este modo. Las personas adineradas de tu vida estarán dedicadas a ti.

Tu salud mejorará después del 23, pero vigílala antes de esta fecha. Refuerza tu salud con los métodos citados en las previsiones de este año.

Agosto

Mejores días en general: 7, 8, 15, 16, 25, 26
Días menos favorables en general: 4, 5, 11, 12, 17, 18
Mejores días para el amor: 1, 4, 5, 9, 10, 11, 12, 15, 17, 18, 25, 26, 27, 28
Mejores días para el dinero: 1, 7, 9, 15, 17, 18, 25, 27, 28, 29
Mejores días para la profesión: 4, 5, 15, 17, 18, 25, 26

Te espera un mes feliz y próspero, Leo, disfrútalo.

Seguirás viviendo uno de tus momentos más placenteros del año hasta el 23. Ahora se te ve muy bien. Tienes un aspecto radiante. El Sol en tu signo te aporta carisma y una cualidad de estrella (aumenta tu cualidad innata de estrella, la intensifica). Venus en tu signo hace que poseas belleza y elegancia, y además un gran estilo. Mercurio (lo ocupará hasta el 4) trae beneficios económicos imprevistos y oportunidades. Ahora tu autoestima y tu seguridad interior son altísimas. Eres más Leo que nunca.

Tu salud mejorará mucho este mes, sobre todo a partir del 20, cuando Marte deje de formar aspectos desfavorables en tu carta astral. Los aspectos planetarios favorables son, sin embargo, más poderosos que los desfavorables.

La actividad retrógrada aumentará este mes. A finales de agosto el 50 por ciento de los planetas serán retrógrados, un porcentaje altísimo. El próximo mes el porcentaje habrá aumentado más aún. El ritmo de la vida bajará. Aunque a ti no te guste. Es el momento para aprender, tener paciencia y ser más perfecto en todo lo que lleves a cabo. Este proceder minimizará los numerosos retrasos y percances que puedan surgir, aunque no los llegue a eliminar.

La prosperidad aumentará también este mes. Será incluso mayor que en julio. Mercurio, tu planeta de la economía, ingresará en tu casa del dinero, su propio signo y casa, el 4. En este lugar será poderoso y actuará con más fuerza en tu beneficio. Este aspecto trae un mayor poder adquisitivo. El Sol, el regente de tu horóscopo, también ingresará en tu casa del dinero el 23, y empezará uno de tus mejores momentos económicos del año. El regente del horóscopo en la casa del dinero se considera un aspecto sumamente afortunado.

Cuando Mercurio ingrese en Virgo el 4, habrá un gran trígono en los signos de tierra, una configuración planetaria muy venturosa. Hará que tengas una actitud realista ante la vida y la habilidad de crear bienestar en el plano material. Tus habilidades organizativas y directivas aumentarán. Al igual que tu buen criterio financiero.

Tu vida amorosa mejorará después del 23. El 10 y 11 son días desfavorables para el amor.

Septiembre

Mejores días en general: 3, 4, 11, 12, 21, 22, 30
Días menos favorables en general: 1, 2, 7, 8, 13, 14, 15, 28, 29
Mejores días para el amor: 4, 5, 6, 7, 8, 13, 14, 15, 23, 24
Mejores días para el dinero: 3, 7, 8, 11, 16, 21, 23, 24, 30
Mejores días para la profesión: 4, 5, 13, 14, 15

La actividad retrógrada alcanzará su punto máximo del año. A partir del 10 el 60 por ciento de los planetas estarán retrocediendo en el firmamento. De modo que como el mes anterior, o tal vez más aún, ten paciencia, paciencia, paciencia. Aunque puedes usar el movimiento retrógrado en tu beneficio. Es un buen momento para ver con claridad tus objetivos y planes relacionados con varios aspectos de tu vida. En cuanto te hayas aclarado, podrás progresar cuando los planetas empiecen a ser directos.

Pese a la intensa actividad retrógrada, están sucediendo muchas cosas positivas. El gran trígono en los signos de tierra que empezó en agosto durará todo el mes. Además, habrá otro gran trígono —algo muy inusual— en los signos de aire. Este aspecto aumentará tanto tus habilidades prácticas (tierra) como tus facultades intelectuales y tu capacidad de comunicación (aire).

Seguirás viviendo uno de tus mejores momentos económicos del año hasta el 23. El único problema con tus finanzas es que Mercurio empezará a ser retrógrado el 10. Esta retrogradación será más potente que las del año anterior al sumarse a la de muchos otros planetas. Haz las adquisiciones y las inversiones importantes antes del 10. A partir del 11, ten la actitud de «esperemos a ver» en cuanto a tus finanzas. El movimiento retrógrado de Mercurio no frenará tus ingresos —serán mayores aún—, pero retrasará las cosas y creará problemas.

Aunque tu planeta del amor sea ahora retrógrado y no debas tomar decisiones amorosas importantes, tu vida amorosa será feliz. Urano, tu planeta del amor, está recibiendo aspectos favorables. Si no tienes pareja, acudirás a citas y te saldrán oportunidades románticas que valdrán la pena. Pero no hay ninguna necesidad de apresurarte a ir al altar. Deja que el amor siga su curso. El 10 y 11 son unos días especialmente favorables para el amor.

Tu salud será buena este mes. Como Saturno, tu planeta de la salud, lleva muchos meses siendo retrógrado, evita los cambios importantes en tu programa de salud. Gozarás de oportunidades laborales este mes, pero estúdialas a fondo. Puede que las cosas no sean como te las presentan.

Cuando el Sol ingrese en tu tercera casa el 23, te volcarás en la comunicación y los intereses intelectuales. Los alumnos de primaria o secundario rendirán en los estudios. Se centrarán en ellos. Es la temporada perfecta para leer, estudiar, escribir y dedicarte a tus intereses intelectuales. Será un buen mes para tus hermanos o figuras fraternas.

Octubre

Mejores días en general: 1, 9, 10, 18, 19, 27, 28
Días menos favorables en general: 4, 5, 11, 12, 25, 26
Mejores días para el amor: 2, 3, 4, 5, 11, 12, 13, 14, 21, 22, 25, 30
Mejores días para el dinero: 2, 3, 8, 9, 13, 18, 21, 22, 23, 24, 26, 27
Mejores días para la profesión: 4, 5, 11, 12, 13, 14, 25

Tu salud será buena este mes, pero vigílala más a partir del 23. Como el eclipse solar del 25 también te complicará las cosas, reduce tus actividades a partir del 23 y, sobre todo, en el periodo del eclipse. Fortalece tu salud con los métodos citados en las previsiones de este año.

Este eclipse tendrá lugar en tu cuarta casa del hogar y de la familia y generará dramas personales en la vida de los tuyos y, en especial, en la de uno de tus padres o figura parental. A las personas que son como de tu «familia» también les puede afectar el eclipse. A los miembros de tu familia les conviene reducir sus actividades. Este eclipse puede afectar la reputación y la posición social de tu familia. Habrá trastornos en este sentido. Tus hermanos o figuras fraternas se verán obligados a hacer cambios económicos importantes. Será necesario hacer reparaciones en el hogar, ya que los fallos ocultos saldrán a la luz. Tu vida onírica será hiperactiva, pero no te la tomes en serio. Las imágenes perturbadoras de los sueños se pueden eliminar y dispersar con la técnica de «adviértelo y déjalo ir» descrita en mi libro *A Technique For Meditation,* o con los ejercicios que incluyo.

Este eclipse tendrá efectos terapéuticos positivos. Hará aflorar los recuerdos enterrados en la mente hace mucho, y tal vez traumas que normalmente no saldrían a la luz. Al recordarlos en esos días, los podrás afrontar y superar.

Este mes te conviene dedicarte a tu hogar y tu familia. El hemisferio nocturno de tu carta astral, aunque no sea el que predomina, se encuentra en su momento más poderoso del año. De modo que es bueno prestarle una cierta atención. El hemisferio diurno de tu carta astral sigue destacando, aunque no tanto como a principios de año. Como ahora es la medianoche de tu año, lo más indicado es dormir bien por la noche y dedicarte a actividades nocturnas. Sin embargo, sigues despertándote a media noche, preocupado por las actividades diurnas. Te duermes un rato y al poco te despiertas. Te vuelves a dormir, y te despiertas de nuevo. Pasas toda la noche así. Tu vida amorosa será complicada a partir del 23. En esta temporada tu pareja y tú estaréis distantes, quizá no físicamente, sino en el aspecto psicológico. Discreparéis en vuestra forma de ver las cosas. Necesitaréis salvar vuestras diferencias.

Noviembre

Mejores días en general: 5, 6, 15, 16, 24, 25
Días menos favorables en general: 1, 2, 7, 8, 22, 23, 28, 29
Mejores días para el amor: 1, 2, 3, 4, 7, 8, 13, 17, 18, 23, 24, 26, 27, 28, 29
Mejores días para el dinero: 3, 4, 13, 14, 17, 18, 23, 24, 25
Mejores días para la profesión: 3, 4, 7, 8, 13, 23, 24

El principal titular este mes es el poderosísimo eclipse lunar del 8. Influirá con fuerza en tu vida y en el mundo en general. Como este eclipse además de ser total, afectará a muchos otros planetas, influirá en muchos aspectos de tu vida. Tómate este periodo con calma y tranquilidad. Haz lo que debas hacer, pero deja para más adelante lo que puedas posponer. Pasa más tiempo relajado en casa. Lee un libro o mira una película. Aunque lo mejor de todo es meditar.

Como este eclipse ocurrirá en tu décima casa de la profesión, generará cambios en tu carrera. La gente no suele cambiar de profesión durante este tipo de eclipse, aunque a veces lo haga, pero decide intentar alcanzar sus objetivos de otra forma. Tal vez surjan trastornos en la jerarquía de tu empresa, o problemas en tu sector que cambien la situación. A veces el gobierno puede modificar las normas de tu ramo. Tus jefes también pueden enfrentarse a dramas —de tipo personal— que les cambien la vida. (Como a tus padres o figuras parentales les puede ocurrir lo mismo, les conviene reducir sus actividades).

Dado que la Luna es tu planeta de la espiritualidad, el eclipse anuncia cambios espirituales. Cambiarás de práctica espiritual, o quizá de enseñanzas o de maestros, y lo más importante es que también cambiarás de actitudes en este sentido. Surgirán dramas y trastornos en las organizaciones espirituales o benéficas en las que participas. Tus figuras de gurú también se enfrentarán a dramas en su vida. Tus amigos están haciendo cambios económicos importantes.

Como he señalado, este eclipse afectará a tres planetas más: Venus, Mercurio y Urano. Los efectos sobre Venus intensifican lo que he señalado antes sobre los cambios de profesión. Pero también altera las vidas de tus hermanos o figuras fraternas. Es posible que vivan dramas personales. Puede haber problemas en tu barrio o con los vecinos. Los alumnos de primaria o secundaria se enfrentarán a dramas en su centro docente y a modificaciones en su plan de estudios.

Los efectos del eclipse sobre Urano muestran que vivirás crisis amorosas. Tal vez surjan dramas en la vida personal de tu cónyuge, pareja o amante actual. Sé paciente en tu relación en esta temporada.

Los efectos sobre Mercurio indican cambios importantes en tu economía. Tus ideas financieras no han sido realistas. Tus suposiciones en este sentido eran incorrectas. Tendrás que tomar medidas correctoras.

Diciembre

Mejores días en general: 2, 3, 12, 13, 21, 22, 29, 30
Días menos favorables en general: 4, 5, 6, 19, 20, 25, 26
Mejores días para el amor: 2, 3, 4, 5, 14, 15, 23, 24, 25, 26
Mejores días para el dinero: 1, 2, 3, 11, 14, 15, 16, 20, 21, 23, 24, 29
Mejores días para la profesión: 2, 3, 4, 5, 6, 14, 23, 24

Ahora que la conmoción del eclipse ya ha desaparecido, disfruta de la vida. Te encuentras en uno de tus momentos más placenteros del año hasta el 22. Los Leo son muy creativos por naturaleza, y en esta temporada lo serás más aún.

Tu salud será buena, sobre todo hasta el 22. Aunque siempre puedes mejorarla con los métodos citados en las previsiones de este año. La alegría es una poderosa energía curativa en sí misma y este mes tendrás alegría a raudales.

Habrá tres planetas fuera de límites este mes. Marte lo lleva estando desde el 24 de octubre y seguirá así el mes entero. Venus lo estará del 2 al 24, y Mercurio del 1 al 22. Es algo muy inusual. No solo te afecta a ti, sino que será una tendencia en el mundo. La gente actúa ahora de una manera «fuera de lo común», ha cambiado de órbita. Y esta actitud se ha convertido en una moda. En tu caso, muestra el deseo de moverte fuera de tu esfera habitual en lo que respecta a la economía, la profesión y los estudios religiosos. En tu vida cotidiana no estás encontrando las respuestas y las buscas en otra parte.

Este mes es posible que viajes al extranjero al ingresar Júpiter en tu novena casa el 21, en esta ocasión por largo tiempo. Pero puedes sufrir retrasos, ya que Marte, el regente de tu novena casa, es retrógrado. El próximo mes es más indicado para viajar que este.

Tu sexta casa de la salud y del trabajo volverá a ser muy poderosa el 22, aunque lo notarás incluso antes de esta fecha. Si estás buscando trabajo, es una temporada excelente para encontrarlo, tendrás muchas ofertas laborales. Y aunque ya estés trabajando, te saldrán oportunidades para hacer horas extras o dedicarte al pluriempleo. Este mes te apetece trabajar. Aprovecha esta racha para hacer las tareas tediosas y minuciosas que has estado posponiendo.

Tu economía será buena este mes, pero se complicará después del 24, cuando Mercurio sea retrógrado. Aunque esta retrogradación no será tan potente como la anterior, ya que la mayoría de planetas son ahora directos. Con todo, puede crearte retrasos y contratiempos en tu economía. Afortunadamente, el ingreso de Mercurio en el signo de Capricornio a partir del 7 te permitirá gozar de un criterio financiero acertado y realista hasta el 24.

Virgo

La Virgen
Nacidos entre el 22 de agosto y el 22 de septiembre

Rasgos generales

VIRGO DE UN VISTAZO

Elemento: Tierra

Planeta regente: Mercurio
  Planeta de la profesión: Mercurio
  Planeta de la salud: Urano
  Planeta del dinero: Venus
  Planeta del hogar y la vida familiar: Júpiter
  Planeta del amor: Neptuno
  Planeta de la sexualidad: Marte

Colores: Tonos ocres, naranja, amarillo
  Color que favorece el amor, el romance y la armonía social: Azul
  Colores que favorecen la capacidad de ganar dinero: Jade, verde

Piedras: Ágata, jacinto

Metal: Mercurio

Aromas: Lavanda, lila, lirio de los valles, benjuí

Modo: Mutable (= flexibilidad)

Cualidad más necesaria para el equilibrio: Ver el cuadro completo

Virtudes más fuertes: Agilidad mental, habilidad analítica, capacidad para prestar atención a los detalles, poderes curativos

Necesidad más profunda: Ser útil y productivo

Lo que hay que evitar: Crítica destructiva

Signos globalmente más compatibles: Tauro, Capricornio

Signos globalmente más incompatibles: Géminis, Sagitario, Piscis

Signo que ofrece más apoyo laboral: Géminis

Signo que ofrece más apoyo emocional: Sagitario

Signo que ofrece más apoyo económico: Libra

Mejor signo para el matrimonio y/o las asociaciones: Piscis

Signo que más apoya en proyectos creativos: Capricornio

Mejor signo para pasárselo bien: Capricornio

Signos que más apoyan espiritualmente: Tauro, Leo

Mejor día de la semana: Miércoles

La personalidad Virgo

La virgen es un símbolo particularmente adecuado para los nativos de este signo. Si meditamos en la imagen de la virgen podemos comprender bastante bien la esencia de la persona Virgo. La virgen, lógicamente, es un símbolo de la pureza y la inocencia, no ingenua sino pura. Un objeto virgen es fiel a sí mismo; es como siempre ha sido. Lo mismo vale para una selva virgen: es prístina, inalterada.

Aplica la idea de pureza a los procesos de pensamiento, la vida emocional, el cuerpo físico y las actividades y proyectos del mundo cotidiano, y verás cómo es la actitud de los Virgo ante la vida. Desean la expresión pura del ideal en su mente, su cuerpo y sus asuntos. Si encuentran impurezas tratarán de eliminarlas.

Las impurezas son el comienzo del desorden, la infelicidad y la inquietud. El trabajo de los Virgo es eliminar todas las impurezas y mantener solamente lo que el cuerpo y la mente pueden aprovechar y asimilar.

Aquí se revelan los secretos de la buena salud: un 90 por ciento del arte del bienestar es mantener puros la mente, el cuerpo y las emociones. Cuando introducimos más impurezas de las que el cuerpo y la mente pueden tratar, tenemos lo que se conoce por malestar o enfermedad. No es de extrañar que los Virgo sean excelentes médicos, enfermeros, sanadores y especialistas en nutrición. Tienen un entendimiento innato de la buena salud y saben que no sólo tiene aspectos físicos. En todos los ámbitos de la vida, si queremos que un proyecto tenga éxito, es necesario mantenerlo lo más puro posible. Hay que protegerlo de los elementos adversos que tratarán de socavarlo. Este es el secreto subyacente en la asombrosa pericia técnica de los Virgo.

Podríamos hablar de las capacidades analíticas de los nativos de Virgo, que son enormes. Podríamos hablar de su perfeccionismo y su atención casi sobrehumana a los detalles. Pero eso sería desviarnos de lo esencial. Todas esas virtudes son manifestaciones de su deseo de pureza y perfección; un mundo sin nativos de Virgo se habría echado a perder hace mucho tiempo.

Un vicio no es otra cosa que una virtud vuelta del revés, una virtud mal aplicada o usada en un contexto equivocado. Los aparentes vicios de Virgo proceden de sus virtudes innatas. Su capacidad analítica, que debería usarse para curar, ayudar o perfeccionar un proyecto, a veces se aplica mal y se vuelve contra la gente. Sus facultades críticas, que deberían utilizarse constructivamente para perfeccionar una estrategia o propuesta, pueden a veces usarse destructivamente para dañar o herir. Sus ansias de perfección pueden convertirse en preocupación y falta de confianza; su humildad natural puede convertirse en autonegación y rebajamiento de sí mismo. Cuando los Virgo se vuelven negativos tienden a dirigir en su contra sus devastadoras críticas, sembrando así las semillas de su propia destrucción.

Situación económica

Los nativos de Virgo tienen todas las actitudes que crean riqueza: son muy trabajadores, diligentes, eficientes, organizados, ahorradores, productivos y deseosos de servir. Un Virgo evolucionado es el sueño de todo empresario. Pero mientras no dominen algunos de los dones sociales de Libra no van ni a acercarse siquiera a hacer realidad su potencial en materia económica. El purismo y el perfeccionismo pueden ser muy molestos para los demás si no se los maneja con corrección y elegancia. Los roces en las relaciones humanas pueden ser devastadores, no sólo para nuestros más queridos proyectos, sino también, e indirectamente, para nuestro bolsillo.

A los Virgo les interesa bastante su seguridad económica. Dado que son tan trabajadores, conocen el verdadero valor del dinero. No les gusta arriesgarse en este tema, prefieren ahorrar para su jubilación o para los tiempos de escasez. Generalmente hacen inversiones prudentes y calculadas que suponen un mínimo riesgo. Estas inversiones y sus ahorros normalmente producen buenos dividendos, lo cual los ayuda a conseguir la seguridad económica que desean. A los Virgo ricos, e incluso a los que no lo son tanto, también les gusta ayudar a sus amigos necesitados.

Profesión e imagen pública

Los nativos de Virgo realizan todo su potencial cuando pueden comunicar sus conocimientos de manera que los demás los entiendan. Para transmitir mejor sus ideas, necesitan desarrollar mejores habilidades verbales y maneras no críticas de expresarse. Admiran a los profesores y comunicadores; les gusta que sus jefes se expresen bien. Probablemente no respetarán a un superior que no sea su igual intelectualmente, por mucho dinero o poder que tenga. A los Virgo les gusta que los demás los consideren personas educadas e intelectuales.

La humildad natural de los Virgo suele inhibirlos de hacer realidad sus grandes ambiciones, de adquirir prestigio y fama. Deberán consentirse un poco más de autopromoción si quieren conseguir sus objetivos profesionales. Es necesario que se impulsen con el mismo fervor que emplearían para favorecer a otras personas.

En el trabajo les gusta mantenerse activos. Están dispuestos a aprender a realizar cualquier tipo de tarea si les sirve para lograr su objetivo último de seguridad económica. Es posible que tengan varias ocupaciones durante su vida, hasta encontrar la que realmente les gusta. Trabajan bien con otras personas, no les asusta el trabajo pesado y siempre cumplen con sus responsabilidades.

Amor y relaciones

Cuando uno es crítico o analítico, por necesidad tiene que reducir su campo de aplicación. Tiene que centrarse en una parte y no en el todo, y esto puede crear una estrechez de miras temporal. A los

Virgo no les gusta este tipo de persona. Desean que su pareja tenga un criterio amplio y una visión profunda de las cosas, y lo desean porque a veces a ellos les falta.

En el amor, los Virgo son perfeccionistas, al igual que en otros aspectos de la vida. Necesitan una pareja tolerante, de mentalidad abierta y de manga ancha. Si estás enamorado o enamorada de una persona Virgo, no pierdas el tiempo con actitudes románticas nada prácticas. Haz cosas prácticas y útiles por tu amor Virgo; eso será lo que va a apreciar y lo que hará por ti.

Los nativos de Virgo expresan su amor con gestos prácticos y útiles, de modo que no te desanimes si no te dice «Te amo» cada dos días. No son ese tipo de persona. Cuando aman lo demuestran de modos prácticos. Siempre estarán presentes; se interesarán por tu salud y tu economía; te arreglarán el fregadero o la radio. Ellos valoran más estas cosas que enviar flores, bombones o tarjetas de San Valentín.

En los asuntos amorosos, los Virgo no son especialmente apasionados ni espontáneos. Si estás enamorado o enamorada de una persona Virgo, no interpretes esto como una ofensa. No quiere decir que no te encuentre una persona atractiva, que no te ame o que no le gustes. Simplemente es su manera de ser. Lo que les falta de pasión lo compensan con dedicación y lealtad.

Hogar y vida familiar

No hace falta decir que la casa de un Virgo va a estar inmaculada, limpia y ordenada. Todo estará en su lugar correcto, ¡y que nadie se atreva a cambiar algo de sitio! Sin embargo, para que los Virgo encuentren la felicidad hogareña, es necesario que aflojen un poco en casa, que den más libertad a su pareja y a sus hijos y que sean más generosos y de mentalidad más abierta. Los miembros de la familia no están para ser analizados bajo un microscopio; son personas que tienen que expresar sus propias cualidades.

Una vez resueltas estas pequeñas dificultades, a los Virgo les gusta estar en casa y recibir a sus amigos. Son buenos anfitriones y les encanta hacer felices a amigos y familiares y atenderlos en reuniones de familia y sociales. Aman a sus hijos, pero a veces son muy estrictos con ellos, ya que quieren hacer lo posible para que adquieran un sentido de la familia y los valores correctos.

Horóscopo para el año 2022*

Principales tendencias

El amor es el principal titular este año. Te espera una vida amorosa y social muy activa y feliz. Si no tienes pareja, lo más probable es que inicies una relación seria o incluso que te acabes casando. Y si ya mantienes una relación, conocerás a personas nuevas y en tu vida conyugal se creará un ambiente más romántico. Lo importante que es ahora el amor —o tu relación de pareja— para ti, también se aprecia en tu horóscopo de otras formas. TODOS los planetas lentos se encuentran en la mitad occidental de tu carta astral, la de la vida social. Y aunque la mitad oriental gane poder en distintos momentos del año, nunca llegará a superar la occidental. Este año trata de los demás y de tu relación de pareja. Volveremos a este tema más adelante.

Plutón, tu planeta de la economía, lleva los últimos veinte años alojado en tu quinta casa y la seguirá ocupando en este. Pero como se está preparando para abandonarla, en los próximos años se dará un cambio —a largo plazo— en tus actitudes y tus actividades económicas. Volveremos a este tema más adelante.

Saturno se encuentra en tu sexta casa desde 2021 y la seguirá ocupando este año. Este aspecto muestra a alguien que se cuida y a quien le gustan los temas relacionados con la salud (serás incluso más Virgo de lo acostumbrado), y que además explora el poder curativo de la alegría. Volveremos a este tema más adelante.

Júpiter ingresará en tu octava casa el 11 de mayo y la ocupará hasta el 29 de octubre. Después volverá a visitarla el 21 de diciembre y la ocupará como mínimo el resto del año y buena parte del próximo. Este aspecto indica un periodo activo sexualmente. Al margen de tu edad o etapa vital, tu libido será más potente de lo usual. También muestra dramas en el seno de la familia y con los tuyos. Volveremos a este tema más adelante.

---

* Las previsiones de este libro se basan en el Horóscopo Solar y en todos los signos derivados del mismo: tu signo solar se convierte en el Ascendente, y las casas se numeran a partir de él. Tu horóscopo personal, el trazado concretamente para ti (según la fecha, hora y lugar exactos de tu nacimiento) podría modificar lo que se indica aquí. Joseph Polansky.

Urano lleva ya varios años en tu novena casa y la seguirá ocupando muchos más. Este aspecto planetario fomenta cambios importantes en tus creencias religiosas, filosóficas y teológicas. La ciencia te obligará a replanteártelas. Descartarás algunas y cambiarás otras. Estos cambios serán muy importantes para tu filosofía personal —para tu propia metafísica—, determinarán tu forma de vivir. Tendrán profundas consecuencias. Si estás estudiando en la universidad, es posible que cambies de facultad o que tu plan de estudios se modifique.

Las áreas que más te interesarán este año serán los hijos, la diversión y la creatividad personal. La salud y el trabajo. El amor y las relaciones amorosas. El sexo, la transformación personal y el ocultismo (del 11 de mayo al 29 de octubre, y a partir del 21 de diciembre). La religión, la filosofía, la teología, los estudios superiores y los viajes al extranjero. Y la profesión (a partir del 20 de agosto).

Lo que más te llenará este año será el amor y las relaciones amorosas (hasta el 11 de mayo, y del 29 de octubre al 21 de diciembre). El sexo, la transformación personal y el ocultismo (del 11 de mayo al 29 de octubre, y a partir del 21 de diciembre). Y la religión, la filosofía, la teología, los estudios superiores y los viajes al extranjero.

Salud

(Ten en cuenta que se trata de una perspectiva astrológica de la salud, no de una médica. En el pasado, no había ninguna diferencia, ambas eran idénticas, pero en la actualidad podrían diferir mucho. Para obtener un punto de vista médico, consulta a tu médico de cabecera o a un profesional de la salud).

Vigila más tu salud hasta el 11 de mayo, y del 29 de octubre al 21 de diciembre, ya que habrá dos planetas lentos formando una alineación desfavorable en tu carta astral. La buena noticia es que ahora te cuidas no solo por ser un Virgo —por apasionarte el tema de la salud de forma natural—, sino además por ser tu sexta casa de la salud tan poderosa. Tu salud será buena. Ahora le prestas atención. Eliges lo más saludable para ti y no te tomas tu salud a la ligera.

Notarás que tu salud y energía mejoran enormemente cuando Júpiter deje de formar su aspecto desfavorable en tu carta astral (del 11 de mayo al 29 de octubre, y a partir del 21 de diciembre). A finales de año estarás mucho más sano que en los inicios.

Por buena que sea tu salud, siempre puedes mejorarla. Presta más atención a las siguientes zonas vulnerables de tu carta astral.

El corazón. Solo será importante para ti hasta el 11 de mayo, y del 29 de octubre al 21 de diciembre. Trabajar los puntos reflejos del corazón es bueno para ti. Los masajes torácicos —en especial en el esternón y en la parte superior de la caja torácica—, también son muy saludables. Lo más importante para el corazón es evitar las preocupaciones y la ansiedad, las dos emociones que lo estresan. Despréndete de las preocupaciones y cultiva la fe.

La columna, las rodillas, la dentadura y la alineación esquelética en general. Estas partes empezaron a ser importantes el año pasado y lo siguen siendo en este. Trabajar los puntos reflejos de estas zonas es beneficioso para ti. Los masajes regulares en la espalda y las rodillas también te sentarán de maravilla. Visitar con regularidad a un quiropráctico o un osteópata es una buena idea. Te conviene mantener las vértebras bien alineadas. Asegúrate de tener un nivel adecuado de calcio para gozar de huesos saludables. Si tomas el sol, usa un buen protector solar. Las visitas regulares a un higienista dental también son una excelente idea.

Los tobillos y las pantorrillas. Estas partes del cuerpo siempre son importantes para los Virgo. Te conviene recibir masajes en estas zonas con regularidad. Cuando hagas ejercicio protégete los tobillos con una venda. Unos tobillos débiles pueden desalinear la columna vertebral y el esqueleto, y causar así todo tipo de problemas adicionales.

El cuello y la garganta. Estas zonas solo empezaron a ser importantes en los últimos años, cuando tu planeta de la salud ingresó en Tauro. Trabajar los puntos reflejos de estas partes es beneficioso para ti. Los masajes regulares en el cuello y la garganta te sentarán de maravilla, ya que eliminan la tensión acumulada en el cuello. Tal vez descubras que la terapia craneosacral también te resulta útil.

Saturno, el regente de tu quinta casa, en tu sexta casa de la salud, muestra lo importante que es ahora para ti estar contento y ser creativo. Una afición creativa no será solo divertida, sino además terapéutica. Evita la depresión a toda costa. Una norma sencilla para gozar de buena salud es ser feliz. Este aspecto planetario también muestra que te involucrarás más en la salud de tus hijos o figuras filiales que en la tuya. Procura por todos los medios mantener una buena relación con tus hijos.

Hogar y vida familiar

Tu cuarta casa del hogar y de la familia no será poderosa este año. No destacará. Además, buena parte de los planetas lentos se encuentran en la mitad superior de tu carta astral, en el hemisferio diurno. Por lo que el hogar y la familia no serán tu prioridad este año. Este año va más bien del amor. De embellecer tu hogar como un proyecto de largo alcance. Un buen momento para llevarlo a cabo es hasta el 11 de mayo, y del 29 de octubre al 11 de diciembre, aunque del 16 de noviembre al 21 de diciembre son unos días especialmente idóneos para ello.

Uno de tus padres o figura parental, si está en edad de concebir, será fértil este año. Al parecer, los hijos son ahora muy importantes para esta persona y lo tiene en cuenta. Está gozando de un buen año en el aspecto económico. Es posible que haga reformas de envergadura este año, pero no es probable que se mude a otro lugar.

A tus hermanos o figuras fraternas no les conviene cambiar de domicilio. Aunque les parezca que la casa se les ha quedado pequeña, es mejor hacer un mejor uso del espacio que mudarse a otro lugar.

Es posible que tus hijos o figuras filiales cambien de casa a partir del 12 de mayo. Pero esta mudanza también podría ocurrir el próximo año. Este año serán más fértiles, y el que viene también.

Tus nietos, en el caso de tenerlos, se sienten inquietos y están yendo de un lado a otro constantemente. Aunque no se muden a otra parte, tal vez vivan en distintos sitios durante largas temporadas. Como ahora desean ser libres e independientes, no es fácil relacionarse con ellos.

Profesión y situación económica

Como tu casa del dinero no destaca este año, no es poderosa, no te interesará tu economía. Solo la visitarán los planetas rápidos y sus efectos serán pasajeros. Este aspecto planetario, como nuestros lectores saben, hace que la situación siga igual. Tenderás a estar satisfecho con tu situación actual y no sentirás la necesidad de estar pendiente de esta esfera de tu vida. (El amor es ahora mucho más importante y divertido para ti).

Sin embargo, si tienes problemas económicos puede que su origen sea no haberle prestado demasiado atención a este aspecto de tu vida y de haberlo dejado de lado. Estos problemas te obligarán a estar más pendiente de tus finanzas.

Si bien tu situación económica seguirá siendo la misma, a tu cónyuge, pareja o amante actual le está yendo de maravilla este año, sobre todo a partir del 11 de mayo (aunque su economía dejará de progresar de manera pasajera del 29 de octubre al 21 de diciembre, cuando Júpiter abandone su casa del dinero).

Esta prosperidad te ayudará de sobra a compensar tu bache económico. Es posible que tu pareja sea más generosa contigo en esta temporada.

Cuando Júpiter ingrese en tu octava casa (del 11 de mayo al 29 de octubre, y a partir del 21 de diciembre) será un buen momento para saldar deudas o pedir préstamos, depende de tus necesidades. También es importante ser más eficiente en las cuestiones fiscales. Una buena planificación tributaria puede aumentar tus ingresos. Es el momento oportuno para la contratación de seguros y, si tienes la edad adecuada, para la planificación patrimonial. Este tránsito también favorece las herencias. Pero afortunadamente no significa necesariamente que se vaya a producir una defunción. También puede indicar beneficiarse de un patrimonio o ser nombrado administrador de una propiedad. Si te dedicas al mercado inmobiliario, será un año fructífero para ti.

Si tienes buenas ideas, es un buen momento para buscar inversores procedentes del extranjero para tus proyectos. Te están esperando. (Tal vez un miembro de tu familia o tus contactos familiares decidan invertir en estos proyectos).

Saturno en tu sexta casa indica un trabajo ameno e interesante. Y tu ocupación, aunque exija esfuerzo, es apasionante y te satisface.

Tu profesión se volverá más importante a partir del 21 de agosto, cuando Marte ingrese en tu décima casa. La ocupará el resto del año (y buena parte del próximo). Marte en tu décima casa indica una gran actividad (y agresividad) en tu carrera laboral. Necesitarás defender con más vigor tu cargo o posición laboral (tal vez a tu empresa también le ocurra lo mismo). Como Marte rige tu octava casa, este aspecto indica que tendrás encuentros con la muerte y con cuestiones relacionadas con ella este año. Es posible que uno de tus jefes o figura parental pase por el quirófano o viva alguna experiencia cercana a la muerte. Este aspecto crea además cambios laborales. Quizá el gobierno modifique las normas de tu sector o empresa. Y esto te obligará a hacer cambios importantes.

Marte, el regente de tu octava casa, en tu casa de la profesión indica que tu magnetismo sexual es importante ahora en tu carrera laboral.

Mercurio y Venus, los planetas que rigen tu economía y tu profesión, son de movimiento rápido. Al transitar por toda tu carta astral cada año, se darán muchas tendencias económicas y profesionales pasajeras que dependerán de dónde estén estos planetas y de los aspectos que reciban. En las previsiones mes a mes hablaré de estas tendencias de corta duración con más detalle.

Amor y vida social

La actividad este año tendrá lugar en estas parcelas de tu vida. Tu séptima casa del amor será muy poderosa hasta el 11 de mayo (y del 29 de octubre al 11 de diciembre). Será la casa más potente de tu carta astral.

Neptuno, el planeta más espiritual de todos, ya lleva muchos años en tu séptima casa. Júpiter ingresó en ella a finales del año pasado. Como he señalado, esta coyuntura indica que gozarás de una vida amorosa feliz este año. Si no tienes pareja, como he indicado, lo más probable es que inicies una relación seria. Es muy posible que te cases (o que mantengas una relación que sea como un matrimonio). Y además seréis muy felices. Ahora ya llevas muchos años siendo un idealista en el amor. Y este año lo serás incluso más aún. Mantienes una gran conexión espiritual con tu pareja. Vuestra relación fomenta el crecimiento espiritual en ambos.

La compatibilidad espiritual en el amor lleva ya muchos años siendo importante para ti. Pero este año deseas además estar con alguien que tenga unos sólidos valores familiares. Y también que tu familia apruebe la relación. Quieres que tu pareja encaje en tu vida.

Este año encontrarás el amor cerca de tu hogar. No es necesario viajar a lo largo y ancho del mundo para encontrarlo. Como he señalado, este año socializarás más en tu hogar y con los miembros de tu familia. Preferirás pasar una velada romántica en tu casa que salir por la noche.

Las oportunidades románticas se presentarán en espacios espirituales, como centros de yoga, encuentros religiosos, conferencias sobre meditación o actos benéficos. Aparecerán mientras participas en actividades altruistas.

También surgirán en la familia, con los contactos familiares o con alguien que es como uno de los «tuyos» para ti. Estas personas harán de Cupido en tu vida y tal vez te presenten a tu futura pareja. Por lo visto, están muy implicados en tu vida amorosa (de una forma positiva).

Como Júpiter rige el pasado y la memoria corporal, es posible que vuelvas a encontrarte con un antiguo amor este año. O que conozcas a alguien con una forma de ser muy similar. Por lo que podrías salir con esta persona de nuevo, o superar la herida que te dejó esa relación, o ambas cosas a la vez.

En este año vivirás la pasión y las delicias del amor. Será una experiencia tremendamente intensa.

Si estás pensando en casarte por segunda vez, es mejor no hacerlo. Gozarás de amor en tu vida —es posible que mantengas diversas relaciones amorosas—, pero no es un buen momento para contraer matrimonio. Disfruta del amor simplemente, sin hacer planes para el futuro. Tu vida sentimental ya será lo suficiente apasionante por sí sola. Y si te has casado por segunda vez, tu relación atravesará momentos difíciles. Tendréis que esforzaros más para que os funcione.

Si te encuentras en tus terceras nupcias o estás planeando contraerlas, llevarás una activa vida social, pero tu situación amorosa seguirá igual. Si estás casado, seguirás con tu pareja. Y si no tienes pareja, tu situación no cambiará.

Progreso personal

Te espera un año activo sexualmente, como he señalado. Sobre todo la última parte del año, ya que no solo Júpiter estará en tu octava casa del sexo, sino que Marte, tu planeta del sexo, será poderoso al ocupar la cúspide de tu carta astral. Gozar de una buena intimidad emocional, compartir vuestros sentimientos, hará que la experiencia sexual sea más intensa el año entero. Ahora el sexo emocional es tan importante para ti como el físico. Sin embargo, a partir del 12 de mayo prevalecerá la parte física. Compartir tus ideas con tu pareja y mantener una buena comunicación también es muy positivo. Una buena comunicación será una parte importante del juego amoroso, en especial a partir del 20 de agosto.

Como Neptuno ya lleva tantos años ocupando tu séptima casa, el cosmos te ha estado llevando a un amor espiritual. He escrito sobre este tema en las previsiones de años anteriores, pero la tendencia se seguirá dando. Aunque gozarás del amor físico con tu pareja o amante este año, ya que forma parte de la vida. Sí, serás feliz en el amor, pero la relación no será tan elevada como deseas. No será perfecta. Te has estado poniendo un listón tan alto durante tantos años en este sentido, que incluso el mejor de los seres humanos no estará a su altura. El amor humano es, por definición, limitado. Algunas personas son capaces de amar más que otras, pero siempre habrá alguna limitación (con respecto a la condición y la capacidad humana). Es bueno recordar que existe un poder superior que te ama de forma incondicional y perfecta. Es un amor sabio que entiende tu destino y tu propósito en esta vida. Siempre está ahí, tanto si tienes pareja como si no la tienes. Te sentirás bien sea cual sea tu situación sentimental. Las relaciones físicas nos dan unos determinados placeres, y el celibato nos da otros. Si gozamos de amor espiritual, nos sentiremos bien tanto si tenemos pareja como si no la tenemos. Te sentirás amado en cualquier momento y lugar. Cuando te lleves una decepción amorosa es bueno refugiarte en esta clase de amor.

Este tipo de amor siempre te proporcionará todo cuanto necesites en este aspecto de tu vida, y con frecuencia lo que necesitamos no es lo que creemos. Volveremos a este tema más adelante.

Urano, como he señalado, está creando unos cambios duraderos —repentinos y espectaculares— en tus ideas religiosas, filosóficas y teológicas. Es posible que la experiencia no sea agradable. Tal vez Urano te obligue a replantearte tus «creencias esenciales». Las creencias por las que te riges. Las que le dan sentido a tu vida. Será una vivencia muy importante para ti. Ahora estás en una etapa de una gran experimentación filosófica y teológica. Irás descubriendo poco a poco el sistema de creencias que a ti te funciona. Si ahora te atraen religiones de otros países o religiones antiguas que ya no se practican, esto también es bueno para ti. Encontrarás verdades en ellas y serás consciente de algunos de sus errores. Es como si cada sistema, antiguo o moderno, percibiera algunas verdades e ignorara otras. Este proceso te permitirá adquirir el sistema de creencias que a ti te funcione.

Previsiones mes a mes

Enero

Mejores días en general: 2, 3, 11, 12, 21, 22, 29, 30
Días menos favorables en general: 1, 6, 7, 13, 14, 27, 28
Mejores días para el amor: 2, 3, 6, 7, 11, 12, 17, 21, 22, 26, 29, 30
Mejores días para el dinero: 2, 3, 6, 11, 12, 16, 21, 22, 23, 24, 25, 29, 30
Mejores días para la profesión: 4, 5, 13, 14, 23

Tu temporada de diversión no ha acabado aún. Seguirá dándose hasta el 20 mientras disfrutas de uno de tus momentos más placenteros del año. El tiempo para la seriedad llegará a partir del 21, entre tanto pásatelo en grande.

Tu salud será buena el mes entero. Aunque probablemente será mejor a partir del 26, cuando Marte deje de formar un aspecto desfavorable en tu carta astral. Urano, tu planeta de la salud, empezará a ser directo el 18 y recibirá aspectos muy favorables todo el mes. Por buena que sea tu salud, siempre puedes mejorarla con los métodos citados en las previsiones de este año.

El amor es un titular importante. Te surgirá una relación seria en esta temporada. Muchos Virgo están viviendo ahora la mejor época amorosa de su vida. Este mes socializarás más con tu familia y en tu hogar. Los miembros de tu familia y los contactos familiares te ayudarán a encontrar el amor. En muchos casos, es posible que vuelva a surgir un amor del pasado y además la relación será seria (normalmente no lo es). Y aunque no se trate de un antiguo amor, quizá sea con alguien con unos rasgos de carácter similares.

El amor y las oportunidades sociales se te presentarán a través de la familia y de los contactos familiares, quizá en reuniones o en presentaciones realizadas en el seno familiar. Pero también pueden darse en escenarios espirituales, como en sesiones de meditación, conferencias espirituales, actos benéficos o al participar en actividades altruistas. La persona que te guste debe ser espiritual —estar en tu onda espiritual— y tener además unos sólidos valores familiares. Lo más probable es que tu familia apruebe la relación.

El problema en el amor está en ti. Mercurio, el regente de tu carta astral, será retrógrado el 14. Aunque el amor surja en tu vida, dudarás, no estarás seguro de lo que quieres. Pero el próximo mes será distinto.

Aunque sea al parecer un mes próspero, Venus, tu planeta de la economía, será retrógrado casi el mes entero, hasta el 29. Ten una actitud de «esperemos a ver» en cuanto a las finanzas. Evita realizar adquisiciones o inversiones importantes hasta el 29. Intenta ver tu situación económica con claridad. Si tienes que hacer compras importantes, analiza la situación con más detenimiento. Lee la letra pequeña de los contratos. Asegúrate de que la tienda donde haces la adquisición tenga una buena política de devoluciones. Protégete lo mejor posible.

Febrero

Mejores días en general: 7, 8, 17, 18, 26, 27
Días menos favorables en general: 2, 3, 9, 10, 11, 24, 25
Mejores días para el amor: 2, 3, 7, 8, 12, 13, 17, 18, 22, 23, 27
Mejores días para el dinero: 2, 3, 7, 8, 12, 13, 17, 18, 19, 20, 21, 22, 27
Mejores días para la profesión: 8, 9, 10, 11, 19, 20, 28

La mayoría de Virgos siempre están trabajando. De hecho, el desempleo es la manera más cruel de torturarlos. Pero si eres uno de esos inusuales Virgos que se ha quedado sin trabajo, febrero es un buen mes para encontrarlo. Y si ya tienes uno (como la inmensa mayoría de Virgos), te saldrán oportunidades para hacer horas extras o dedicarte al pluriempleo.

Tu salud sigue siendo buena, pero vigílala más después del 18. Aunque no te espera ningún problema serio, solo serán achaques temporales causados por los aspectos desfavorables de los planetas rápidos. A partir del 19 descansa y relájate más. Escucha los mensajes de tu cuerpo. Fortalece tu salud con los métodos citados en las previsiones de este año.

El amor continúa siendo el titular este mes. Cuando el Sol ingrese en tu séptima casa el 18, empezará uno de tus mejores momentos amorosos y sociales del año. El ingreso del Sol en tu séptima casa aumenta la importancia de la compatibilidad espiritual con tu pareja. Como el Sol es tu planeta de la espiritualidad, estar en la misma onda espiritual es ahora lo más importante en una relación para ti. No es un mes para buscar el amor en bares o clubs. Tal vez encuentres sexo en estos lugares, pero no será amor. En una conferencia espiritual, una sala de yoga, un seminario de meditación o un acto benéfico son los espacios donde te espera el amor.

Las opciones que tienes en este sentido son espirituales y nada más.

Mercurio será directo el 4. Este movimiento de avance también ayuda al amor. Sabrás con más claridad lo que quieres en esta parcela de tu vida.

Vivir en un estado de amor (les ocurre a muchos Virgo) potencia tu práctica espiritual y te conecta con vigor con lo Divino. Si sigues una senda espiritual obtendrás buenos resultados de los cánticos, las recitaciones, el tamborileo y la danza, es decir, de las prácticas extáticas: del camino de la devoción del bhakti.

Tu economía ha mejorado mucho comparada con la del mes anterior. Al ser Venus, tu planeta de la economía, directo, ahora tienes claridad y seguridad en esta esfera de tu vida. Venus ocupará el signo de Capricornio el mes entero, un aspecto que también es positivo para las finanzas. Ahora gozas de un buen criterio financiero. Le sacas provecho al dinero. Lo gestionas bien. Tienes una visión a largo plazo del dinero y eres conservador en las cuestiones monetarias. Contratar planes de ahorros o de inversiones con una actitud disciplinada es una idea excelente.

Marzo

Mejores días en general: 6, 7, 8, 16, 17, 25, 26
Días menos favorables en general: 2, 3, 9, 10, 23, 24, 30, 31
Mejores días para el amor: 2, 3, 9, 11, 12, 18, 19, 21, 22, 27, 28, 30, 31
Mejores días para el dinero: 2, 3, 9, 11, 12, 18, 19, 21, 22, 27, 28, 30, 31
Mejores días para la profesión: 8, 9, 10, 19, 20, 28

Seguirás viviendo una de tus mejores temporadas amorosas y sociales este mes hasta el 20. En realidad, tu vida social es incluso más activa que el mes anterior, ya que Mercurio ocupará también tu séptima casa del 10 al 27. Ahora vas a más fiestas y reuniones. Tal vez se celebren bodas en tu círculo familiar. TODOS los planetas se encuentran en la mitad occidental de tu carta astral, la de la vida social (salvo la Luna, y solo esporádicamente). Tu séptima casa es poderosa, en cambio tu primera casa del yo está vacía (solo la Luna la visitará el 16 y 17). Este mes trata de los demás. De anteponer sus necesidades a las tuyas y de cultivar tu encanto social. Además, serás inusualmente popular y glamuroso en esta temporada. La gente sentirá que estás ahí para ellos y te lo agradecerán. Lo bueno de la vida te llegará de la generosidad ajena en lugar de tu propia asertividad o de las acciones personales.

En este mes pensarás más como un Libra que como un Virgo. Las relaciones lo son ahora todo para ti. Son la razón de tu existencia y lo que le da sentido a la vida. Sientes que solo puedes conocerte a ti mismo a través de las relaciones que mantienes. (Esta situación cambiará, pero ahora es así cómo lo ves).

Una relación seria —e incluso el matrimonio— está al caer.

Venus, tu planeta de la economía, viajará con Marte hasta el 12. Este tránsito muestra una buena cooperación económica con tu pareja. Así como la habilidad de saldar deudas o pedir préstamos, depende de tus necesidades. Ahora tienes un buen acceso al capital extranjero. Es un buen momento para la planificación tributaria y la de seguros, y si tienes la edad adecuada, para la planificación patrimonial. Tal vez figures en el testamento de alguien o recibas un cargo para administrar una propiedad. En esta coyuntura planetaria puedes recibir en ocasiones una herencia.

Venus (y Marte) ingresará en tu sexta casa el 6 y la ocupará el resto del mes. Este aspecto muestra ingresos ganados a la antigua usanza, es decir, por medio del trabajo —de una ocupación— y de los servicios prestados a clientes.

Vigila más tu salud este mes. Descansa bastante y mantén un nivel alto de energía. Fortalece tu salud con los métodos citados en las previsiones de este año. También te conviene prestarle más atención a tu corazón. Los masajes torácicos y trabajar los puntos reflejos del corazón te sentarán bien.

El Sol ingresará en tu octava casa el 20. De modo que tu actividad sexual aumentará. Y lo más importante es que es una época para dar a luz a la persona que quieres ser —a quien podrías llegar a ser—, a tu yo ideal. Para conseguirlo tienes que dejar atrás —eliminar— antiguos hábitos, los patrones mentales y emocionales que te impiden progresar en la vida. Una buena limpieza psíquica te irá de maravilla. Es un buen momento para las dietas depurativas y de pérdida de peso.

Abril

Mejores días en general: 3, 4, 13, 14, 21, 22, 30
Días menos favorables en general: 5, 6, 19, 20, 25, 26
Mejores días para el amor: 8, 9, 17, 18, 25, 26, 27
Mejores días para el dinero: 8, 9, 15, 16, 17, 18, 26, 27
Mejores días para la profesión: 1, 2, 5, 6, 12, 13, 21, 22

Sigue vigilando tu salud este mes, ya que como algunos aspectos desfavorables de los planetas rápidos se sumarán a los de dos planetas lentos, la coyuntura será un poco más complicada. Por suerte, los efectos que tendrán sobre ti serán pasajeros. Con todo, descansa y relájate lo máximo posible y fortalece tu salud con los métodos citados en las previsiones de este año.

Tu actividad sexual será incluso mayor que la del mes anterior. Marte, tu planeta del sexo, ingresará en tu séptima casa del amor el 15, y tu octava casa seguirá siendo poderosa hasta el 20. Marte en tu séptima casa trae luchas de poder en las relaciones de pareja. Si puedes evitarlas, tu vida amorosa será placentera.

Sigues encontrándote en una etapa de transformación personal, en un momento para dar a luz a tu yo ideal (o para progresar en ello), para convertirte en la persona que aspiras ser. Ten presentes las previsiones del mes anterior.

Te espera un mes activo socialmente tanto en el terreno amoroso (tu séptima casa) como en el de las amistades (tu undécima casa). Los amigos y los contactos sociales te pueden ayudar en el aspecto laboral y en el de la salud. Ahora te atraen las personas espirituales como amigos o como pareja.

El eclipse solar del 30 ejercerá una influencia relativamente suave en ti. (Pero si tienes un horóscopo personalizado, podría ser potente al afectar a puntos importantes de tu carta astral). Te conviene reducir tu agenda en esta temporada. Ten en cuenta además que aunque sea suave en ti, podría afectar con fuerza a los tuyos.

Este eclipse tendrá lugar en tu novena casa y repercutirá en los estudiantes universitarios. Si estás haciendo una carrera, es posible que cambie tu plan de estudios o tu especialización. Si has solicitado entrar en una universidad, tal vez surjan dramas en tu vida. (También podría suceder que te aceptara otra universidad distinta de la que deseabas, aunque a la larga esta situación será probablemente mejor para ti). Si tienes problemas jurídicos, la situación puede dar un gran vuelco en un sentido o en el otro. Surgirán complicaciones en tu lugar de culto y dramas en la vida de tus líderes religiosos. Si eres estudiante universitario, tal vez surjan problemas en tu facultad.

Dado que el Sol es tu planeta de la espiritualidad, este eclipse te traerá cambios espirituales. No afectará solo a los maestros, las enseñanzas y las prácticas que sigues, sino también a tus actitudes. Surgirán dificultades en las organizaciones espirituales o benéficas en las que participas. Tus figuras de gurú se enfrentarán a dramas en su vida. Tus padres o figuras parentales harán cambios económicos importantes. Tus hermanos o figuras fraternas vivirán cambios significativos en su profesión.

Mayo

Mejores días en general: 1, 10, 11, 19, 25, 26
Días menos favorables en general: 2, 3, 4, 16, 17, 23, 24, 30, 31
Mejores días para el amor: 6, 7, 8, 15, 16, 17, 23, 24
Mejores días para el dinero: 6, 7, 8, 12, 13, 16, 17, 25
Mejores días para la profesión: 2, 3, 4, 12, 13, 18, 19, 28, 30, 31

El poder planetario se encuentra ahora en la mitad superior de tu carta astral, en el hemisferio diurno. Además, tu décima casa de la profesión será poderosísima a partir del 21. Mercurio, el regente de tu carta astral, se aloja en tu décima casa desde el 30 de abril y la ocupará hasta el 24 de mayo. Ahora las cosas te van de maravilla. Este mes es el momento (sobre todo, a partir del 21, ya que empezará una de tus mejores temporadas profesionales del año) de dedicarte por un tiempo a tus objetivos externos en lugar de estar pendiente del hogar, la familia y tu bienestar emocional. La armonía emocional siempre es importante en la vida, pero tu éxito profesional te traerá armonía emocional en estos días en lugar de ser a la inversa. El único problema es que el movimiento retrógrado de Mercurio a partir del 10 hará que seas indeciso y que tu autoestima y confianza no estén en su mejor momento. Pero seguirás triunfando en tu profesión. El ingreso del Sol en tu décima casa muestra que puedes darle un empujón a tu carrera y a tu estatus laboral si participas en causas benéficas y altruistas. Esto realzará tu imagen pública y te proporcionará contactos laborales significativos.

Pero hay otra forma de interpretar estos aspectos planetarios. En muchos casos, es posible que tu práctica espiritual se convierta

en realidad en tu profesión —en tu verdadera misión en la vida—
a partir del 21.

El eclipse lunar del 16 no te influirá demasiado a nivel personal.
Ocurrirá en tu tercera casa y afectará a los alumnos de primaria o secundaria. (El eclipse del mes anterior repercutió en los estudiantes
universitarios.) Surgirán percances en el centro docente. La jerarquía
de la escuela puede cambiar. Al igual que el plan de estudios. Es posible
que los alumnos cambien de centro docente. Los vehículos y el equipo
de comunicación pueden fallar y a menudo es necesario repararlos.
También es una buena idea conducir con más precaución. Como este
eclipse afectará a Saturno, tu planeta de los hijos, a ellos también les
influirá. A tus hijos o figuras filiales les conviene reducir sus actividades. Y a tus hermanos o figuras fraternas también. Tus hijos y hermanos desearán redefinirse, cambiar la imagen que tienen de sí mismos y
la forma en que la gente los ve. En los próximos meses cambiarán de
ropa y de aspecto, se presentarán con otra imagen en el mundo.

Como la Luna rige tu undécima casa, el eclipse también afectará a tus amigos, por lo que tus amistades atravesarán momentos
difíciles a menudo debido a los dramas vividos. Es posible que los
ordenadores y el equipo de alta tecnología fallen. Tal vez tengas
que repararlos o cambiarlos. Haz copias de seguridad de los archivos importantes y no abras e-mails sospechosos.

Junio

Mejores días en general: 6, 7, 15, 16, 23, 24, 25
Días menos favorables en general: 13, 14, 19, 20, 26, 27
Mejores días para el amor: 2, 3, 6, 7, 12, 16, 19, 20, 26, 29, 30
Mejores días para el dinero: 4, 6, 7, 9, 10, 13, 16, 21, 26
Mejores días para la profesión: 6, 7, 17, 26, 27

Este mes las cosas te irán mejor aún que en el anterior. Tu décima
casa es ahora incluso más poderosa que en mayo. Sigues viviendo
una de tus mejores temporadas profesionales del año. Y lo más
importante es que Mercurio empezará a ser directo el 4 e ingresará
en tu décima casa el 14 (avanzará por el firmamento). Ahora tu
autoestima y confianza vuelven a estar en plena forma. Mercurio
en la cúspide de tu carta astral muestra que estás en la cima de tu
mundo. Los demás te admiran. En el caso de los Géminis más jóvenes, este aspecto indica que aspiran a llegar a lo más alto. (Pero
también pueden estar en lo más alto de su propia esfera).

Vigila más tu salud hasta el 21. No te canses demasiado. Escucha los mensajes de tu cuerpo. Fortalece tu salud con los métodos citados en las previsiones de este año. Notarás una mejoría espectacular a partir del 22.

Júpiter abandonó tu séptima casa el 11 de mayo. Este tránsito es favorable a la salud. Ahora ya has alcanzado tus objetivos sociales y amorosos y Júpiter aumentará las actividades de tu octava casa. Es el momento para volcarte en tu transformación personal y en ser la persona que deseas, la que aspiras ser. Es posible que tus padres o figuras paternas pasen por el quirófano en esta temporada. Tus hijos o figuras filiales tal vez se muden a otro lugar. Serán inusualmente fértiles (si tienen la edad adecuada). En estos días también eres más activo sexualmente. Tu libido está aumentando.

El Sol ingresará en tu undécima casa el 21 y te volverás más social en lo que respecta a los amigos, aunque no demasiado en el terreno romántico (este aspecto de tu vida ya está resuelto). En esta temporada estás trabando amistades que son espirituales. Tus conocimientos sobre ciencia, tecnología, astronomía y astrología aumentarán (ahora te atraen más estos temas). Tus amigos se convertirán en una parte importante de tu camino espiritual.

Este mes tu profesión será mucho más importante para ti que tu economía. Venus viajará con Urano el 10 y 11 y este tránsito producirá cambios económicos. Es muy posible que obtengas ganancias inesperadas. Pero en algunos casos también pueden ser gastos imprevistos. Pero te llegará el dinero para cubrirlos. Evita la especulación el 17 y 18. Tu situación económica seguirá siendo la misma. Tus finanzas no mejorarán demasiado, pero tu nivel y tu prestigio social aumentarán.

Julio

Mejores días en general: 4, 5, 12, 13, 21, 22, 31
Días menos favorables en general: 10, 11, 16, 17, 23, 24
Mejores días para el amor: 6, 7, 9, 15, 16, 17, 26, 27
Mejores días para el dinero: 1, 2, 6, 7, 10, 11, 15, 18, 19, 26, 28, 29
Mejores días para la profesión: 8, 16, 17, 23, 24, 28, 29

Tu salud ha mejorado mucho comparada con la de junio. Solo hay un planeta lento formando un aspecto desfavorable en tu carta astral. Y además la mayoría de planetas rápidos forman ahora aspectos armoniosos. Sin embargo, Marte formará un aspecto dinámico con Urano, tu planeta de la salud, el 30 y 31. Esta coyuntura puede hacer que tengas que someterte a una intervención quirúrgica o que te la recomienden. Ser más consciente en el plano físico es también una buena idea en esta temporada. Tenerlo en cuenta y estar atento en este sentido será importante para ti el 1 y 2, ya que Marte formará un aspecto desfavorable con Plutón.

El tema del amor, como he señalado, ya lo has resuelto. No es necesario estar demasiado pendiente de él. Pero seguirás relacionándote mucho con los amigos y harás actividades en grupo hasta el 23. El trígono de Mercurio con Neptuno el 16 y 17 te traerá oportunidades románticas con tu pareja actual o con una nueva.

El Sol ingresará en tu duodécima casa de la espiritualidad el 23, en tu propio signo y casa. En este lugar tiene un poder enorme. Será una temporada sumamente espiritual. (Mercurio, el regente de tu carta astral, también la ocupará el 19. Es el momento perfecto para centrarte en lo espiritual. Estos dos planetas benéficos en tu duodécima casa muestran grandes progresos espirituales y la satisfacción inmensa que te dará tu práctica espiritual. Tu vida onírica será extremadamente activa y reveladora en estos días. Tenla en cuenta. Vivirás todo tipo de experiencias sobrenaturales. Tu percepción extrasensorial y tus facultades espirituales también se agudizarán. El mundo de lo invisible te está haciendo saber que se encuentra a tu alrededor, dispuesto a ayudarte. No desaproveches la oportunidad.

Si bien tu casa del dinero está vacía —solo la Luna la visitará el 6 y 7—, tus finanzas progresarán. Venus, tu planeta de la economía, se alojará en tu décima casa hasta el 18, una posición de lo más poderosa. Este aspecto muestra focalización y aspiración. Indica los favores económicos de tus jefes, tus padres o figuras parentales, y de las personas mayores de tu vida. Te beneficiarás de subidas salariales. Tu buena reputación profesional aumentará tus ingresos. Venus ingresará en tu undécima casa —es benéfica— el 18. Este tránsito muestra amigos adinerados y amistades que te ofrecen oportunidades económicas. También favorece las ganancias procedentes del mundo de Internet. Tu undécima casa se encuentra ahora en el lugar «donde se cumplen los mayores deseos y esperanzas». Y a ti te ocurrirá en el terreno económico.

Agosto

Mejores días en general: 1, 9, 10, 17, 18, 27, 28
Días menos favorables en general: 7, 8, 13, 14, 20, 21
Mejores días para el amor: 4, 5, 13, 14, 15, 23, 25, 26
Mejores días para el dinero: 2, 3, 4, 5, 7, 15, 25, 26, 29, 30
Mejores días para la profesión: 9, 17, 18, 20, 21, 29

Te espera un mes muy espiritual, Virgo. Como ocurre en la vida, antes de que el progreso exterior se materialice en el mundo tiene que darse primero un crecimiento interior. Tu progreso espiritual será visible para ti y el mundo el 23.

Mercurio, el regente de tu carta astral, tendrá su solsticio del 22 al 24. Se detendrá en el firmamento y después cambiará de sentido, en latitud. Tú también harás lo mismo. Se dará una pausa en tus deseos personales y en tu profesión, y luego un cambio de rumbo. Pero no te alarmes, es una experiencia de lo más natural y normal.

Cuando Marte ingrese el 20 en la mitad oriental de tu carta astral, la del yo, será su momento más potente del año. Aunque este sector no llegará a superar al otro, simplemente será más poderoso de lo que lo ha sido hasta ahora. Aun así, los demás seguirán siendo muy importantes para ti. Tu gran encanto social no te abandonará. Pero en esta temporada podrás centrarte más en lo primordial: en ti y en tu propia felicidad. Intenta equilibrar tus intereses personales con los de los demás, en especial con los de tu cónyuge, pareja o amante actual. Si necesitas hacer cambios para ser más feliz, ahora es el momento propicio. Más adelante, cuando los planetas vuelvan a encontrarse en la mitad occidental, te costará más llevarlos a cabo.

La actividad retrógrada aumentará este mes. El 40 por ciento de los planetas estarán retrocediendo en el firmamento hasta el 24. A partir del 25, el 50 por ciento de los planetas serán retrógrados. Un porcentaje enorme, aunque no llegue al máximo del año. El porcentaje más elevado se dará el próximo mes. Te conviene reducir tu agenda. Afronta esta situación con paciencia.

Tu salud seguirá siendo buena, aunque Marte forme un aspecto desfavorable en tu carta astral a partir del 20, ya que los otros planetas lo contrarrestarán con sus aspectos armoniosos. Cuando el Sol ingrese en tu signo el 23, empezará una de tus temporadas más placenteras del año. Como ahora no está ocurriendo gran cosa en el mundo, disfruta de la vida. El ingreso del Sol en tu primera casa el 23 te dará carisma y un glamur sobrenatural. También te llegará de manera natural el conocimiento de cómo moldear, transformar y esculpir tu cuerpo con medios espirituales. Es una buena temporada para poner en forma tu cuerpo tal como deseas.

El amor será más complicado este mes. Neptuno, tu planeta del amor, es retrógrado y a partir del 24 recibirá aspectos desfavorables. Esta coyuntura muestra una pausa en tu relación de pareja. Tal vez empieces a dudar de ella. Si vuestro amor es auténtico, superaréis la crisis. Estaréis distantes en vuestra relación —alejados el uno del otro— del 4 al 26. Seguramente no será en el sentido físico, sino más bien en el psicológico. Discreparéis en la forma de ver las cosas y el reto será salvar vuestras diferencias.

Tu economía será buena este mes. Venus, tu planeta de las finanzas, es directo. Ocupará la undécima casa —es benéfica— hasta el 12. Este aspecto muestra que cuentas con un gran apoyo familiar y que las oportunidades financieras te llegarán de los amigos. Venus ingresará en tu duodécima casa de la espiritualidad después del 12. Tu intuición será muy importante económicamente en estos días.

Septiembre

Mejores días en general: 5, 6, 13, 14, 15, 23, 24
Días menos favorables en general: 3, 4, 9, 10, 16, 17, 30
Mejores días para el amor: 2, 4, 5, 9, 10, 13, 14, 15, 19, 20, 29
Mejores días para el dinero: 3, 7, 8, 11, 16, 21, 24, 26, 27, 30
Mejores días para la profesión: 7, 8, 16, 17, 24

Como Mercurio, el regente de tu horóscopo, será retrógrado el 10, el porcentaje de actividad retrógrada será de un 60 por ciento, el más elevado del año. Los efectos de Mercurio retrógrado serán mucho más potentes que los anteriores de este año, ya que se sumarán a la retrogradación de los otros planetas.

Mercurio retrógrado complicará tu vida amorosa más aún que en agosto. Ahora tu pareja y tú estáis indecisos en vuestra relación y no sabéis lo que queréis. Evita tomar decisiones amorosas importantes este mes.

Marte ingresó en tu décima casa de la profesión el 20 de agosto y la ocupará hasta finales de año. Ahora tu profesión te exige mucho esfuerzo. Quizá tengas que lidiar más con la muerte y con cuestiones relacionadas con ella en esta temporada. Tal vez tus jefes, tus padres o figuras parentales, o las personas mayores de tu vida tengan que pasar por el quirófano o vivan experiencias cercanas a la muerte. La necesidad de afrontar la muerte es ahora importante en su vida.

Venus, tu planeta de la economía, tendrá su solsticio del 30 de septiembre al 3 de octubre. Este aspecto indica que se dará una pausa en tus asuntos económicos y luego un cambio de rumbo, ya que refleja la conducta de Venus en el firmamento.

Tu economía es sin embargo excelente este mes. Venus será directo todo septiembre. Ingresará en tu signo y primera casa el 5, y los ocupará hasta el 30. Este tránsito es fabuloso para tu economía. Venus te trae ganancias inesperadas. Te saldrán oportunidades financieras venturosas. Las personas adineradas de tu vida están ahora dedicadas a ti. El dinero (y las oportunidades económicas) te está persiguiendo en lugar de ser a la inversa.

Gozarás de un aspecto estupendo este mes. El Sol en tu signo hasta el 23 te da carisma, un aura de estrella y glamur espiritual. Venus te aporta belleza y elegancia (de un estilo convencional). Ahora vistes con clase y llevas ropa lujosa. Haces gala de tu prosperidad. Como tienes en esta temporada un gusto excelente, es un buen momento para comprar ropa o accesorios.

Tu salud será fabulosa este mes, sobre todo hasta el 23. El gran trígono en los signos de tierra será muy agradable para ti, ya que la tierra es tu elemento natal. Incluso eres más organizado que de costumbre.

Octubre

Mejores días en general: 2, 3, 11, 12, 21, 22, 30
Días menos favorables en general: 1, 7, 13, 14, 27, 28
Mejores días para el amor: 4, 5, 6, 7, 8, 13, 14, 17, 25, 26
Mejores días para el dinero: 4, 5, 8, 9, 13, 14, 18, 23, 24, 25, 26, 27
Mejores días para la profesión: 2, 3, 13, 14, 23, 24

Te espera un mes próspero, Virgo. El Sol ingresó en tu casa del dinero el 23 de septiembre y la ocupará hasta el 23 de este mes. Mercurio ingresará en tu casa del dinero el 11 y la ocupará hasta el 30. Y lo más importante es que Venus, tu planeta de la economía, ingresó en tu casa del dinero el 30 del septiembre y la ocupará hasta el 23 de octubre. Venus será un planeta muy poderoso en su propio signo y casa, y esta coyuntura anuncia unas ganancias más cuantiosas. Un mayor poder económico. Vivirás uno de tus mejores momentos económicos del año hasta el 23. Como el Sol se aloja en tu casa del dinero, serás más generoso en estos días. Al haber aumentado tus ingresos, puedes darte este lujo.

Tu salud será buena este mes. Pero puedes fortalecerla más aún con los métodos citados en las previsiones de este año.

El eclipse solar que tendrá lugar en tu tercera casa el 25 no te afectará con fuerza. Pero reduce de todos modos tus actividades, ya que es posible que repercuta en los tuyos. (Si afecta a algún punto delicado de tu horóscopo personalizado, podría ser mucho más poderoso). Este eclipse repercutirá en los alumnos de primaria o secundaria. Quizá se enfrenten a problemas en su centro docente, a cambios en la jerarquía de la escuela. También es posible que cambie el plan de estudios o que los alumnos cambien de colegio. Pueden surgir dramas personales o profesionales en la vida de tus hermanos o figuras fraternas. Sentirán la necesidad de redefinirse en esos días, de cambiar el concepto que tienen de sí mismos y lo que los demás piensan de ellos. Cambiarán de imagen —de aspecto—, y también de ropa en los próximos meses. Las personas adineradas de tu vida están haciendo cambios económicos importantes. Cada eclipse solar afecta a tu vida espiritual y este no es una excepción. Este afectará además la vida espiritual de uno de tus progenitores o figura parental. Se darán cambios en los maestros, las enseñanzas y las prácticas espirituales que sigues. Es posible que surjan trastornos en las organizaciones espirituales o benéficas en las que tú o uno de tus progenitores participáis. Tus figuras de gurú vivirán dramas en su vida. Comprueba más tu intuición en esta temporada.

La buena noticia sobre este eclipse es que ocurrirá cuando la actividad retrógrada se esté reduciendo. Las cosas se empezarán a activar de nuevo en el mundo y el eclipse será un factor importante en ello.

Noviembre

Mejores días en general: 7, 8, 17, 18, 26, 27
Días menos favorables en general: 3, 4, 10, 11, 24, 25, 30
Mejores días para el amor: 3, 4, 13, 14, 23, 24, 30
Mejores días para el dinero: 3, 4, 13, 14, 19, 20, 23, 24

Mejores días para la profesión: 3, 4, 10, 11, 13, 14, 24, 25

Este mes el principal titular es el poderosísimo eclipse lunar que habrá el 8 (será total). Este eclipse conocido como «luna de sangre» afectará a muchos otros planetas (por eso será tan potente) y también a muchos aspectos de tu vida.

Como este eclipse tendrá lugar en tu novena casa, repercutirá en los estudiantes universitarios o en los que han solicitado entrar en una facultad. (El eclipse anterior afectó a los alumnos de primaria o secundaria.). Surgirán trastornos en la universidad y en la jerarquía académica. Es posible que algunos cursos o profesores cambien. Si has hecho una solicitud para entrar en la universidad, tal vez te la conceda una que no era tu favorita. (Aunque esta noticia será lo mejor para ti a la larga). Es muy probable que tu plan de estudios cambie. En esta coyuntura los estudiantes suelen cambiar de facultad o hay un cambio de especialización. Surgirán trastornos en tu lugar de culto y dramas en la vida de tus líderes religiosos. Tus creencias religiosas y teológicas serán puestas a prueba. Con frecuencia tendrás que replanteártelas. Es posible que descartes tus antiguas creencias. Como la Luna rige la undécima casa, tus amistades atravesarán momentos difíciles y quizá tus amigos vivan dramas en su vida. Los ordenadores y el equipo de alta tecnología pueden fallar. A menudo es necesario repararlos o cambiarlos.

Los efectos del eclipse sobre Mercurio —un planeta muy importante en tu carta astral—, traerán cambios laborales y trastornos en la jerarquía de tu compañía o sector. Tus jefes, tus padres o figuras parentales, y las personas mayores de tu entorno, se enfrentarán a dramas que les cambiarán la vida. Los efectos sobre Mercurio también te obligarán a redefinirte, a cambiar tu imagen y el concepto que tienes de ti. Si no lo haces, los demás lo harán por ti y la situación no será agradable. Cambiarás de ropa, aspecto y peinado en los próximos meses. Los efectos del eclipse sobre Urano, tu planeta de la salud y del trabajo, muestran cambios de empleo y modificaciones en tu programa de salud. Si te ocupas de las contrataciones en tu empresa, puede haber renovación de personal.

Los efectos del eclipse sobre Venus producirán cambios económicos. Los eventos del eclipse te mostrarán por qué tus ideas y tu estrategia financiera no han sido realistas, y además te permitirán corregir el rumbo de tu economía.

Diciembre

Mejores días en general: 4, 5, 6, 14, 15, 16, 23, 24
Días menos favorables en general: 1, 7, 8, 21, 22, 27, 28
Mejores días para el amor: 1, 2, 3, 10, 11, 14, 20, 23, 24, 27, 28
Mejores días para el dinero: 1, 2, 3, 11, 14, 17, 18, 20, 21, 23, 24, 29
Mejores días para la profesión: 2, 3, 7, 8, 14, 15, 23, 24

Sigue vigilando tu salud hasta el 22 debido a los aspectos desfavorables de algunos planetas rápidos. A partir de esta fecha, la mayoría desaparecerán y notarás una mejoría espectacular. Mientras tanto, préstale más atención a tu corazón. La estimulación de los puntos reflejos de este órgano y los masajes en el pecho y las costillas te vendrán de maravilla. Descansa bastante y consulta los métodos citados en las previsiones de este año.

Al ocupar Marte tu décima casa, estás manteniendo una gran actividad profesional, pero en esta temporada también estás más pendiente de tu hogar y tu familia. Rinde en tu profesión, pero céntrate ahora en el hogar, la familia y tu bienestar emocional. El Sol, tu planeta de la espiritualidad, se alojará en tu cuarta casa hasta el 22. Este aspecto muestra que tu camino espiritual consiste en esta temporada en resolver antiguas cuestiones del pasado que te impiden progresar. Venus, tu planeta de la economía, en tu cuarta casa hasta el 10, indica que cuentas con un buen apoyo familiar, y además te llegarán ganancias procedentes del hogar, de la familia y de tus contactos familiares. Ahora probablemente gastas más en tu hogar y en tu familia. Venus ingresará en Capricornio, tu quinta casa, el 10. Aunque ahora seas más especulador, no realizas tus operaciones financieras descontroladamente. Tu planeta de la economía en Capricornio te da sensatez y moderación en los asuntos monetarios. Si te dedicas a la especulación, lo haces valiéndote de las reflexiones y del asesoramiento adecuados. Ganarás el dinero de formas placenteras y lo gastarás en cosas agradables en esta temporada. Gastarás más en tus hijos o figuras filiales.

Júpiter ingresará en tu octava casa el 21 y esta vez la ocupará por mucho tiempo. Este tránsito puede traerte una herencia. Pero en la mayoría de los casos no vendrá de un fallecimiento, sino que es posible que figures en el testamento de alguien o que te nombren administrador de una propiedad. Marte, el regente de tu octava casa, en la cúspide de tu carta astral —tu décima casa—, indica que tendrás encuentros con la muerte y te enfrentarás a cuestiones relacionadas con ella. Tal vez pases por el quirófano o vivas experiencias cercanas a la muerte. Estas experiencias te obligarán a tomarte la vida más en serio.

Este mes tu vida amorosa será buena, sobre todo a partir del 7. Neptuno, tu planeta del amor, empezará a ser directo el 4 y recibirá aspectos favorables a partir del 23. En realidad, el problema con el amor está en ti, ya que al ser Mercurio retrógrado el 29, te asaltarán las dudas en el terreno amoroso.

Este mes te lo pasarás en grande. Tu quinta casa de la diversión, la creatividad y los hijos será cada vez más poderosa a lo largo de diciembre. Cuando el Sol ingrese en ella el 22, empezará una de tus temporadas más placenteras del año. Es el momento de olvidarte de tus preocupaciones y problemas, y de disfrutar de la vida. Tómate unas vacaciones de las preocupaciones. Descubrirás que muchos problemas se resuelven por sí solos.

El movimiento de avance de los planetas es arrollador este mes. El 80 por ciento serán directos hasta el 29. Y a partir del 30 (Mercurio será retrogrado) lo serán el 70 por ciento. Los acontecimientos empezarán a progresar en el mundo. El ritmo de la vida aumentará.

Una cantidad inusual de planetas están «fuera de límites» este mes. Normalmente solo uno o dos lo están (la mayoría de las veces es uno). Pero este mes son tres lo que están ‹fuera de límites». De modo que algo flota en el ambiente. Explorar nuevos territorios es ahora la tendencia. Son muchas las personas que lo están haciendo, entre ellas tú.

Libra

La Balanza

Nacidos entre el 23 de septiembre y el 22 de octubre

Rasgos generales

LIBRA DE UN VISTAZO

Elemento: Aire

Planeta regente: Venus
  Planeta de la profesión: la Luna
  Planeta de la salud: Neptuno
  Planeta del amor: Marte
  Planeta del dinero: Plutón
  Planeta del hogar y la vida familiar: Saturno
  Planeta de la suerte: Mercurio

Colores: Azul, verde jade
  Colores que favorecen el amor, el romance y la armonía social: Carmín, rojo, escarlata
  Colores que favorecen la capacidad de ganar dinero: Borgoña, rojo violáceo, violeta

Piedras: Cornalina, crisolita, coral, esmeralda, jade, ópalo, cuarzo, mármol blanco

Metal: Cobre

Aromas: Almendra, rosa, vainilla, violeta

Modo: Cardinal (= actividad)

Cualidades más necesarias para el equilibrio: Sentido del yo, confianza en uno mismo, independencia

Virtudes más fuertes: Buena disposición social, encanto, tacto, diplomacia

Necesidades más profundas: Amor, romance, armonía social

Lo que hay que evitar: Hacer cosas incorrectas para ser aceptado socialmente

Signos globalmente más compatibles: Géminis, Acuario

Signos globalmente más incompatibles: Aries, Cáncer, Capricornio

Signo que ofrece más apoyo laboral: Cáncer

Signo que ofrece más apoyo emocional: Capricornio

Signo que ofrece más apoyo económico: Escorpio

Mejor signo para el matrimonio y/o las asociaciones: Aries

Signo que más apoya en proyectos creativos: Acuario

Mejor signo para pasárselo bien: Acuario

Signos que más apoyan espiritualmente: Géminis, Virgo

Mejor día de la semana: Viernes

La personalidad Libra

En el signo de Libra la mente universal (el alma) expresa el don de la relación, es decir, el poder para armonizar diversos elementos de modo unificado y orgánico. Libra es el poder del alma para expresar la belleza en todas sus formas. Y ¿dónde está la belleza si no es dentro de las relaciones? La belleza no existe aislada; surge de la comparación, de la correcta relación de partes diferentes. Sin una relación justa y armoniosa no hay belleza, ya se trate de arte, modales, ideas o asuntos sociales o políticos.

Los seres humanos tenemos dos facultades que nos elevan por encima del reino animal. La primera es la facultad racional, como se expresa en los signos de Géminis y Acuario. La segunda es la facultad estética, representada por Libra. Sin sentido estético seríamos poco más que bárbaros inteligentes. Libra es el instinto o impulso civilizador del alma.

La belleza es la esencia de lo que son los nativos de Libra. Están aquí para embellecer el mundo. Podríamos hablar de la buena disposición social de este signo, de su sentido del equilibrio y del juego limpio, de su capacidad de ver y amar el punto de vista de los demás, pero eso sería desviarnos de su bien principal: su deseo de belleza.

Nadie existe aisladamente, no importa lo solo o sola que parezca estar. El Universo es una vasta colaboración de seres. Los nativos de Libra, más que la mayoría, lo comprenden y comprenden las leyes espirituales que hacen soportables y placenteras las relaciones.

Un nativo de Libra es un civilizador, armonizador y artista inconsciente, y en algunos casos consciente. Este es el deseo más profundo de los Libra y su mayor don. Por instinto les gusta unir a las personas, y están especialmente cualificados para hacerlo. Tienen el don de ver lo que puede unir a la gente, las cosas que hacen que las personas se atraigan en lugar de separarse.

Situación económica

En materia económica, muchas personas consideran a los nativos de Libra frívolos e ilógicos, porque parecen estar más interesados en ganar dinero para otros que para ellos mismos. Pero esta actitud tiene una lógica. Los Libra saben que todas las cosas y personas están relacionadas, y que es imposible ayudar a alguien a prosperar sin prosperar también uno mismo. Dado que colaborar para aumentar los ingresos y mejorar la posición de sus socios o su pareja va a fortalecer su relación, Libra decide hacerlo. ¿Qué puede ser más agradable que estrechar una relación? Rara vez nos encontraremos con un Libra que se enriquezca a expensas de otra persona.

Escorpio es el signo que ocupa la segunda casa solar de Libra, la del dinero, lo cual da a este signo una perspicacia no habitual en asuntos económicos y el poder de centrarse en ellos de un modo aparentemente indiferente. De hecho, muchos otros signos acuden a Libra para pedirle consejo y orientación en esta materia.

Dadas sus dotes sociales, los nativos de Libra suelen gastar grandes sumas de dinero invitando a los demás y organizando acontecimientos sociales. También les gusta pedir ayuda a otros cuando la necesitan. Harán lo imposible por ayudar a un amigo en desgracia, aunque tengan que pedir un préstamo para ello. Sin embargo, también tienen mucho cuidado en pagar todas sus deudas y procuran que jamás haya necesidad de recordárselo.

Profesión e imagen pública

En público a los Libra les gusta parecer paternales. Sus amigos y conocidos son su familia, y ejercen el poder político de manera paternal. También les gustan los jefes que son así.

Cáncer está en la cúspide de su casa diez, la de la profesión, por lo tanto, la Luna es su planeta de la profesión. La Luna es con mucho el planeta más rápido y variable del horóscopo; es el único entre todos los planetas que recorre entero el zodiaco, los 12 signos, cada mes. Nos da una clave importante de la manera como los Libra enfocan su profesión y también de algunas de las cosas que necesitan hacer para sacar el máximo rendimiento de su potencial profesional. La Luna es el planeta de los estados de ánimo y los sentimientos, y los Libra necesitan una profesión en la cual tengan libertad para expresar sus emociones. Por eso muchos se dedican a las artes creativas. Su ambición crece y mengua como la Luna. Tienden a ejercer el poder según su estado de ánimo.

La Luna «rige» las masas, y por eso el mayor objetivo de los Libra es obtener una especie de aplauso masivo y popularidad. Los que alcanzan la fama cultivan el amor del público como otras personas cultivan el cariño de un amante o amigo. En su profesión y sus ambiciones, los Libra suelen ser muy flexibles, y muchas veces volubles. Por otro lado, son capaces de conseguir sus objetivos de muchas y diversas maneras. No se quedan estancados en una sola actitud ni en una sola manera de hacer las cosas.

Amor y relaciones

Los nativos de Libra expresan su verdadero genio en el amor. No podríamos encontrar una pareja más romántica, seductora y justa que una persona Libra. Si hay algo que con seguridad puede destruir una relación, impedir el flujo de la energía amorosa, es la injusticia o el desequilibrio entre amante y amado. Si uno de los dos miembros de la pareja da o recibe demasiado, seguro que en uno u otro momento surgirá el resentimiento. Los Libra tienen mucho cuidado con esto. Si acaso, podrían pecar por el lado de dar más, jamás por el de dar menos.

Si estás enamorado o enamorada de una persona Libra, procura mantener vivo el romance. Preocúpate de las pequeñas atenciones y los detalles: cenas iluminadas con velas, viajes a lugares exóticos, flores y obsequios. Regálale cosas hermosas, aunque no necesariamente tienen que ser caras; envíale tarjetas; llámala por teléfono con regularidad aunque no tengas nada especial que decirle. Los detalles son muy importantes. Vuestra relación es una obra de arte: hazla hermosa y tu amor Libra lo apreciará. Si además muestras tu creatividad, lo apreciará aún más, porque así es como tu Libra se va a comportar contigo.

A los nativos de Libra les gusta que su pareja sea dinámica e incluso voluntariosa. Saben que esas son cualidades de las que a veces ellos carecen y por eso les gusta que su pareja las tenga. Sin embargo, en sus relaciones sí que pueden ser muy dinámicos, aunque siempre de manera sutil y encantadora. La «encantadora ofensiva» y apertura de Gorbachov a fines de la década de 1980, que revolucionó a la entonces Unión Soviética, es típica de un Libra.

Los nativos de este signo están resueltos a hechizar al objeto de su deseo, y esta determinación puede ser muy agradable si uno está en el puesto del receptor.

Hogar y vida familiar

Dado que los Libra son muy sociales, no les gustan particularmente las tareas domésticas cotidianas. Les encanta que su casa esté bien organizada, limpia y ordenada, que no falte nada de lo necesario, pero los quehaceres domésticos les resultan una carga, una de las cosas desagradables de la vida, que han de hacerse cuanto más rápido mejor. Si tienen dinero suficiente, y a veces aunque no lo tengan, prefieren pagar a alguien para que les haga las tareas domésticas. Pero sí les gusta ocuparse del jardín y tener flores y plantas en casa.

Su casa será moderna y estará amueblada con excelente gusto. Habrá en ella muchas pinturas y esculturas. Dado que les gusta estar con amigos y familiares, disfrutan recibiéndolos en su hogar y son muy buenos anfitriones.

Capricornio está en la cúspide de su cuarta casa solar, la del hogar y la familia. Sus asuntos domésticos los rige pues Saturno, el planeta de la ley, el orden, los límites y la disciplina. Si los Libra desean tener una vida hogareña feliz, deberán desarrollar algunas de las cualidades de Saturno: orden, organización y disciplina. Al ser tan creativos y necesitar tan intensamente la armonía, pueden tender a ser demasiado indisciplinados en su casa y demasiado permisivos con sus hijos. Un exceso de permisividad no es bueno: los niños necesitan libertad, pero también límites.

Horóscopo para el año 2022*

Principales tendencias

Tu salud y energía empezaron a mejorar el año anterior, ya que del 2018 al 2020 atravesaste unos años duros. Pero ahora dos planetas importantes que formaban aspectos desfavorables en tu carta astral forman aspectos armoniosos o no te crean ningún problema. Tu salud seguirá siendo buena. Quizá crees que se debe a algún médico, terapia o dieta nueva, pero lo cierto es que ahora el poder planetario ha cambiado a tu favor. Volveremos a este tema más adelante.

Si bien tu salud es buena, seguirás pendiente de ella, sobre todo hasta el 11 de mayo. Es un año en el que te saldrá el trabajo de tus sueños. El ideal. El perfecto. Volveremos a este tema más adelante.

Tu vida amorosa será excelente este año, en especial a partir del 11 de mayo. Júpiter ocupará tu séptima casa del amor y este aspecto propiciará, si no tienes pareja, que inicies una relación seria. Incluso puedes llegar a casarte. Esta tendencia se seguirá dando el próximo año. Volveremos a este tema más adelante.

Al llevar ahora Plutón en tu cuarta casa cerca de veinte años, ha estado transformando tu situación familiar y doméstica. Probablemente durante este tiempo ha habido muertes en la familia. Quizá algunos miembros de tu familia han pasado por el quiró-

---

* Las previsiones de este libro se basan en el Horóscopo Solar y en todos los signos derivados del mismo: tu signo solar se convierte en el Ascendente, y las casas se numeran a partir de él. Tu horóscopo personal, el trazado concretamente para ti (según la fecha, hora y lugar exactos de tu nacimiento) podría modificar lo que se indica aquí. Joseph Polansky.

fano o han vivido experiencias cercanas a la muerte. Esta tendencia se seguirá dando este año. Pero tu vida familiar es por lo visto más feliz desde el año pasado. Volveremos a este tema más adelante.

Saturno lleva en tu quinta casa desde el año anterior (técnicamente, desde el 18 de diciembre de 2020). Este aspecto muestra la necesidad de imponer una cierta disciplina a tus hijos o figuras filiales, de ponerles alguna clase de límites. Es una situación delicada porque podrías excederte en ello. La disciplina se debe imponer en la «justa medida».

Neptuno ya lleva ahora muchos años en tu sexta casa y la ocupará muchos más. Este aspecto indica alguien que profundiza más en las leyes de la curación espiritual. Los aspectos espirituales de la salud física se están revelando en tu vida. Volveremos a este tema más adelante.

Urano ya lleva ahora varios años en tu octava casa y la ocupará algunos más. Este aspecto muestra experimentación sexual. Lo cual es en esencia positivo mientras no sea destructivo. Tu cónyuge, pareja o amante actual está siendo experimentador en sus finanzas.

Las áreas que más te interesarán este año serán el hogar y la familia. Los hijos, la diversión y la creatividad. La salud y el trabajo. El amor y las relaciones amorosas (del 11 de mayo al 29 de octubre, y a partir del 21 de diciembre). Y el sexo, la transformación personal, el ocultismo, los viajes al extranjero, la religión, la filosofía, la teología y los estudios superiores (a partir del 20 de agosto).

Lo que más te llenará este año será la salud y el trabajo (hasta el 11 de mayo, y del 29 de octubre al 21 de diciembre). El amor y las relaciones amorosas (del 11 de mayo al 29 de octubre, y a partir del 21 de diciembre). Y la religión, la filosofía, la teología, los viajes al extranjero y los estudios superiores (a partir del 20 de agosto).

Salud

(Ten en cuenta que se trata de una perspectiva astrológica de la salud, no de una médica. En el pasado, no había ninguna diferencia, ambas eran idénticas, pero en la actualidad podrían diferir mucho. Para obtener un punto de vista médico, consulta a tu médico de cabecera o a un profesional de la salud).

Tu salud será buena este año, como he señalado. Hasta el 11 de mayo solo un planeta lento formará aspectos desfavorables en tu carta astral (y la mayoría de Libra ni siquiera lo notarán, los nacidos en los últimos días del signo de Libra, del 17 al 23 de octubre, serán los que más lo percibirán). A partir del 12 de mayo Júpiter formará aspectos desfavorables en tu carta astral, pero los de este planeta suelen ser suaves. Tu salud es buena.

Como tu sexta casa de la salud destaca mucho este año, ahora estás pendiente de este aspecto de tu vida. En general, esta actitud es buena, pero este año podrías excederte en ello. Tiendes a hacer una montaña de un grano de arena. A la hipocondría. Ten cuidado. Es mejor que te centres en un estilo de vida y en una dieta saludables que en los achaques que puedas tener.

Por buena que sea tu salud, siempre puedes mejorarla. Préstale más atención a las siguientes zonas vulnerables de tu carta astral.

Los riñones y las caderas. Estas zonas siempre son importantes para los Libra. Te sentará bien trabajar los puntos reflejos de estas partes del cuerpo. Los masajes regulares en las caderas deben formar parte de tu programa de salud habitual, ya que no solo fortalecen los riñones y las caderas, sino también las lumbares.

Los pies. Los pies siempre son importantes para los Libra. Los masajes regulares en los pies son beneficiosos para ti. Te sentará bien trabajar los puntos reflejos de esta parte del cuerpo.

El hígado y los muslos. Estas partes empezaron a ser importantes el 30 de diciembre de 2021, cuando Júpiter ingresó en tu sexta casa. Y lo seguirán siendo hasta el 11 de mayo, y del 29 de octubre al 21 de diciembre. Te sentará bien trabajar los puntos reflejos de estas zonas. Los masajes regulares en los muslos no solo fortalecen esta parte del cuerpo y los riñones, sino también las lumbares (y el colon).

El corazón. Este órgano es muy importante para los que han nacido del 17 al 23 de octubre, es decir, en los últimos días del signo de Libra. Para el resto de Libra, el corazón será importante del 11 de mayo al 29 de octubre, y a partir del 21 de diciembre. El próximo año también será importante. Te sentará bien trabajar los puntos reflejos del corazón. Los masajes torácicos, en especial en el esternón y en la parte superior de la caja torácica, fortalecen el corazón. Lo esencial para este órgano es evitar las preocupaciones y la ansiedad, las dos emociones que lo estresan. Todos los sanadores espirituales comparten esta opinión. Despréndete de las preocupaciones y cultiva la fe. La meditación también va de maravilla para el corazón.

Como Neptuno es tu planeta de la salud, respondes muy bien a las técnicas espirituales de curación. Siempre ha sido así, pero ahora —en los últimos diez años aproximadamente—, respondes mejor aún. Si notas que tu tono vital está bajo, recurre a un sanador espiritual. Muchos Libra están explorando la curación espiritual en estos días, y si no es este tu caso, deberías hacerlo. Volveremos a este tema más adelante. Al estar tu planeta de la salud en un signo de agua, ya lleva diez años ocupándolo, tienes una buena conexión con la energía curativa del elemento agua, y esta energía es muy poderosa. Si estás bajo de ánimos, toma tranquilamente un largo baño. Es bueno para ti sumergirte en aguas naturales, como en el mar, el río, un lago o un manantial. El agua aplicada en cualquier parte del cuerpo que te duela puede ser muy eficaz. Deja que el agua del grifo o de la ducha corra por ella.

Hogar y vida familiar

Tu cuarta casa lleva ya cerca de veinte años siendo poderosa y lo seguirá siendo en este. Plutón la ha estado ocupando y la labor de este planeta es la transformación, es decir, renovarlo todo por medio de la muerte y los nuevos nacimientos. A estas alturas (Plutón se está preparando para abandonar esta casa, por lo visto ya ha llevado a cabo su labor) la situación familiar y doméstica de la mayoría de Libra ha cambiado. Ha habido muertes en la familia, en el sentido literal y metafórico. A lo largo de los años han ocurrido muchos dramas relacionados con la vida y la muerte. Su finalidad era crear tu hogar y tu situación doméstica ideales.

En tu familia ha habido muertes, pero también nacimientos para equilibrar la situación. La naturaleza siempre lo compensa todo. Si toma algo, lo sustituye por otra cosa. Tu hogar y tu familia (y tu vida emocional en general) han mejorado mucho.

La presencia de Plutón, tu planeta de la economía, en tu cuarta casa indica muchas cosas. Ahora el dinero que ganas procede de tu hogar, te llega de tu familia y de los contactos familiares. Cuentas con el gran apoyo de los tuyos. Gastas en tu hogar, pero también obtienes ingresos de este entorno. A lo largo de los años has ido transformando tu hogar en tu lugar de trabajo. Has instalado un despacho o quizá has montado un negocio en él.

Tu vida emocional se ha estado depurando durante muchos años. Y a estas alturas es más pura y nítida que nunca. Plutón en tu cuarta casa indica que a lo largo de los años has hecho muchas reformas en tu hogar, y en este también puedes hacerlas. Si es así, del 25 de enero al 6 de marzo será un buen momento.

Era más probable que cambiaras de domicilio en 2020 que ahora. No hay ningún aspecto adverso en cuanto a ello, pero tampoco ninguno que lo apoye en especial.

Uno de tus padres o figura parental ha vivido muchas clases de experiencias cercanas a la muerte a lo largo del año. Y tal vez viva más de esta índole del 25 de enero al 6 de marzo. Tendrá un buen año en el aspecto económico, ahora está volcado en esta faceta de su vida. Quizá cambie de domicilio (o disfrute de una buena adquisición o de la lucrativa venta de una vivienda) a partir del 11 de mayo. También podría mudarse el próximo año. Si está en edad de concebir, a partir del 12 de mayo es cuando más fértil será.

Tus hermanos o figuras fraternas podrían mudarse este año. Aunque no suele ocurrir en el sentido literal, en realidad se refiere a la adquisición de otra vivienda, a la ampliación del espacio doméstico, a la reforma del hogar, o a la compra de objetos caros para el hogar. Pero los efectos son «como si» se hubieran mudado de casa. Su matrimonio o su relación actual atravesará malos momentos a partir del 20 de agosto.

Tus hijos o figuras filiales son ahora difíciles de tratar por su gran rebeldía y por estar al límite. Tal vez hayan cambiado de domicilio en numerosas ocasiones en los últimos años, y en los próximos podrían hacerlo de nuevo. Están inquietos, sienten el irreprimible deseo de cambiar de entorno y de romper con su situación actual. Su vida emocional es inestable. La meditación les sería de gran ayuda.

La situación familiar y doméstica de tus nietos, en el caso de tenerlos, seguirá siendo la misma.

Profesión y situación económica

Tu casa del dinero no predominará ni será poderosa este año. Ya hace varios años que es así. Tu situación profesional y económica seguirá por lo tanto siendo la misma. Ahora te sientes satisfecho con ella y no necesitas hacer cambios drásticos ni estar pendiente de estas facetas de tu vida. Los problemas económicos de 2020 no parecen haberte afectado demasiado y probablemente te hicieron ganar más dinero aún.

Plutón, tu planeta de la economía, ya lleva cerca de veinte años en Capricornio (y en tu cuarta casa). Y también la ocupará este año. Tu planeta de la economía en Capricornio te da un buen criterio financiero. Una perspectiva a largo plazo del dinero. Ahora tienes buen ojo para las inversiones que valdrán la pena de aquí a muchos años. Abordas el dinero con un enfoque metódico. Piensas a largo plazo y no estás interesado en el «dinero rápido». Gestionas de maravilla el dinero que tienes. Esta habilidad tuya es quizá tan importante como unos mayores ingresos. Haces un buen uso del que tienes.

Esta posición planetaria sigue siendo favorable para los ahorros e inversiones a largo plazo. Ahora tienes una actitud disciplinada en cuanto al dinero. Si todavía no has planeado este tipo de operaciones financieras, este año es ideal para llevarlas a cabo.

Plutón rige las herencias. Y muchos Libra han recibido alguna herencia en los últimos veinte años. Pero en muchas ocasiones no es necesario que ocurra un fallecimiento. Es posible que figures en el testamento de alguien o que te nombren administrador de una propiedad. Muchos Libra se dedican a negociar con las obras de arte y las antigüedades. O al sector inmobiliario. Estas actividades seguirán siendo provechosas como negocio o inversión este año.

Plutón en tu cuarta casa del hogar y de la familia muestra que ahora gastas mucho en estos aspectos de tu vida y que también obtienes ingresos de este medio. Ya he hablado de este tema. Has estado contando con el gran apoyo de tu familia. Tu familia y tus contactos familiares son importantes para tu economía.

Júpiter lleva en tu sexta casa desde el 30 de diciembre de 2021. Este aspecto indica que te saldrá una oportunidad laboral fabulosa. El trabajo de tus sueños.

Tu profesión no predomina este año, ya que tu décima casa está vacía. Solo la visitarán los planetas rápidos y sus efectos serán pasajeros. Tu cuarta casa del hogar y de la familia es más poderosa que tu décima casa de la profesión. Además, buena parte de los planetas lentos se encuentran en el hemisferio nocturno —la mitad inferior— de tu carta astral. De modo que es un año para cultivar el bienestar y la armonía emocional, y para tratar las cuestiones del hogar y de la familia. La armonía emocional te ayudará a triunfar en tu profesión. El problema es que ahora tu actividad laboral no te interesa, no deseas volcarte en este aspecto de tu vida.

El hecho de que la Luna sea tu planeta de la profesión, respalda esta interpretación astrológica. Por lo general, la Luna rige el hogar y la familia. Para la mayoría de Libra el hogar y la familia son ahora su auténtica profesión (aunque se dediquen a actividades mundanas).

Amor y vida social

Este año tu vida amorosa será fabulosa, sobre todo en la última parte de 2022. El benevolente Júpiter ingresará en tu séptima casa el 11 de mayo. La ocupará hasta el 29 de octubre y luego regresará a ella el 21 de diciembre. Pasará cerca de medio año en tu séptima casa del amor.

Si no tienes pareja, es probable que te cases o que inicies una relación que sea «como» un matrimonio. Sobre todo para los Libra que se casen por primera vez. Por lo general, el círculo social aumenta en esta coyuntura planetaria. Conocerás a personas nuevas e importantes para ti. A gente interesante de tu barrio que siempre han estado en él, pero que no conocías. Socializarás más con los vecinos y tus hermanos o figuras fraternas.

Normalmente Júpiter rige a los extranjeros, a las personas religiosas y a las eruditas. Estas son las personas que ahora te atraen y de las que puedes aprender. Esta tendencia también se aprecia en otros aspectos de tu horóscopo. Marte, tu planeta del amor, pasará mucho tiempo (más de cuatro meses) en tu novena casa. Lo cual respalda esta interpretación.

Este año tienes en tu horóscopo los aspectos de alguien que se enamora de su profesor, sacerdote, pastor o imán, de su líder o maestro religioso. Es posible que te surjan oportunidades amorosas en países extranjeros, en celebraciones religiosas o en actos académicos. Las personas de tu facultad o de tu lugar de culto también pueden hacer de Cupido. Al igual que tus hermanos o figuras fraternas, y tus vecinos.

Los aspectos físicos del amor siempre son importantes, pero en estos días no te bastarán. También desearás gozar de compatibilidad filosófica en tu relación. No es necesario que tu pareja y tú coincidáis en todo, pero al menos tenéis que estar en la misma onda. La mayoría de relaciones se rompen más por incompatibilidad filosófica que por cualquier otra razón. Las otras razones no son sino «excusas» para encubrir los problemas filosóficos.

Si te has casado por segunda vez o planeas hacerlo, este año propicia la vida social. Si no tienes pareja, podrías volver a contraer matrimonio. Y si ya mantienes una relación, gozaréis de más romanticismo en vuestra vida conyugal.

Si te has casado por tercera vez o planeas hacerlo, tu vida social aumentará, pero tu vida amorosa seguirá siendo la misma. Si estás casado, seguirás con tu pareja. Y si no tienes pareja, continuarás así.

Tiendes a ser una persona que se enamora a primera vista por naturaleza, pero este año este rasgo es más intenso aún. Ahora vas a por la persona que te atrae. No te andas con rodeos. Si te gusta, se lo haces saber.

Si ya tienes pareja, podéis revitalizar vuestra relación al tomar juntos cursos que os interesen. Un viaje al extranjero también os irá de maravilla en el aspecto conyugal. Al igual que participar juntos en celebraciones religiosas.

Progreso personal

Como Neptuno ya lleva en tu sexta casa de la salud muchos años, estás ahora en el ciclo de explorar las dimensiones espirituales de la salud. Gozas de una conexión muy fuerte e íntima entre ambas cosas. El cuerpo no es más que el lugar donde las enfermedades se manifiestan, pero nunca vienen de él. Siempre, sin excepción, surgen de regiones más sutiles, de los reinos mentales y emocionales. Si bien es bueno aliviar los síntomas (reducir el sufrimiento), no debemos confundirlo con una curación. Esta solo se da cuando se tratan TANTO los síntomas como la causa que los ha provocado. Y esta causa solo se puede abordar a través de la espiritualidad. Este es el reino de la curación espiritual.

La desconexión espiritual, es decir, estar desconectado de la fuente de la vida, de lo Divino, es la causa de cualquier enfermedad en cualquier persona. Pero en tu caso es más espectacular aún. Por eso es tan importante para ti rezar y estar en estado de gracia. Esto siempre es bueno de por sí, pero para ti es vital para estar sano.

No hay nada que el espíritu no pueda curar si se lo permitimos.

A estas alturas, después de todos estos años, ya lo entiendes. Pero siempre hay más cosas que aprender. Y este es un buen año para hacerlo (incluso es mejor que los anteriores). Lee lo máximo posible sobre el tema. Los libros de Ernest Holmes y Emmet Fox son una buena forma de empezar. Estas lecturas te llevarán a otros libros. Se han publicado muchas obras sobre este tema. (Si te interesa conocerlo más a fondo, encontrarás mucha información de este tipo en mi blog www.spiritual-stories.com.

Urano, como he señalado, ya lleva muchos años en tu octava casa, y la seguirá ocupando muchos más. Por eso ahora te gusta experimentar en tu vida sexual. Esta actitud tiene sus ventajas y sus riesgos. Las ventajas son que cada persona responde sexualmente de distinta manera. Cada uno tenemos una forma única de ser en este sentido. Lo que le da placer a una persona, a otra le desagrada. No existe «UNA SOLA MANERA» de disfrutar del sexo. El objetivo de esta actividad es conocernos a nosotros mismos, conocer a nuestra pareja y ver lo que funciona en la relación. Y para lograrlo tenemos que olvidarnos de los manuales y experimentar por nosotros mismos en la vida real. Así es cómo llegamos a conocernos de verdad. Pero los peligros también son reales. En ocasiones, este afán de experimentar puede volverse destructivo y trocarse en canibalismo, necrofilia, sadomasoquismo u otras perversiones similares. Pero el acto sexual es un acto de amor y no de destrucción. Experimenta con el sexo tanto como desees, pero hazlo de forma constructiva.

Saturno lleva en tu quinta casa desde finales de 2020 y la seguirá ocupando este año. Tu reto será imponerles a tus hijos o figuras filiales una buena disciplina. Tienes que encontrar el punto medio. Necesitan que les pongas límites, pero sin crueldad. Este año tenderás a excederte en la disciplina. Sé prudente en este sentido.

Previsiones mes a mes

Enero

Mejores días en general: 4, 5, 13, 14, 23, 24, 31
Días menos favorables en general: 2, 3, 8, 9, 16, 17, 29, 30

Mejores días para el amor: 1, 2, 3, 8, 9, 11, 12, 19, 21, 22, 29, 30
Mejores días para el dinero: 3, 6, 12, 16, 22, 25, 26, 30
Mejores días para la profesión: 2, 3, 11, 12, 16, 17, 23

Vigila tu salud este mes. Aunque sea buena, los aspectos desfavorables de los planetas rápidos podrían causarte algún que otro problema, pero desaparecerá después del 20. De todos modos, cuídate. La buena noticia es que tu sexta casa de la salud es muy poderosa y ahora estás pendiente de este aspecto de tu vida. Fortalece tu salud con masajes en los pies, en el pecho y en las costillas, y con técnicas espirituales de curación. Trabajar los puntos reflejos del corazón también te sentará bien. Y sobre todo, descansa cuando estés cansado. No llegues al agotamiento.

La acción este mes se encuentra en tu hogar y tu familia. El 80 por ciento, y en ocasiones el 90 por ciento de los planetas, están por debajo del horizonte de tu carta astral, en el hemisferio nocturno de tu horóscopo. Tu décima casa de la profesión está vacía, solo la Luna la visitará el 16 y 17. Esta coyuntura muestra un claro mensaje: céntrate en tu situación doméstica —en tu bienestar emocional—, y deja en un segundo plano las cuestiones profesionales. Ahora estás construyendo una infraestructura sobre la que levantar tu carrera con éxito. Estás creando los cimientos para ello. Este es tu trabajo interior. Está teniendo lugar entre bastidores.

Es un mes para realizar progresos psicológicos importantes. Si sigues algún tipo de terapia, avanzarás con pasos agigantados en este sentido. Pero aunque no sigas una terapia formal, también progresarás, ya que el cosmos será tu terapeuta. Los antiguos recuerdos olvidados hace mucho aflorarán en tu mente de manera espontánea. Y los podrás analizar con tu estado de conciencia actual. Esto ya es curativo de por sí. Los episodios que te traumatizaron de niño ahora te harán sonreír.

Venus, tu planeta regente, será retrógrado hasta el 28. Aclárate pues en tus objetivos personales. Asegúrate antes de actuar de que sea eso lo que de verdad quieres.

Tus finanzas progresarán este mes. Plutón, tu planeta de la economía, está recibiendo aspectos positivos, es decir, una gran estimulación. Además, al encontrarse Júpiter en tu sexta casa del trabajo, tienes unos aspectos laborales fabulosos. Las oportunidades laborales con las que sueñas te están llegando.

Marte, tu planeta del amor, estará «fuera de límites» del 12 al 31. Si no tienes pareja, buscarás el amor fuera de tu espacio habitual. Y si ya mantienes una relación, descubrirás que tu cónyuge, pareja o amante actual también se está moviendo fuera de su mundo acostumbrado.

Encontrarás el amor cerca de tu hogar hasta el 25, en tu barrio o quizá con algún vecino. A tus hermanos o figuras fraternas les gusta ahora hacer de Cupido. Te saldrán oportunidades románticas en universidades, conferencias, seminarios, bibliotecas o librerías. Marte ingresará en tu cuarta casa después del 25. El amor seguirá rondando cerca de tu hogar, pero también te puede llegar a través de tu familia o de tus contactos familiares. Se dará una mayor actividad social en tu hogar. Los valores familiares son por lo visto importantes en el amor. La intimidad emocional es ahora tan importante como la física. A Marte le gusta ser agresivo en el amor, es un planeta que tiene que ver con el amor a primera vista. Pero cuando se aloja en el signo de Capricornio (lo hará a partir del 25) se controla más. Y esto es positivo, significa que te lo pensarás antes de lanzarte a una relación.

Febrero

Mejores días en general: 1, 9, 10, 11, 19, 20, 28
Días menos favorables en general: 5, 6, 12, 13, 26, 27
Mejores días para el amor: 5, 6, 7, 8, 17, 18, 26, 27
Mejores días para el dinero: 2, 3, 8, 12, 13, 18, 21, 22, 23, 27
Mejores días para la profesión: 1, 9, 10, 12, 13, 22, 23

Te espera un mes feliz, Libra. Seguirás viviendo uno de tus momentos más placenteros del año hasta el 18 (empezó el 20 de enero). Tu salud está mejorando día a día, pero sigue vigilándola. Ahora te toca divertirte. Disfrutar de la vida. Tomarte unas vacaciones de las preocupaciones y los problemas cotidianos y dejar que la magia de la alegría haga su perfecta labor. Este mes trabajarás incansablemente —tu sexta casa es muy poderosa—, pero como disfrutarás de tu profesión, no te dará la sensación de estar trabajando.

Sigue vigilando tu salud, aunque ahora te cuides más, lo cual es una buena noticia, porque sería más peligroso si ignoraras la situación. Júpiter en tu sexta casa indica que cualquier problema de salud acabará bien. Sigue fortaleciendo tu salud con los métodos citados en las previsiones del mes anterior. Cuando el Sol ingrese en tu sexta casa el 18, te atraerán los métodos de curación alternativos. Aunque sigas con la medicina tradicional, apoyarás las nuevas tecnologías punteras.

El placer personal —el goce de la vida— además de ser bueno en sí te ayudará en tu práctica espiritual. El estrés es uno de los factores que más bloquean el crecimiento espiritual. Lo Divino no está estresado, no trabaja sin tregua, lo lleva a cabo todo con naturalidad y poder. Hasta el 18 gozarás en esta temporada de una gran creatividad personal.

La prosperidad seguirá aumentando este mes. Venus, el regente de tu horóscopo (te representa a ti), está viajando cerca de Plutón, tu planeta de la economía. (Este aspecto será más preciso el próximo mes, pero incluso en este ya lo notarás). Indica un progreso económico y la cercanía con personas adineradas de tu vida. Ahora tu aspecto físico refleja una mayor prosperidad y también te sientes así. Cuentas con el gran apoyo de tu familia.

Como Marte, tu planeta del amor, seguirá «fuera de límites» hasta el 10, seguirás buscando el amor fuera de tu espacio habitual, al igual que el mes anterior. Si ya mantienes una relación, descubrirás que tu cónyuge, pareja o amante actual se está moviendo fuera de su órbita cotidiana. Pero a pesar de ello (quizá por estarlo haciendo) os va de maravilla en el amor. Venus y Marte viajarán juntos del 25 al 28. Este aspecto muestra una relación romántica. Indica una relación estrecha con el ser amado.

El movimiento directo planetario es arrollador este mes. El 90 por ciento de los planetas estarán avanzando hasta el 4, y a partir del 5 TODOS serán directos. Por lo que el ritmo de la vida aumentará. Los acontecimientos sucederán con más rapidez tanto en tu mundo personal como en el mundo en general. Los niños nacidos en este periodo se desarrollarán con presteza en la vida.

El poder de tu sexta casa (será poderosa el año entero) aumentará más todavía después del 18. Si buscas trabajo, te saldrán numerosas oportunidades laborales y todas serán venturosas. Estarás muy solicitado en el mercado laboral en esta temporada. Y si ya tienes un empleo, te llegarán nuevas oportunidades laborales. Tal vez hagas horas extras, o decidas aceptar una oferta con otra compañía o dedicarte al pluriempleo. A tus hijos o figuras filiales la economía les está yendo de maravilla este mes. Por lo visto, las figuras de gurú de tu vida están manteniendo una relación amorosa seria.

Marzo

Mejores días en general: 1, 9, 10, 18, 19, 27, 28
Días menos favorables en general: 4, 5, 11, 12, 13, 25, 26
Mejores días para el amor: 4, 5, 9, 18, 19, 27, 28
Mejores días para el dinero: 2, 3, 8, 11, 12, 18, 21, 22, 26, 30, 31
Mejores días para la profesión: 2, 3, 11, 12, 13, 23

Este mes está repleto de señales positivas para el amor. Marte, tu planeta del amor, está viajando con Venus, el regente de tu horóscopo. Este tránsito que tendrá lugar hasta el 12 muestra una relación amorosa y un gran encanto social (mayor de lo habitual). El Sol ingresará en tu séptima casa el 20 y empezará una de tus mejores temporadas amorosas y sociales del año. (Tu vida amorosa será incluso más estupenda aún en abril). Una aventura amorosa está al caer. Si no tienes pareja, tal vez conozcas a alguien dentro de poco. Y si ya mantienes una relación, te sentirás inusualmente de lo más unido a tu pareja (sobre todo hasta el 12). Tanto Marte como Venus cambiarán de signos este mes, abandonarán Capricornio, entrarán en Acuario el 6, y lo ocuparán el resto del mes. Este aspecto muestra una actitud más experimentadora hacia el amor. Indica goce amoroso. Una actitud juguetona. Ahora te estás divirtiendo en tu relación. Si no tienes pareja, te saldrán oportunidades románticas en los lugares habituales: fiestas, reuniones, cines, balnearios y espacios de recreo. El mundo de Internet y las redes sociales también parecen ser un lugar para las aventuras amorosas.

Tu salud mejorará notablemente este mes, sobre todo después del 6. Pero vuélvela a vigilar a partir del 21. La buena noticia es que tu sexta casa será muy poderosa el mes entero y ahora además te cuidas. Fortalece tu salud con los métodos citados en las previsiones de este año. Tal vez tengas algún que otro problema de salud causado por los aspectos desfavorables de los planetas rápidos, pero durará poco y no será nada serio.

Si buscas trabajo te espera un panorama laboral excelente, y si ya tienes uno, también. Sigues estando muy solicitado en el mercado laboral. Si diriges una empresa, recibirás en esta temporada solicitudes de trabajadores excelentes. Y además aumentarás la plantilla.

Marte y Venus viajarán con Plutón, tu planeta de la economía, del 2 al 4. Este tránsito os trae mayores ingresos tanto a tu pareja como a ti. Y también oportunidades para montar negocios con socios o empresas conjuntas. Ahora estáis cooperando económicamente y os encontráis en la misma onda, coincidís en todo. El Sol y Júpiter viajarán juntos del 4 al 6. Este aspecto también favorece unos mayores ingresos. Tus amigos están prosperando en la vida y pueden ofrecerte oportunidades económicas.

El 6 tu economía no te interesará demasiado. Tu casa del dinero estará vacía (solo la Luna la visitará el 21 y 22). Tu situación económica tenderá a seguir igual. Pero te sentirás a gusto con la situación.

A tus hijos o figuras filiales les sigue yendo de maravilla en lo económico. (Todo este año les ha ido muy bien). Tus padres o figuras parentales también están prosperando y tú por lo visto tienes mucho que ver en ello. Será un buen mes para tus tíos y tías. Están prosperando en la vida.

Abril

Mejores días en general: 5, 6, 15, 16, 23, 24
Días menos favorables en general: 1, 2, 8, 9, 21, 22, 28, 29
Mejores días para el amor: 1, 2, 5, 6, 8, 17, 18, 25, 26, 27, 28, 29
Mejores días para el dinero: 4, 8, 9, 14, 17, 18, 26, 27, 28
Mejores días para la profesión: 1, 2, 8, 9, 10, 11, 20, 21, 30

Te espera un mes feliz y próspero, pero vigila tu salud hasta el 20. Ahora sigues cuidándote, tu sexta casa sigue siendo muy poderosa, y esto es bueno. Fortalece tu salud con los métodos citados en las previsiones de este año. Notarás una mejoría espectacular a partir del 21.

Este mes TODOS los planetas se encuentran en la mitad occidental de tu carta astral, la de la vida social. Salvo la Luna, que visitará ocasionalmente la mitad oriental (del 8 al 20). Tu séptima casa del amor será poderosísima hasta el 20, en cambio tu primera casa del yo está en esencia vacía. Céntrate ahora en los demás y en sus necesidades, es lo que más te conviene, aunque también te apetezca la vida social de la mitad occidental de tu carta astral. Ya no eres tan independiente como en otras épocas, pero te has acostumbrado a conseguir lo que deseas por medio del consenso y la cooperación.

Seguirás viviendo uno de tus mejores momentos amorosos y sociales del año hasta el 20. Las cosas te siguen yendo bien en el amor. El importante tránsito que Marte, tu planeta del amor, hará en Piscis, tu sexta casa, el 15, muestra algunos cambios en tus actitudes amorosas. En esta temporada te tomarás el amor más en serio. Ya no será simplemente una actividad para divertirte y relajarte como antes, sino algo muy idealista y espiritual. En estos días la compatibilidad espiritual será muy importante para ti en una relación. También mostrarás tu amor de formas prácticas, es decir, ayudando a tu pareja. Se tratará de un amor en acción. Tu lugar de trabajo será en esta temporada un espacio para las relaciones amorosas. Si buscas trabajo, te fijarás en los aspectos sociales del trabajo tanto como en otros factores. Es posible que salgas con una persona del trabajo o con alguien que tiene que ver con tu salud. Los profesionales de la salud te atraerán en estos días.

Tu octava casa será muy poderosa a partir del 20. Destacará incluso más aún debido al eclipse solar que ocurrirá en ella el 30. Como los eclipses en la octava casa tienden a ser dramáticos, reduce tu agenda en esta temporada. Este eclipse puede provocar encuentros con la muerte, en general de tipo psicológico. En ocasiones, puede tratarse de una experiencia cercana a la muerte, de un incidente en el que uno se salva de milagro. Tal vez te aconsejen pasar por el quirófano. Tus amigos también pueden vivir experiencias cercanas a la muerte. No es más que el cosmos recordándote que te tomes la vida más en serio, ya que es corta y puede acabar en cualquier momento. De modo que es importante «estar en la casa de mi Padre», como dice la Biblia, y dedicarte a lo que has venido a hacer a este mundo.

Este eclipse le traerá cambios económicos a tu cónyuge, pareja o amante actual. Ahora ya lleva años haciendo cambios importantes, pero el eclipse acelerará las cosas. Tus amistades atravesarán momentos difíciles y tus amigos se enfrentarán a dramas en su vida. Los ordenadores y los aparatos de alta tecnología pueden fallar.

Mayo

Mejores días en general: 2, 3, 4, 12, 13, 21, 30, 31
Días menos favorables en general: 5, 6, 19, 25, 26
Mejores días para el amor: 7, 8, 9, 16, 17, 18, 25, 26
Mejores días para el dinero: 1, 6, 11, 16, 14, 15, 20, 25, 28
Mejores días para la profesión: 5, 6, 10, 11, 20, 30

Será un mes muy ajetreado. El 11 tendrá lugar un importante tránsito de Júpiter de tu sexta casa a la séptima. Tu vida amorosa está progresando ahora más aún. Venus ingresará en tu séptima casa el 3, y Marte el 25. Aunque técnicamente ya no te encuentres en uno de tus mejores momentos amorosos y sociales del año, tu vida social sigue siendo muy activa y feliz.

Como en el mes anterior, TODOS los planetas (salvo la Luna) se encuentran en tu sector preferido, la mitad occidental de tu carta astral, la de la vida social. Este mes, como abril, trata de los demás y de sus necesidades. Ahora tus tendencias de Libra están muy realzadas. El encanto social que siempre emanas es en estos días incluso más intenso.

El otro titular del mes es el eclipse lunar del 16. Ocurrirá en tu casa del dinero y muestra la necesidad de corregir el rumbo de tu economía. Tus ideas, tu planificación y tus estrategias financieras —tus suposiciones en este sentido— no han sido realistas y ahora te verás obligado a cambiar la situación. Como este eclipse afectará a Saturno, tus padres o figuras parentales también lo notarán. Les conviene reducir sus actividades en esta temporada. La Luna, el planeta eclipsado —tu planeta de la profesión—, también rige al otro progenitor o figura parental. Así que tus padres vivirán dramas personales. También es posible que se den cambios profesionales en su vida. Surgirán dramas en la vida de tus jefes y trastornos en la jerarquía de tu compañía o sector. En ocasiones, se puede dar un cambio de profesión, pero la mayoría de las veces no es más que el deseo de cambiar la forma de desempeñarla. Tus hermanos o figuras fraternas también están haciendo cambios en su economía. Surgirán dramas en la vida de los miembros de tu familia y tendrás que hacer reparaciones en el hogar.

El poder planetario se encuentra ahora en su mayor parte por encima del horizonte, en el hemisferio diurno de tu carta astral. El 60 por ciento, y en ocasiones el 70 por ciento de los planetas, ocupan el hemisferio diurno. Ahora es el momento de dedicarte a tu profesión y a tus objetivos externos. (El eclipse te obligará a estar también pendiente de tu hogar, pero cuando lo hayas dejado atrás, céntrate en tu profesión).

Junio

Mejores días en general: 9, 10, 17, 18, 26, 27
Días menos favorables en general: 1, 2, 3, 15, 16, 21, 22, 28, 29, 30

Mejores días para el amor: 4, 6, 7, 13, 14, 16, 21, 22, 26
Mejores días para el dinero: 4, 7, 11, 12, 13, 16, 21, 25
Mejores días para la profesión: 1, 2, 3, 9, 10, 18, 28, 29, 30

Tu séptima casa sigue siendo muy poderosa. Júpiter y Marte la están ocupando. Marte en su propio signo y casa es muy poderoso en tu beneficio. Ahora tu encanto social es de lo más intenso. Tu planeta del amor en Aries hace que en estos días «te enamores a primera vista». Sabes en el acto cuándo alguien es para ti. Eres agresivo en el amor y te lanzas a por la persona que te gusta en un abrir y cerrar de ojos. Te estás volviendo intrépido en el amor. Aunque alguien te rechace, te levantas del suelo y vuelves a intentarlo. Mientras no tengas miedo, triunfarás. Si no tienes pareja, es un buen momento para el matrimonio. Ahora te tomas el amor en serio y estás dispuesto a comprometerte. Tal vez acabes casándote o no pero mantendrás una relación que «será» como un matrimonio.

Te espera un mes feliz. El poder se encontrará en tu novena casa —es benéfica— hasta el 21. Es probable que viajes, sobre todo al extranjero. Te llegarán oportunidades. Si eres estudiante universitario, rendirás en los estudios. La religión, la filosofía y la teología te interesarán mucho en esta temporada, y lo más probable es que hagas grandes progresos filosóficos.

Te espera un mes próspero. El Sol ingresará en tu décima casa el 21 y empezará uno de tus mejores momentos profesionales del año. Como tu planeta de la familia será retrógrado a partir del 4, te conviene volcarte en tu profesión. Los problemas familiares te llevarán su tiempo. No los podrás resolver con rapidez. A tus amigos también les van bien las cosas y te están abriendo puertas. Los conocimientos tecnológicos serán importantes para ti en esta temporada.

Vigila tu salud este mes, sobre todo a partir del 21. Descansa bastante. Fortalece tu salud con los métodos citados en las previsiones de este año.

Tu situación económica ahora es más complicada, ya que Plutón, tu planeta de la economía, es retrógrado. Pero no llegará a frenar tus ingresos, solo los retrasará un poco. Venus formará aspectos favorables con Plutón el 20 y 21, y esta coyuntura te traerá operaciones financieras venturosas.

Julio

Mejores días en general: 6, 7, 14, 15, 23, 24
Días menos favorables en general: 12, 13, 18, 19, 20, 26, 27
Mejores días para el amor: 2, 3, 6, 7, 12, 13, 15, 18, 19, 20, 21, 22, 26
Mejores días para el dinero: 1, 2, 5, 8, 9, 10, 11, 13, 18, 19, 22, 28, 29
Mejores días para la profesión: 8, 9, 17, 26, 27, 28, 29

Sigue centrado en tu profesión, ya que todo continúa igual desde el mes anterior. Tu planeta de la familia sigue siendo retrógrado y tu décima casa de la profesión es incluso ahora más poderosa que en junio. Estás viviendo una temporada de éxito exterior. Aprovecha la buena racha. Cuando Venus ingrese en tu décima casa el 18, triunfarás más aún. Ahora te encuentras en la cima de tu mundo. Los demás te admiran. Te conocen no solo por tus logros profesionales, sino por quien eres y tu porte. Tu aspecto personal jugará un papel muy importante en tu profesión a partir del 18.

Sigue vigilando tu salud. Descansa lo máximo posible y escucha los mensajes de tu cuerpo. Las exigencias de tu profesión son inevitables, pero puedes trabajar de una manera más rítmica y centrarte en lo esencial de tu vida. Olvídate de lo trivial. Si es posible, pasa más tiempo en un balneario o programa más sesiones de masaje o tratamientos de salud. Fortalece tu salud con los métodos citados en las previsiones de este año.

Marte, tu planeta del amor, cruzará tu séptima casa el 5 e ingresará en la octava. Este tránsito muestra algunos cambios en tus actitudes amorosas. Si no tienes pareja, el magnetismo sexual será lo que más te atraerá en esta temporada. En general, te espera un mes sexualmente activo.

Tu situación económica será más complicada hasta el 23. Plutón está recibiendo aspectos desfavorables y además es retrógrado. Las ganancias llegarán, pero te costará más obtenerlas y habrá más retrasos. La buena noticia es que tu cónyuge, pareja o amante actual está teniendo un mes muy bueno en el terreno económico y te ayudará a recuperarte de este bache. Tu economía mejorará a partir del 24, pero los ingresos te llegarán con más retrasos.

Tu vida social es activa y feliz tanto en el aspecto romántico como en el de las amistades. Cuando el Sol ingrese en tu undécima casa el 23, participarás en grupos y en actividades grupales. Ahora tienes éxito en esta faceta de tu vida, ya que el Sol rige tu undécima casa y es poderoso en su propio signo y casa. Es un buen momento para aumentar tus conocimientos de ciencia, tecnología, astronomía y astrología. Muchas personas piden que les tracen el horóscopo personal cuando tienen este tipo de tránsitos. También es una buena temporada para comprar equipos o aparatos de alta tecnología. Tus elecciones tenderán a ser buenas.

La actividad retrógrada aumentará este mes. El 30 por ciento de los planetas retrocederán en el firmamento hasta el 28. A partir del 29, lo harán el 40 por ciento. Pero por suerte como tu planeta de la profesión nunca es retrógrado, tu carrera no se verá afectada.

Agosto

Mejores días en general: 2, 3, 11, 12, 20, 21, 29, 30
Días menos favorables en general: 9, 10, 15, 16, 22, 23
Mejores días para el amor: 1, 4, 5, 9, 10, 15, 16, 18, 19, 25, 26, 29
Mejores días para el dinero: 4, 5, 7, 10, 15, 18, 25, 28
Mejores días para la profesión: 7, 8, 16, 22, 23

Tu salud ha mejorado mucho y después del 12 será mejor aún. Ahora tienes un montón de energía para alcanzar tus objetivos.

Este mes seguirás manteniendo una gran actividad social. Tu séptima casa de las relaciones amorosas es poderosa —Júpiter la ocupa—, y tu undécima casa de los amigos, los grupos y las actividades grupales, es incluso más poderosa todavía que el mes anterior. Gozarás tanto de amor como de amistades en esta temporada. Marte, tu planeta del amor, ingresará en tu novena casa el 20 y la ocupará el resto del año. Este tránsito cambiará tus actitudes y necesidades amorosas. Antes del 20, el sexo y el magnetismo sexual eran el súmmum para ti. Pero a partir del 21 desearás que haya más compatibilidad intelectual y filosófica en tu relación. Aunque se le eche la culpa a otros factores, la mayoría de relaciones se rompen por las diferencias filosóficas, por ver el mundo de distinta forma y no compartir valores esenciales. Aunque no sea necesario coincidir en todo, necesitarás estar en la misma onda con tu pareja en el sentido filosófico. Tu planeta del amor en tu novena casa propicia que ahora te atraigan los extranjeros, las personas eruditas y elegantes, y las religiosas. Surgirán oportunidades amorosas y sociales en la universidad o en actos académicos, en tu lugar de culto, en celebraciones religiosas, o en el extranjero. Si ya tienes pareja, un viaje al extranjero os irá de maravilla en vuestra relación.

Los estudiantes que desean ingresar en una facultad, tendrán en cuenta tanto los aspectos sociales como los académicos a la hora de elegirla.

Marte viajará con Urano el 1 y 2, y este tránsito favorece que tengas una aventura amorosa, aunque no significa que vaya a ser nada serio. Como es un aspecto dinámico, sé más consciente en el plano físico. A tu cónyuge, pareja o amante actual también le conviene serlo.

Tu economía se complicará el 8 y 9. Ahora tienes una actitud «distante» con el dinero y con las personas adineradas de tu vida. Tu carrera, la posición social y el prestigio son mucho más importantes para ti que el dinero. Pero seguirás teniendo un gran éxito en esta parcela de tu vida hasta el 12. Después de esta fecha, habrás alcanzado tus metas profesionales, al menos las inmediatas, y podrás dedicarte a otras cosas.

Tu situación económica mejorará después del 12, ya que habrán desaparecido los aspectos desfavorables que recibía Plutón. Pero como este planeta seguirá siendo retrógrado y tu casa del dinero aún está vacía, las finanzas no te interesarán demasiado. Tu situación económica seguirá siendo la misma después del 12. (Pero mejorará el próximo mes).

Si bien la mitad oriental de tu carta astral, la del yo, no es la que predomina, es su momento más poderoso del año. Serás más independiente en esta temporada. Y en los dos próximos meses lo serás más aún. Ten en cuenta las necesidades de los demás, pero haz los cambios necesarios para ser feliz. Puedes ser un poco más asertivo de lo que lo fuiste el año pasado. (Sin duda, no te excederás en ello).

Septiembre

Mejores días en general: 7, 8, 16, 17, 26, 27
Días menos favorables en general: 5, 6, 11, 12, 18, 19, 20
Mejores días para el amor: 4, 5, 7, 8, 11, 12, 13, 14, 15, 16, 17, 26, 27
Mejores días para el dinero: 1, 2, 3, 6, 11, 14, 15, 21, 24, 28, 29, 30
Mejores días para la profesión: 5, 6, 14, 15, 18, 19, 20, 25, 26

Tu vida espiritual se volvió importante el 23 de agosto y lo seguirá siendo hasta el 23 de septiembre. Eres un ser social por naturaleza, pero ahora quizá necesites estar más tiempo a solas. No te preocupes, no te estás convirtiendo en un ermitaño, simplemente quieres estar más tiempo en contacto contigo mismo y con tu aura. Es un deseo natural cuando tu duodécima casa es poderosa. Lo mejor para el crecimiento espiritual —esta temporada te dedicarás a él— es la soledad y la ausencia de distracciones mundanas.

Como la actividad retrógrada ha alcanzado su punto máximo del año, aprovecha la situación para recluirte y desarrollar tu vida espiritual, ya que en el mundo no ocurrirá gran cosa más. El ritmo de la vida llegará a su punto más bajo del año. Además, cuando las puertas se cierran en el plano físico, lo mejor es dedicarse al mundo espiritual. Las puertas espirituales siempre están abiertas.

Cuando el Sol ingrese en tu primera casa el 23, empezará uno de tus momentos más placenteros del año. Gozarás de los placeres sensuales. Mimarás más tu cuerpo. Tu aspecto físico, tu salud y tu energía también mejorarán. El Sol te aportará un aura de estrella y un gran carisma.

Como tu primera casa será poderosa a partir del 23, haz los cambios necesarios para ser feliz. Ama a los demás, pero ocúpate sobre todo de ti.

Tu salud será buena este mes y mejorará más todavía a partir del 24. El inusual gran trígono que tendrá lugar en los signos de aire, tu elemento natal, potenciará más incluso tu salud. Pero además realzará tus facultades intelectuales y tu capacidad de comunicación. Si te dedicas a la escritura, la docencia, las ventas, el marketing, la publicidad o las relaciones públicas, las cosas te irán de maravilla en estos campos. Uno de los problemas de un exceso de aire —y en especial para ti— es que la mente se sobreestimula con gran facilidad. Uno no deja de darle vueltas a las cosas, pensando en lo mismo constantemente. Y también tiende a hablar demasiado. Y esta actividad vampiriza la energía que el cuerpo necesita para dedicarse a otras cosas, como la recuperación física, la renovación celular, la digestión y otras funciones. Ten cuidado en este sentido.

El gran trígono en los signos de tierra (este mes habrá dos grandes trígonos en tu carta astral) le dará impulso a tu economía. Plutón seguirá siendo retrógrado, pero recibirá aspectos favorables del Sol el 17 y 18, y de Venus el 25 y 26. Serán unos días de pago excelentes. Pero el gran trígono te ayudará además económicamente de otras formas. Hará que tengas una actitud realista ante la vida. Y aumentará tus habilidades directivas. Te permitirá crear una atmósfera placentera en el plano material.

Tu vida amorosa seguirá como la he descrito el mes anterior. Marte continuará alojado en Géminis, tu novena casa, todo el mes.

Octubre

Mejores días en general: 4, 5, 13, 14, 23, 24
Días menos favorables en general: 2, 3, 9, 10, 16, 17, 30
Mejores días para el amor: 4, 5, 9, 10, 13, 14, 15, 24, 25
Mejores días para el dinero: 3, 8, 9, 12, 18, 22, 25, 26, 27
Mejores días para la profesión: 4, 5, 13, 14, 16, 17, 25

Te espera un mes feliz y próspero, Libra, disfrútalo.

Seguirás viviendo una de tus temporadas más placenteras del año hasta el 23. Y aunque la actividad retrógrada haya disminuido comparada con la del mes anterior, continúa siendo intensa. Así que pásatelo bien. Disfruta de los placeres de los sentidos. Mima tu cuerpo. Recompénsalo por el valioso servicio que te presta. Como Venus ocupará tu signo hasta el 23, es un buen momento para embellecer el cuerpo y comprar ropa y accesorios. Naciste con un buen gusto estético, pero este mes será mayor aún. Acertarás en tus compras.

Tu vida amorosa también es ahora feliz. Luces un aspecto fabuloso. Tu autoestima y tu confianza están en su mejor momento del año. Tu encanto social también es portentoso. Venus forma aspectos favorables con Marte, tu planeta del amor. Y además, aunque seas más independiente que de costumbre, esta actitud no le afecta al amor. El único problema es el movimiento retrógrado de Marte el 30. Pero en buena parte del mes no tendrás ningún problema en este aspecto de tu vida.

Cuando el Sol (y Venus) ingrese en tu casa del dinero el 23, empezará uno de tus mejores momentos profesionales del año. Será una temporada próspera. Plutón recibirá aspectos favorables a partir del 24. Las ganancias te llegarán antes de esta fecha, pero con más dificultad.

El eclipse solar que tendrá lugar en tu casa del dinero el 25, te obligará a hacer cambios económicos importantes. Los eventos del eclipse te mostrarán en qué sentido tus ideas (y suposiciones) no han estado siendo realistas y deberás corregir el rumbo de tu economía. Los resultados serán buenos a la larga, pero cuando la situación te ocurra no será demasiado agradable. El eclipse no te afectará con fuerza, pero reduce tu agenda de todos modos. Por lo visto, les afectará más a las personas adineradas de tu vida y a las implicadas en tus finanzas. También les convendrá reducir su agenda. Cada eclipse solar trae dramas con los amigos y pone a prueba las amistades, y este no es una excepción. Es posible que los ordenadores y el equipo de alta tecnología fallen. Tal vez no funcionen adecuadamente. (Sin duda, los fenómenos planetarios afectan a los objetos físicos —sobre todo a los delicados, como los ordenadores y el software— aunque no se sabe CÓMO ocurre).

Noviembre

Mejores días en general: 1, 2, 10, 11, 19, 20, 28, 29
Días menos favorables en general: 5, 6, 12, 13, 26, 27
Mejores días para el amor: 1, 2, 3, 4, 5, 6, 10, 11, 13, 19, 20, 23, 24, 28, 29
Mejores días para el dinero: 4, 8, 9, 14, 18, 22, 23, 27
Mejores días para la profesión: 3, 4, 12, 13, 14, 23

El consenso entre los astrólogos es que un eclipse solar es más potente que uno lunar. Pero no es más que una gran generalización y no siempre es así. Como lo ilustra el caso del eclipse lunar del 8. Al afectar a otros muchos planetas más que el último eclipse solar, es definitivamente más poderoso. No solo afectará a la Luna, sino además a Mercurio, Urano y Venus (unos planetas especialmente importantes para ti). Además será un eclipse total, en cambio el último eclipse solar fue parcial. Afectará a tu personalidad y al mundo en general.

Este es el principal titular del mes.

El eclipse tendrá lugar en tu octava casa y puede traer encuentros con la muerte (en general en el aspecto psicológico).

También puede generar experiencias cercanas a la muerte y sueños sobre la muerte. Como la Luna es tu planeta de la profesión, producirá cambios laborales. Por lo general, se tratará de trastornos en la jerarquía empresarial o en tu sector. También puede traer cambios en las normas de tu sector. Y en ocasiones, cambios de profesión. Tus padres o figuras parentales, tus jefes, y las personas mayores de tu vida, vivirán dramas personales. Los efectos del eclipse sobre Mercurio generarán cambios espirituales relacionados con las enseñanzas, los maestros y las prácticas que sigues. Surgirán problemas en la organización espiritual o benéfica de la que formas parte. Acaecerán dramas en tu lugar de culto. Y también en la vida de tus líderes religiosos. Tus creencias religiosas y filosóficas serán puestas a prueba, y tendrás que revisar algunas y descartar otras. Después del eclipse vivirás la vida de otro modo. Si eres un estudiante universitario, el eclipse te afectará. Es posible que cambie el plan de estudios, tal vez de repente. O puede que cambies de universidad. A tus hijos o figuras filiales también les afectará el eclipse. Les conviene reducir sus actividades en este periodo. Extrema las precauciones para que no corran ningún peligro.

A pesar del eclipse, será un mes próspero. Los cambios que hagas serán positivos. Seguirás viviendo una de tus mejores temporadas económicas del año hasta el 22.

Tu salud también es buena.

Diciembre

Mejores días en general: 7, 8, 17, 18, 25, 26
Días menos favorables en general: 2, 3, 9, 10, 11, 23, 24, 29, 30
Mejores días para el amor: 2, 3, 7, 8, 14, 17, 18, 23, 24, 25, 26, 29, 30
Mejores días para el dinero: 1, 6, 11, 15, 16, 19, 20, 21, 24, 29
Mejores días para la profesión: 2, 3, 9, 10, 11, 13, 22, 23

Tu planeta del amor seguirá siendo retrógrado este mes, pero tu vida amorosa irá mejorando cada vez más. No es aconsejable tomar decisiones amorosas importantes a largo plazo en este momento. Las cosas no son lo que parecen. Júpiter retrocedió a tu sexta casa el 29 de octubre y volverá a ingresar en la séptima el 21. Y la ocupará hasta el próximo año. Así que te surgirán relaciones amorosas (e incluso el matrimonio). Tus hermanos o figuras fraternas están implicados en tu vida amorosa. Y quizá también los vecinos. Ahora te atraen las personas extranjeras, pero podrían vivir en la puerta de al lado de tu casa. No es necesario viajar para encontrar el amor.

Tu tercera casa de la comunicación y los intereses intelectuales será poderosa hasta el 22. Es una buena época para los alumnos de primaria o secundaria. Se concentrarán y rendirán en los estudios. Y aunque no seas un estudiante, tus facultades intelectuales son ahora mayores de lo habitual y es un buen mes para leer y estudiar más, o para asistir a cursos que te interesen.

El Sol ingresará en tu cuarta casa el 22. Entrarás en la etapa del medio cielo de tu año. En esta temporada podrás dejar en un segundo plano tu profesión por un tiempo y dedicarte a tu hogar y tu familia. Si quieres progresar en tu carrera, hazlo con los métodos nocturnos en lugar de con los diurnos. Sueña más. Visualiza dónde quieres llegar profesionalmente. Procura sentir que ya «lo has alcanzado». Y más adelante, cuando los planetas cambien a la cúspide de tu carta astral, ya podrás actuar abiertamente de manera espontánea (y poderosa).

Tu economía será buena este mes. Plutón, tu planeta de las finanzas, empezó a ser directo el 8 de octubre, y este mes recibirá buenos aspectos. (El próximo mes recibirá unos mejores aspectos aún). Te sentirás lleno de confianza en el terreno económico y tu poder adquisitivo será mayor.

Vigila más tu salud a partir del 22. Tal vez tengas algún que otro achaque debido a los aspectos desfavorables de los planetas rápidos, pero durará poco y no será nada serio. Descansa bastante y relájate más. La baja energía puede hacerte vulnerable a invasiones oportunistas. Fortalece tu salud con los métodos citados en las previsiones de este año.

Escorpio

♏

El Escorpión
Nacidos entre el 23 de octubre y el 22 de noviembre

Rasgos generales

ESCORPIO DE UN VISTAZO

Elemento: Agua

Planeta regente: Plutón
  Planeta corregente: Marte
  Planeta de la profesión: el Sol
  Planeta de la salud: Marte
  Planeta del amor: Venus
  Planeta del dinero: Júpiter
  Planeta del hogar y la vida familiar: Urano

Color: Rojo violáceo
  Color que favorece el amor, el romance y la armonía social: Verde
  Color que favorece la capacidad de ganar dinero: Azul

Piedras: Sanguinaria, malaquita, topacio

Metales: Hierro, radio, acero

Aromas: Flor del cerezo, coco, sándalo, sandía

Modo: Fijo (= estabilidad)

Cualidad más necesaria para el equilibrio: Visión más amplia de las cosas

Virtudes más fuertes: Lealtad, concentración, determinación, valor, profundidad

Necesidades más profundas: Penetración y transformación

Lo que hay que evitar: Celos, deseo de venganza, fanatismo

Signos globalmente más compatibles: Cáncer, Piscis

Signos globalmente más incompatibles: Tauro, Leo, Acuario

Signo que ofrece más apoyo laboral: Leo

Signo que ofrece más apoyo emocional: Acuario

Signo que ofrece más apoyo económico: Sagitario

Mejor signo para el matrimonio y/o las asociaciones: Tauro

Signo que más apoya en proyectos creativos: Piscis

Mejor signo para pasárselo bien: Piscis

Signos que más apoyan espiritualmente: Cáncer, Libra

Mejor día de la semana: Martes

La personalidad Escorpio

Un símbolo del signo de Escorpio es el ave fénix. Si meditamos sobre la leyenda del fénix podemos comenzar a comprender el carácter de Escorpio, sus poderes, capacidades, intereses y anhelos más profundos.

El fénix de la mitología era un ave capaz de recrearse y reproducirse a sí misma. Lo hacía de la manera más curiosa: buscaba un fuego, generalmente en un templo religioso, se introducía en él y se consumía en las llamas, y después renacía como un nuevo pájaro. Si eso no es la transformación más profunda y definitiva, ¿qué es entonces?

Transformación, eso es lo que los Escorpio son en todo, en su mente, su cuerpo, sus asuntos y sus relaciones (son también transformadores de la sociedad). Cambiar algo de forma natural, no artificial, supone una transformación interior. Este tipo de cambio es radical, en cuanto no es un simple cambio cosmético. Algunas personas creen que transformar sólo significa cambiar la apariencia, pero no es ese el tipo de cambio que interesa a los Escorpio. Ellos buscan el cambio profundo, fundamental. Dado que el verdadero cambio siempre procede del interior, les interesa mucho el aspecto interior, íntimo y filosófico de la vida, y suelen estar acostumbrados a él.

Los Escorpio suelen ser personas profundas e intelectuales. Si quieres ganar su interés habrás de presentarles algo más que una imagen superficial. Tú y tus intereses, proyectos o negocios habréis de tener verdadera sustancia para estimular a un Escorpio. Si no hay verdadera sustancia, lo descubrirá y ahí terminará la historia.

Si observamos la vida, los procesos de crecimiento y decadencia, vemos funcionar todo el tiempo los poderes transformadores de Escorpio. La oruga se convierte en mariposa, el bebé se convierte en niño y después en adulto. Para los Escorpio esta transformación clara y perpetua no es algo que se haya de temer. La consideran una parte normal de la vida. Esa aceptación de la transformación les da la clave para entender el verdadero sentido de la vida.

Su comprensión de la vida (incluidas las flaquezas) hace de los nativos de Escorpio poderosos guerreros, en todos los sentidos de la palabra. A esto añadamos su profundidad y penetración, su paciencia y aguante, y tendremos una poderosa personalidad. Los Escorpio tienen buena memoria y a veces pueden ser muy vengativos; son capaces de esperar años para conseguir su venganza. Sin embargo, como amigos, no los hay más leales y fieles. Poca gente está dispuesta a hacer los sacrificios que hará una persona Escorpio por un verdadero amigo.

Los resultados de una transformación son bastante evidentes, aunque el proceso es invisible y secreto. Por eso a los Escorpio se los considera personas de naturaleza reservada. Una semilla no se va a desarrollar bien si a cada momento se la saca de la tierra y se la expone a la luz del día. Debe permanecer enterrada, invisible, hasta que comience a crecer. Del mismo modo, los Escorpio temen revelar demasiado de sí mismos o de sus esperanzas a otras personas. En cambio, se van a sentir más que felices de mostrar el producto acabado, pero sólo cuando esté acabado. Por otro lado, les encanta conocer los secretos de los demás, tanto como les disgusta que alguien conozca los suyos.

Situación económica

El amor, el nacimiento, la vida y la muerte son las transformaciones más potentes de la Naturaleza, y a los Escorpio les interesan. En nuestra sociedad el dinero es también un poder transformador y por ese motivo los Escorpio se interesan por él. Para ellos el dinero es poder, produce cambios y gobierna. Es el poder del dinero lo que los fascina. Pero si no tienen cuidado, pueden ser demasiado materialistas y dejarse impresionar excesivamente por el poder del dinero, hasta el punto de llegar a creer que el dinero gobierna el mundo.

Incluso el término plutocracia viene de Plutón, que es el regente de Escorpio. De una u otra manera los nativos de este signo consiguen la posición económica por la que luchan. Cuando la alcanzan, son cautelosos para manejar su dinero. Parte de esta cautela es en realidad una especie de honradez, porque normalmente los Escorpio trabajan con el dinero de otras personas, en calidad de contables, abogados, agentes de Bolsa, asesores bursátiles o directivos de empresa, y cuando se maneja el dinero de otras personas hay que ser más prudente que al manejar el propio.

Para lograr sus objetivos económicos, los nativos de Escorpio han de aprender importantes lecciones. Es necesario que desarrollen cualidades que no tienen naturalmente, como la amplitud de visión, el optimismo, la fe, la confianza y, sobre todo, la generosidad. Necesitan ver la riqueza que hay en la Naturaleza y en la vida, además de las formas más obvias del dinero y el poder. Cuando desarrollan esta generosidad, su potencial financiero alcanza la cima, porque Júpiter, señor de la opulencia y de la buena suerte, es el planeta del dinero en su carta solar.

Profesión e imagen pública

La mayor aspiración de los nativos de Escorpio es ser considerados fuente de luz y vida por la sociedad. Desean ser dirigentes, estrellas. Pero siguen un camino diferente al de los nativos de Leo, las otras estrellas del zodiaco. Un Escorpio llega a su objetivo discretamente, sin alardes, sin ostentación; un Leo lo hace abierta y públicamente. Los Escorpio buscan el encanto y la diversión de los ricos y famosos de modo discreto, secreto, encubierto.

Por naturaleza, los Escorpio son introvertidos y tienden a evitar la luz de las candilejas. Pero si quieren conseguir sus más elevados objetivos profesionales, es necesario que se abran un poco y se expresen más. Deben dejar de esconder su luz bajo un perol y permitirle que ilumine. Por encima de todo, han de abandonar cualquier deseo de venganza y mezquindad. Todos sus dones y capacidades de percibir en profundidad las cosas se les concedieron por un importante motivo: servir a la vida y aumentar la alegría de vivir de los demás.

Amor y relaciones

Escorpio es otro signo del zodiaco al que le gustan las relaciones comprometidas, claramente definidas y estructuradas. Se lo piensan mucho antes de casarse, pero cuando se comprometen en una relación tienden a ser fieles, y ¡Dios ampare a la pareja sorprendida o incluso sospechosa de infidelidad! Los celos de los Escorpio son legendarios. Incluso pueden llegar al extremo de detectar la idea o intención de infidelidad, y esto puede provocar una tormenta tan grande como si de hecho su pareja hubiera sido infiel.

Los Escorpio tienden a casarse con personas más ricas que ellos. Suelen tener suficiente intensidad para los dos, de modo que buscan a personas agradables, muy trabajadoras, simpáticas, estables y transigentes. Desean a alguien en quien apoyarse, una persona leal que los respalde en sus batallas de la vida. Ya se trate de su pareja o de un amigo, para un Escorpio será un verdadero compañero o socio, no un adversario. Más que nada, lo que busca es un aliado, no un contrincante.

Si estás enamorado o enamorada de una persona Escorpio, vas a necesitar mucha paciencia. Lleva mucho tiempo conocer a los Escorpio, porque no se revelan fácilmente. Pero si perseveras y tus intenciones son sinceras, poco a poco se te permitirá la entrada en las cámaras interiores de su mente y su corazón.

Hogar y vida familiar

Urano rige la cuarta casa solar de Escorpio, la del hogar y los asuntos domésticos. Urano es el planeta de la ciencia, la tecnología, los cambios y la democracia. Esto nos dice mucho acerca del comportamiento de los Escorpio en su hogar y de lo que necesitan para llevar una vida familiar feliz y armoniosa.

Los nativos de Escorpio pueden a veces introducir pasión, intensidad y voluntariedad en su casa y su vida familiar, que no siempre son el lugar adecuado para estas cualidades. Estas virtudes son buenas para el guerrero y el transformador, pero no para la persona que cría y educa. Debido a esto (y también a su necesidad de cambio y transformación), los Escorpio pueden ser propensos a súbitos cambios de residencia. Si no se refrena, el a veces inflexible Escorpio puede producir alboroto y repentinos cataclismos en la familia.

Los Escorpio necesitan desarrollar algunas de las cualidades de Acuario para llevar mejor sus asuntos domésticos. Es necesario que fomenten un espíritu de equipo en casa, que traten las actividades familiares como verdaderas relaciones en grupo, porque todos han de tener voz y voto en lo que se hace y no se hace, y a veces los Escorpio son muy tiranos. Cuando se vuelven dictatoriales, son mucho peores que Leo o Capricornio (los otros dos signos de poder del zodiaco), porque Escorpio aplica la dictadura con más celo, pasión, intensidad y concentración que estos otros dos signos. Lógicamente, eso puede ser insoportable para sus familiares, sobre todo si son personas sensibles.

Para que un Escorpio consiga todos los beneficios del apoyo emocional que puede ofrecerle su familia, ha de liberarse de su conservadurismo y ser algo más experimental, explorar nuevas técnicas de crianza y educación de los hijos, ser más democrático con los miembros de la familia y tratar de arreglar más cosas por consenso que por edictos autocráticos.

Horóscopo para el año 2022*

Principales tendencias

Tu salud y energía son mejores que el año anterior, pero sigue vigilándolas de todos modos, ya que hay dos poderosos planetas lentos formando una alineación desfavorable en tu carta astral. Descansa bastante. Volveremos a este tema más adelante.

2022 será un año feliz, un año divertido. Tu quinta casa es muy poderosa, en especial hasta el 11 de mayo, y del 29 de octubre al 21 de diciembre. Lo será durante cerca de medio año. Ahora te toca explorar el lado divertido de la vida. Es el momento ideal para las aficiones creativas. Si estás en edad de concebir, serás más fértil que de costumbre. En general es bueno (y además llena) pasar tiempo con tus hijos.

Tu economía será excelente este año, en especial hasta el 11 de mayo, y del 29 de octubre al 21 de diciembre. Te saldrán unas oportunidades laborales excelentes del 11 de mayo al 29 de octubre, y a partir del 21 de diciembre. Si no tienes trabajo, no estarás desempleado por mucho tiempo. Y si ya estás trabajando, te ofrecerán un trabajo mejor en tu empresa actual o en otra nueva. Volveremos a este tema más adelante.

Saturno lleva en tu cuarta casa desde el 18 de diciembre de 2020 y la seguirá ocupando este año. Por eso tu situación familiar y doméstica te parece una carga. Ahora te estás haciendo responsable de más tareas en tu hogar. Volveremos a este tema más adelante.

Urano ya lleva varios años en tu séptima casa del amor y la seguirá ocupando varios más. Este aspecto pone a prueba los matrimonios y las relaciones duraderas. Y por si esto fuera poco, los cuatro eclipses que se darán este año también repercutirán en esta faceta de tu vida. Tu vida amorosa puede ser turbulenta. Volveremos a este tema más adelante.

Marte pasará una cantidad inusual de tiempo en tu octava casa este año, más de cuatro meses. Normalmente pasa un mes y

---

* Las previsiones de este libro se basan en el Horóscopo Solar y en todos los signos derivados del mismo: tu signo solar se convierte en el Ascendente, y las casas se numeran a partir de él. Tu horóscopo personal, el trazado concretamente para ti (según la fecha, hora y lugar exactos de tu nacimiento) podría modificar lo que se indica aquí. Joseph Polansky.

medio en un signo. Este aspecto implica un contundente mensaje. Tal vez tengas que someterte a una intervención quirúrgica, o te recomienden una. Es posible que tus hijos o figuras filiales se enfrenten a cambios económicos. Volveremos a este tema más adelante.

Plutón ya lleva ahora cerca de veinte años en tu tercera casa. Es un tránsito muy duradero. Y la seguirá ocupando este año, pero se está preparando para abandonarla. Este aspecto repercute en tus hermanos o figuras fraternas, y en tus vecinos. Tu barrio se ha transformado totalmente a lo largo de los años. Tus hermanos o figuras fraternas han estado llevando una vida tormentosa y agitada. Los estudiantes de primara o secundaria han estado aprendiendo con más lentitud, pero han asimilado más lo aprendido.

Las áreas que más te interesarán este año serán la comunicación y los intereses intelectuales. El hogar y la familia. Los hijos, la diversión y la creatividad. La salud y el trabajo (del 11 de mayo al 29 de octubre, y a partir del 21 de diciembre). Y el amor y las relaciones amorosas.

Lo que más te llenará este año serán los hijos, la diversión y la creatividad (hasta el 11 de mayo, y del 29 de octubre al 21 de diciembre). La salud y el trabajo (del 11 de mayo al 29 de octubre, y a partir del 21 de diciembre). Y el amor y las relaciones amorosas.

Salud

(Ten en cuenta que se trata de una perspectiva astrológica de la salud, no de una médica. En el pasado, no había ninguna diferencia, ambas eran idénticas, pero en la actualidad podrían diferir mucho. Para obtener un punto de vista médico, consulta a tu médico de cabecera o a un profesional de la salud).

Tu salud, como he señalado, ha mejorado mucho en el transcurso del último año, pero te conviene seguirla vigilando. La buena noticia es que al volverse tu sexta casa tan poderosa a partir del 12 de mayo, te centrarás en este aspecto de tu vida. Te cuidarás. Serás precavido.

Pero puedes hacer muchas cosas para fortalecer tu salud y evitar que surjan los problemas físicos. Presta más atención a las siguientes áreas vulnerables de tu carta astral.

El corazón. Este órgano se volvió importante en los últimos años y en especial en el anterior. Y este año lo sigue siendo. Te sentará bien trabajar los puntos reflejos del corazón. Los masajes torácicos, sobre todo en el esternón y en la parte superior de la caja torácica, también lo fortalecen. Lo importante para el corazón es cultivar la fe y abandonar las preocupaciones y la ansiedad. Los sanadores espirituales coinciden en que los problemas cardíacos vienen de las preocupaciones y la ansiedad.

El hígado y los muslos. Estas partes del cuerpo se volverán importantes a partir del 12 de mayo, cuando Júpiter ingrese en tu sexta casa. Y el año próximo también lo serán. Te sentará bien trabajar los puntos reflejos de estas zonas. Los masajes regulares en los muslos no solo fortalecen el hígado, sino también las lumbares y el colon.

El colon, la vejiga y los órganos sexuales. Estas áreas son siempre importantes para los Escorpio, y este año no es una excepción. Te sentará bien trabajar los puntos reflejos de estas partes del cuerpo. Practicar sexo seguro y mantener una actividad sexual moderada sigue siendo importante en tu vida.

La cabeza y el rostro. Estas partes son siempre importantes para los Escorpio. Incluye en tu programa de salud los masajes regulares en el cuero cabelludo y en la cara. Estos masajes no solo fortalecen la cabeza y el rostro, sino el cuerpo entero. La terapia craneosacral también es excelente para ti.

Las suprarrenales. Estas glándulas son siempre importantes para los Escorpio. Trabajar sus puntos reflejos te sentará bien. Lo importante es evitar la ira y el miedo, las dos emociones que las sobrecargan. La meditación va de maravilla para ello.

La musculatura. No hace falta que seas un culturista con unos músculos de infarto, lo único que necesitas es tener un buen tono muscular. Unos músculos débiles o fofos pueden desalinear la columna y el esqueleto, y esto podría causarte todo tipo de problemas adicionales. Así que es importante que hagas ejercicio físico vigoroso de acuerdo con tu edad y con la etapa de tu vida.

Los pulmones, los brazos, los hombros y el sistema respiratorio. Estas partes del cuerpo se volverán importantes a partir del 20 de agosto. Tu planeta de la salud «acampará», es decir, se establecerá en Géminis más de cuatro meses. Te irá bien trabajar los puntos reflejos de estas zonas.

El tiempo inusualmente largo que Marte pasará en tu octava casa (a partir del 20 de agosto) muestra que te podrían recomendar una intervención quirúrgica. Tal vez te parezca una forma rápida de sacarte de encima un problema de salud. (Tienes esta tendencia por naturaleza, pero en esta temporada será incluso mayor). Sin embargo, las dietas depurativas pueden hacer el mismo efecto, lo único que llevan más tiempo. Estudia antes esta posibilidad.

Marte, tu planeta de la salud, pese a no ser el más rápido o lento de todos, transitará por seis signos y casas de tu carta astral este año. Así que se darán en tu vida numerosas tendencias de corta duración relacionadas con la salud. En las previsiones mes a mes hablaré de estas tendencias con más detalle.

Hogar y vida familiar

Tu cuarta casa ha estado predominando desde el año anterior y en este también lo hará, es una casa poderosa. Muchos Escorpio se mudaron a otra parte el año pasado, pero fue complicado. Este año las mudanzas no son aconsejables ni probables. Aunque sientas que la casa se te ha quedado pequeña, aprovecha mejor el espacio en lugar de cambiar de vivienda.

Tu situación familiar es estresante. Ahora te estás haciendo cargo de ella por un sentimiento de deber y obligación, en lugar de por el amor y la alegría que te produce. Te has llevado una decepción en este aspecto de tu vida. Estás asumiendo más responsabilidades en los asuntos familiares y la situación te parece una carga, como he señalado. Pero tienes que aguantar y seguir adelante. No te queda más remedio. Por lo visto, es una situación kármica. Ocuparte de ella te permitirá crecer espiritualmente de una forma extraordinaria.

Saturno en tu cuarta casa te hace tender a la depresión. Procura evitarla a toda costa, ya que nunca es útil. La meditación te será de gran ayuda. Aprende a disfrutar de las cargas de la vida en lugar de irritarte por ellas.

Como Saturno rige tu tercera casa de la comunicación y los intereses intelectuales, ahora estás transformando tu hogar en un espacio de aprendizaje. Estás reuniendo una biblioteca e instalando un equipo y un software de aprendizaje. Muchos Escorpio estudian ahora en su hogar. O siguen cursos o escuchan conferencias desde casa por medio de Internet. Es muy probable que estés instalando un equipo nuevo de comunicación (o tal vez lo hiciste el año pasado).

La tercera casa también rige tus hermanos o figuras fraternas, y los vecinos. Quizá tus hermanos se vayan a vivir contigo o pasen mucho tiempo en tu casa. Tus vecinos están al parecer implicados en tus asuntos familiares y domésticos.

Si planeas hacer reformas importantes en tu hogar o tienes en mente algún proyecto de construcción, del 6 de marzo al 15 de abril serán unos días excelentes. La última mitad de julio también lo será.

Si deseas decorar de nuevo tu hogar o embellecerlo, del 6 de marzo al 5 de abril, y del 9 al 12 de junio será un buen momento.

Uno de tus padres o figura parental está pasando una época difícil este año. Tiene una actitud muy pesimista. Lo ve todo negro. Se siente mayor de lo que es. Sus emociones son inestables y puede pasar de una depresión a la locura en un abrir y cerrar de ojos. Tiene cambios de humor repentinos. Hay la tendencia a hacer numerosas mudanzas, pero hace ya varios años que se está dando. En ocasiones, no es una mudanza, sino ir a vivir a distintos lugares durante temporadas largas. La situación familiar de la otra figura parental seguirá siendo la misma.

Tus hermanos o figuras fraternas están volcados en su economía y tenderán a prosperar. Quizá se muden a partir del 12 de mayo. (También lo podrían hacer el año que viene).

Tus hijos o figuras filiales podrían hacer reformas importantes en su hogar a partir del 20 de agosto, pero no es probable que se muden físicamente a otra parte. A tus hijos les conviene controlar su carácter a partir del 20 de agosto.

La vida familiar de tus nietos, en el caso de tenerlos, seguirá siendo la misma.

Profesión y situación económica

Júpiter, tu planeta de la economía, se comportará de manera inusual este año. Normalmente, pasaría de once a doce meses en un signo. Pero este año pasará cerca de medio año en Piscis y el resto del año en Aries. Este aspecto indica que ocurrirán cambios económicos importantes este año. Muestra un cambio en las actitudes financieras. Pero tu economía prosperará, en especial hasta el 11 de mayo, y del 29 de octubre al 21 de diciembre. Júpiter ocupará tu quinta casa de la diversión, los hijos y la creatividad personal. También viajará con Neptuno, el planeta más espiritual de todos. Este tránsito se puede interpretar de muchas formas. Este año eres más especulador y tiendes a tener buena suerte en ello. Gastarás más en tus hijos y también te entrarán ingresos de este entorno. Si son jóvenes pueden inspirarte —motivarte— a aumentar tus ingresos. A veces te pueden dar ideas lucrativas sin saberlo. Y si ya son adultos, te ofrecerán un apoyo económico más tangible. Este tránsito indica además dinero feliz, es decir, el que ganas de formas agradables y gastas en cosas placenteras. Tu economía será una fuente de alegría en estos días. Júpiter viajando con Neptuno indica una intuición financiera fabulosa, el atajo a la riqueza. Una buena intuición vale más que muchos años de trabajo infatigable.

Si te dedicas a las artes creativas, descubrirás que tus obras se venden mejor este año. Tu creatividad personal también es muy intensa, al igual que tu inspiración.

Gastas en tus hijos y también te pueden entrar ingresos de este entorno, como he señalado. Pero el entretenimiento y la música también te pueden aportar ganancias.

Las empresas y los sectores que llevan comida a domicilio a los jóvenes son una inversión interesante este año. Al igual que el petróleo, el gas natural, las compañías marítimas, los astilleros, la industria pesquera, las empresas de embotellado de agua mineral, las compañías depuradoras y ciertas compañías farmacéuticas.

Júpiter ingresará en Aries, tu sexta casa, el 11 de mayo. Como Júpiter es más poderoso en Piscis (su propio signo) que en Aries, tendrás que esforzarte más para ganarte la vida, pero los ingresos llegarán. A partir del 12 de mayo seguirá gustándote correr riesgos. Tomarás decisiones económicas precipitadamente y quizá te lances a hacer operaciones financieras —como inversiones o adquisiciones— con demasiada rapidez. Si tu intuición es buena, te funcionarán. A Júpiter en Aries le gusta el «dinero rápido», ganado en un abrir y cerrar de ojos. Ten cuidado con esta tendencia, los depredadores que andan sueltos intentarán aprovecharse de ella.

Júpiter en Aries, del 11 de mayo al 29 de octubre, y a partir del 21 de diciembre, favorece los ingresos ganados a la antigua usanza, es decir, por medio del trabajo y de los servicios productivos. Te surgirán unas oportunidades laborales excelentes en estos días. Esta posición planetaria favorece la industria de la salud, como compañías farmacéuticas, alimentos saludables, productos sanitarios y empresas que suministran productos a los médicos y cirujanos. Tal vez gastes más en la salud, pero también te entrarán ingresos de este sector.

Tu profesión no destacará este año. El hogar y la familia serán al parecer mucho más importantes. Tu décima casa de la profesión está prácticamente vacía (solo la visitarán planetas rápidos), en cambio tu cuarta casa del hogar y de la familia destacará todo el año. Además, casi todos los planetas lentos (salvo Urano) se encuentran en el hemisferio nocturno, la parte inferior de tu carta astral. De modo que tu familia y tu bienestar emocional serán tu prioridad. En cuanto te hayas ocupado de estos aspectos de tu vida, tu profesión también progresará.

Amor y vida social

Como he señalado, el amor supondrá todo un reto para ti este año. Urano en la séptima casa pone a prueba tus relaciones actuales. Incluso las amistades más íntimas serán puestas a prueba. Cuando los efectos de Urano hayan desaparecido al cabo de varios años, tendrás un círculo social totalmente nuevo. Te estás liberando socialmente, aunque mientras te ocurra tú no lo veas así.

Si estás casado o mantienes una relación seria, tendrás que esforzarte más para seguir con tu pareja este año. He visto a matrimonios capear un tránsito de Urano, pero lo han superado a base de grandes esfuerzos y sacrificios. La mayoría de la gente no está dispuesta a pagar este precio. Será una buena prueba para vuestro compromiso conyugal.

Si no tienes pareja, lo más sensato es no contraer matrimonio este año. La situación es demasiado inestable. Disfruta del amor tal como es, es mejor no comprometerte a algo que quizá no acabes cumpliendo.

Aunque el amor sea inestable, será muy excitante. Todas las suposiciones que tienes sobre él se romperán en mil pedazos. El amor y las oportunidades amorosas pueden surgir en cualquier momento y lugar. Podrías estar haciendo una actividad de lo más cotidiana, como sacar la basura a la calle, y toparte con tu media naranja. El único problema es la inestabilidad del amor. Puede llegar de la forma más inesperada y terminar de improviso. Pero no importa, mañana será otro día y podrías encontrar de nuevo el amor. Aunque seas ahora más estable sentimentalmente, tenderás a conocer —y a atraer— a personas inestables en el amor. Quieren ser libres.

Y esta tendencia, como he señalado en previsiones anteriores, favorece las aventuras amorosas en lugar del matrimonio.

Urano es tu planeta de la familia. El hecho de que ocupe tu casa del amor tiene muchos significados. Ahora estás socializando más en tu hogar y con tu familia. Te atraen las personas con unos sólidos valores familiares. Los miembros de tu familia o tus contactos familiares pueden ser importantes en el amor. En algunos casos, tu familia puede meterse en tu vida amorosa. Y tal vez no lo haga de una forma positiva. Las peleas familiares podrían ser una de las causas de los problemas en tu relación de pareja en esta temporada.

Venus es tu planeta del amor. Y, como nuestros lectores saben, es un planeta de movimiento rápido. En el transcurso del año transitará por toda tu carta astral. Por lo que se darán muchas tendencias de corta duración relacionadas con el amor que dependerán de dónde esté Venus y de los aspectos que reciba. En las previsiones mes a mes hablaré de estas tendencias con más detalle.

Progreso personal

Saturno lleva ocupando tu cuarta casa desde el año pasado. Aparte de la tendencia de la que he hablado antes, favorece además la inclinación a reprimir los sentimientos. A controlarlos demasiado. Uno no se siente seguro a la hora de expresar lo que de verdad siente y se lo guarda dentro. Pero este estado no puede prolongarse demasiado. Es como intentar aguantarnos cuando nos entran ganas de ir al lavabo. Al final, acabamos estallando a la mínima de cambio y sacamos de forma exagerada lo que nos habíamos guardado dentro. El control emocional es una cualidad muy valiosa, y constituye una de las lecciones espirituales que aprenderás este año. Pero la represión es algo totalmente distinto. En el control emocional gestionamos nuestras emociones por medio de la atención y del poder de voluntad. Aunque no es fácil gestionarlas cuando estamos furiosos, llenos de negatividad. Pero en este caso lo que necesitamos es una forma positiva de liberar la emoción negativa. Una forma que no sea perjudicial para uno ni para las personas de nuestro alrededor. En mi libro *A Technique for Meditation* (capítulos dos y tres) ofrezco algunas técnicas para lograrlo. En mi web (www.spiritual-stories.com) también encontrarás mucha información sobre este tema.

En cuanto liberamos los sentimientos negativos, nos resulta muy fácil cambiar de estado de ánimo y ser positivos y constructivos. Para lograrlo puedes utilizar muchos métodos, como repetir afirmaciones positivas, recitar mantras, rezar o meditar.

Algunas escuelas espirituales aconsejan usar la Llama Violeta, que consume y transforma las emociones negativas (y los pensamientos que las generan). Este método también es útil.

Urano ya lleva ahora varios años en tu séptima casa del amor y la seguirá ocupando varios más. Aparte de la tendencia mundial que este aspecto planetario crea, aprenderás unas lecciones espirituales que te servirán el resto de tu vida. Una de ellas será sentirte cómodo con los cambios y la inestabilidad relacionados con el amor. Acéptalos. Capea con agilidad los embates de la vida para que te afecten lo mínimo posible. La naturaleza siempre lo compensa todo. Cuando la vida te quita algo, te da otra cosa que suele ser mejor. Pero mientras tu mente esté agitada, no lo sabrás apreciar. Afronta la vida y el amor con soltura.

Este año muchos Escorpio —incluso los no profesionales— serán extremadamente creativos. Es muy probable que descubras los talentos creativos que ignorabas tener. El espíritu te está inspirando en esta faceta de tu vida. Expresar esta inspiración no solo hará que te sientas más contento, sino que además obtendrás mejores resultados en tu vida.

Previsiones mes a mes

Enero

Mejores días en general: 6, 7, 16, 17, 25, 26
Días menos favorables en general: 4, 5, 11, 12, 18, 19, 31
Mejores días para el amor: 2, 3, 11, 12, 21, 22, 29, 30
Mejores días para el dinero: 1, 6, 16, 25, 27, 28
Mejores días para la profesión: 2, 3, 11, 12, 18, 19, 23

Tu salud será buena hasta el 20, pero después de esta fecha será más delicada. Descansa bastante a partir del 20. Fortalece tu salud con masajes. También te conviene trabajar los puntos reflejos del hígado hasta el 25. Después de esta fecha, los masajes en la espalda y las rodillas te sentarán bien. Céntrate en la higiene dental a partir del 21.

Aunque tu salud y energía podrían ser mejores, ahora están ocurriendo muchas cosas positivas en tu vida. Júpiter en tu quinta casa de la diversión, la creatividad y los hijos propicia las actividades placenteras y lúdicas. Disfrutarás más de la vida en esta temporada.

Ahora te apetece divertirte y las diversiones llegan a tu vida. Tu economía también es buena. Júpiter, tu planeta de la economía, en la quinta casa muestra dinero feliz ganado de maneras placenteras y que gastas en cosas agradables. Es un buen momento para la especulación. Este mes te puede llegar dinero como «caído del cielo» (y el próximo también).

Al empezar el año con una tercera casa poderosísima, te conviene centrarte en tus intereses intelectuales y en la comunicación. Es una coyuntura excelente para los alumnos de primara o secundaria, muestra éxito en los estudios. Tus facultades mentales y tu capacidad de comunicación también están muy agudizadas, aunque no seas un estudiante. Leerás más en esta temporada. Hablarás más de lo habitual. Absorberás información. Tus hermanos o figuras fraternas también tendrán un buen mes. Su autoestima y su confianza son fuertes, y gozan de buena salud. Tuvieron problemas económicos el año pasado, pero después del 20 sus finanzas mejorarán.

Como el Sol ingresará en tu cuarta casa del hogar y de la familia el 20, te conviene volcarte en esta esfera de tu vida y también en tu bienestar emocional (necesitas aumentarlo). Al ser el Sol tu planeta de la profesión, el mensaje de tu horóscopo es muy claro, esta será tu misión para este mes (a partir del 20): tu hogar, tu familia y tu bienestar emocional.

Es muy probable que trabajes en casa, quizá en tu estudio o que teletrabajes. Pero a nivel metafísico esta coyuntura muestra que es bueno perseguir tus objetivos profesionales con métodos nocturnos, como la meditación, la visualización creativa, y con la técnica de sentir y percibir que has llegado adonde querías llegar profesionalmente. Más adelante, cuando los planetas cambien al hemisferio diurno de tu carta astral, ya podrás actuar abiertamente al haber preparado el terreno interior.

Tu vida amorosa será complicada este mes por el movimiento retrógrado de los dos planetas relacionados con este aspecto de tu vida. Urano lo será hasta el 18, y Venus, tu planeta del amor, hasta el 29. Por lo que se dará mucha indecisión y confusión en el amor. Es posible que surjan retrasos y contratiempos en este sentido. Tu vida amorosa mejorará el próximo mes.

Febrero

Mejores días en general: 2, 3, 12, 13, 21, 22, 23
Días menos favorables en general: 1, 7, 8, 14, 15, 16, 28
Mejores días para el amor: 7, 8, 17, 18, 27
Mejores días para el dinero: 2, 3, 12, 13, 21, 22, 24, 25
Mejores días para la profesión: 1, 9, 10, 14, 15, 22, 23

Marte, tu planeta de la salud, lleva «fuera de límites» desde el 12 de enero, y seguirá así hasta el 10 de febrero. Este aspecto muestra que en las cuestiones de salud te estás moviendo fuera de tu órbita habitual. Ahora estás explorando terapias que están «fuera» de tu experiencia habitual. Probablemente esto sea positivo, porque como tu salud seguirá siendo delicada hasta el 18, necesitas terapias «fuera de lo común». Aunque tu salud mejore después del 18, sigue vigilándola. Todavía hay dos planetas lentos formando aspectos desfavorables en tu carta astral.

Con todo, este mes será feliz. El ingreso del Sol en tu quinta casa inicia una de tus temporadas más placenteras del año. En realidad, divertirte y disfrutar de la vida será tu misión a partir del 18. La propia alegría resolverá muchos problemas. El Sol en tu quinta casa después del 18 muestra que estás disfrutando de tu trayectoria profesional. Quizá estés entreteniendo a tus clientes y haciéndoles pasar un rato agradable. O tal vez hagas contactos importantes mientras te diviertes con actividades recreativas.

Esta coyuntura también muestra que te volcarás en tus hijos o figuras filiales. Darles tu apoyo —orientarles y ayudarles— será tu misión en estos días.

Tus hijos o figuras filiales tienen un mes excelente. Lucen un buen aspecto. Su autoestima y su confianza son sólidas. Su salud y su energía también son buenas. Por lo visto, están prosperando en la vida (y son muy fértiles).

Tu vida amorosa ha mejorado comparada con la del mes anterior. Este año no se ve ningún enlace matrimonial en las estrellas, pero gozarás del amor. Venus, tu planeta del amor, se alojará en Capricornio, tu tercera casa, en febrero. Por lo que el amor estará cerca del hogar, en tu barrio o con los vecinos. Pueden surgirte oportunidades románticas en universidades, conferencias, seminarios, bibliotecas o librerías mientras persigues tus intereses intelectuales. A Venus en Capricornio le gusta ir despacio en el amor. Es algo que lleva su tiempo. El amor hay que ponerlo a prueba para ver si es real. Pero una vez superadas las crisis, suele durar. Sin embargo, al ocupar Urano tu séptima casa, el amor seguirá siendo inestable aunque hayas superado diversos momentos difíciles en tu relación.

Tu economía será excelente este mes. Consulta las previsiones del mes anterior.

Marzo

Mejores días en general: 2, 3, 11, 12, 13, 21, 22, 30, 31
Días menos favorables en general: 1, 6, 7, 8, 14, 15, 27, 28
Mejores días para el amor: 6, 7, 8, 9, 18, 19, 27, 28
Mejores días para el dinero: 2, 3, 11, 12, 21, 22, 23, 24, 30, 31
Mejores días para la profesión: 2, 3, 11, 12, 14, 15, 23

Marte y Venus empezarán a viajar juntos el 25 de febrero. Lo harán hasta el 12. Este tránsito tiene muchas ventajas y algunas desventajas. La parte positiva es que indica que saldrás con alguien del trabajo. También podría ser con un terapeuta o una persona relacionada con tu salud. En esta temporada te atraerán los profesionales sanitarios. Y la parte negativa es que puedes ser un poco perfeccionista en el amor (al igual que la persona a la que conquistes), es decir, un poco criticón y quisquilloso. Ten cuidado con esta tendencia. Como Venus viajará con Plutón el 2 y 3, es posible que vivas una experiencia romántica feliz en estos días.

Marte y Venus ingresarán en tu cuarta casa el 6 y la ocuparán el resto del mes. Este tránsito se puede interpretar de muchas formas. Ahora estás socializando más en tu hogar. En el seno familiar reina una mayor armonía. Tu familia y los contactos familiares son importantes en el amor. Quizá vuelvas a sentirte atraído por un antiguo amor. Aunque será por lo visto una relación más bien terapéutica que amorosa. Te permitirá cerrar antiguas heridas. Marte en tu cuarta casa muestra lo importante que es gozar de salud emocional este mes. Y lo esencial es ser positivo y constructivo. La dieta también es ahora importante para tu salud. Los masajes en las pantorrillas y los tobillos te sentarán bien. Vigila más tu salud este mes.

Este mes el poder planetario cambiará a la mitad occidental de tu carta astral, la de la vida social. Después del 6, el 80 por ciento de los planetas, y en ocasiones el 90 por ciento, se encontrarán en este sector. Así que ahora los demás son importantes. Es el momento para cultivar tu encanto social. Estar centrado en ti, aunque no sea nada malo en sí mismo, no te funcionará en esta temporada. Lo bueno de la vida te llegará de la generosidad de los demás.

El Sol viajará con Júpiter del 4 al 6. En estos días gozarás de una recompensa económica y además será el preludio de tu éxito profesional. Del 11 al 13 el Sol viajará con Neptuno, y este tránsito te traerá diversión, felicidad, relaciones estrechas con los hijos o las figuras filiales, y oportunidades profesionales. Participar en actividades benéficas y altruistas también promoverá tu carrera. A tus hijos ahora les van las cosas sobre ruedas. Al parecer este mes es excelente para ellos en el aspecto económico.

Seguirás viviendo uno de tus momentos más placenteros del año hasta el 20. La vida será divertida en estos días. Como en el mes anterior, te saldrán oportunidades profesionales mientras te lo pasas en grande.

Abril

Mejores días en general: 8, 9, 17, 18, 25, 26
Días menos favorables en general: 3, 4, 10, 11, 23, 24, 30
Mejores días para el amor: 3, 4, 8, 17, 18, 25, 26, 27, 30
Mejores días para el dinero: 8, 9, 17, 18, 19, 20, 26, 27
Mejores días para la profesión: 1, 2, 10, 11, 20, 21, 30

El mes anterior TODOS los planetas eran directos y la vida transcurría con rapidez. En este también ocurrirá lo mismo. Pero el 29, Plutón, un planeta muy importante, el regente de tu horóscopo, será retrógrado. Como esta situación durará muchos meses más, te conviene aclararte en cuanto a tus objetivos personales y respecto a la imagen que quieres proyectar en el mundo.

Habrá además un eclipse solar el 30 que tendrá lugar en tu séptima casa del amor. Vigila más tu salud la mayor parte del mes y reduce tu agenda, pero sobre todo en el periodo del eclipse. Tu relación atravesará momentos difíciles. Tal vez surjan dramas en la vida de tu cónyuge, pareja o amante actual. Habrá cambios de profesión y dramas en la vida de tus padres o figuras parentales, de tus jefes y de las personas mayores de tu entorno, es decir, las figuras de autoridad de tu vida. Les conviene reducir también su agenda. Tus hijos o figuras filiales deben conducir con más precaución.

Los vehículos y el equipo de comunicación pueden fallar. Tus hermanos o figuras fraternas tendrán problemas con sus hijos o figuras filiales.

Es posible que se rompa tu relación actual, pero tu vida amorosa seguirá siendo activa y excitante. El Sol ingresará en tu séptima casa el 20 y empezará una de tus mejores temporadas amorosas y sociales del año. Si no tienes pareja, irás a más citas y te saldrán todo tipo de oportunidades románticas, pero el problema está en la estabilidad de las relaciones. La inestabilidad es el precio que hay que pagar para la excitación. Venus viajará con Neptuno del 26 al 28. Este tránsito favorece las oportunidades para las aventuras amorosas. Después viajará con Júpiter el 30, y este aspecto también propicia las oportunidades amorosas. El 30 será una jornada que te traerá también incrementos financieros.

Júpiter, tu planeta de la economía, viajará con Neptuno del 1 al 17. Este tránsito favorece una intuición financiera excelente, asesoramiento espiritual en asuntos monetarios y suerte en la especulación. Lo más probable es que sea una buena época económica.

Marte, tu planeta de la salud, ocupará tu cuarta casa hasta el 15. Como el mes anterior, fortalece tu salud con masajes en las pantorrillas y los tobillos, y por medio de una dieta adecuada y de una buena salud emocional. Marte ingresará en tu quinta casa el 15. Este tránsito favorece los masajes en los pies, las técnicas espirituales de curación y la alegría. Esta emoción es una poderosa energía curativa en sí misma.

Mayo

Mejores días en general: 5, 6, 14, 15, 23, 24
Días menos favorables en general: 1, 7, 8, 9, 21, 27, 28
Mejores días para el amor: 1, 7, 8, 16, 17, 27, 28
Mejores días para el dinero: 6, 16, 17, 25
Mejores días para la profesión: 7, 8, 9, 10, 11, 20, 30

Como el eclipse lunar del 16 ocurrirá en tu propio signo, te impactará con fuerza. Te conviene reducir tu agenda. Haz lo que debas hacer, pero deja para más tarde, sobre todo si es estresante, lo que puedas posponer. Este eclipse te obligará a reevaluarte, a mirar en tu interior. Necesitas actualizar el concepto que tienes de ti, tu imagen y cómo quieres que los demás te vean y consideren. Normalmente esto sucede porque los demás te están difamando o criticando. Si no te defines tú, los demás lo harán por ti. En los próximos meses cambiarás de aspecto: de ropa, peinado...

Cada eclipse lunar te obliga a replantearte tus ideas religiosas y filosóficas, y también las teológicas. Pero no te preocupes, es básicamente una experiencia positiva. Descartarás algunas de tus creencias y otras las revisarás y actualizarás. Los acontecimientos del eclipse te mostrarán lo que te conviene hacer con cada una.

Como este eclipse afectará a Saturno (el regente de tu tercera casa), repercutirá en tus hermanos o figuras fraternas. Ellos también sentirán la necesidad de redefinirse. Vivirán dramas con sus amigos y sus amistades atravesarán momentos difíciles. Tal vez los vehículos y el equipo de comunicación te fallen. Te conviene conducir con más precaución.

El amor seguirá siendo inestable (y quizá te guste así), pero te surgirán muchas oportunidades amorosas. Si no tienes pareja, irás a más citas. Y si ya mantienes una relación, asistirás a más actos sociales y conocerás a gente nueva. Seguirás viviendo uno de tus mejores momentos amorosos y sociales del año hasta el 21.

El importante tránsito que Júpiter, tu planeta de la economía, hará al abandonar tu quinta casa el 11 e ingresar en la sexta, muestra ingresos ganados a la antigua usanza, es decir, mediante el trabajo y los servicios prestados a los clientes. El campo de la salud parece interesante como inversión o negocio. Sigues arriesgándote en la economía, pero tu incansable labor y tu diligencia crearán tu buena suerte.

Tu salud y energía mejorarán después del 21. Mientras tanto, fortalece tu salud con masajes en los pies y por medio de técnicas espirituales de curación hasta el 25. A partir del 26, los masajes en el rostro, el cuero cabelludo y la cabeza serán beneficiosos para ti. Trabajar los puntos reflejos de las suprarrenales también te sentará bien. Aumenta la duración de tus sesiones de ejercicio a partir del 26.

Junio

Mejores días en general: 1, 2, 3, 11, 12, 19, 20, 28, 29, 30
Días menos favorables en general: 4, 5, 17, 18, 23, 24, 25
Mejores días para el amor: 6, 7, 16, 23, 24, 25, 26

Mejores días para el dinero: 4, 13, 14, 21
Mejores días para la profesión: 4, 5, 9, 10, 18, 28, 29

El solsticio de Marte, tu planeta de la salud, empezó el 27 de mayo y durará hasta el 2 de junio. Después se detendrá en el firmamento y cambiará de sentido, en latitud. Y lo mismo te ocurrirá con la salud y el trabajo. Se dará una pausa en estas esferas de tu vida y luego un cambio de rumbo.

Marte y Júpiter ocuparán tu sexta casa el mes entero. Este aspecto indica ingresos ganados a la antigua usanza, por medio del trabajo. También propicia el sector deportivo, las compañías que les suministran artículos, y el ámbito de la salud. Gastarás en tu salud en esta temporada, pero también te entrará dinero de este sector. Júpiter viajando con Marte en tu casa de la salud favorece tu salud. Este tránsito muestra además el mejor panorama posible en lo que respecta a este aspecto de tu vida. Si buscas trabajo, te espera un panorama fabuloso. Y si te ocupas de las contrataciones en tu empresa, recibirás solicitudes de trabajadores excelentes, y la plantilla se ampliará.

Tu salud ha mejorado notablemente comparada con la del mes anterior. La mayoría de los aspectos desfavorables de los planetas rápidos están ahora desapareciendo. Como el 23 ya no habrá ninguno en tu carta astral, te sentirás lleno de energía.

Tu octava casa —tu favorita— será poderosa este mes hasta el 21. Este aspecto favorece todos los intereses naturales de los Escorpio: el sexo, la transformación personal, la depuración del organismo y las dietas depurativas y purificadoras. En esta temporada te sentirás a gusto en el sentido psicológico. El cosmos te empujará a hacer lo que más te apasiona.

Tu vida amorosa será buena, aunque inestable, sobre todo el 10 y 11, cuando Venus viajará con Urano. En estos días no sabrás de un momento a otro si te sigue atrayendo tu pareja. Es posible que surjan problemas en el amor, pero serán al parecer pasajeros. El amor y las oportunidades románticas aparecerán en tu vida de las formas habituales hasta el 23, es decir, en fiestas, reuniones, y presentaciones de amigos o familiares. Cuando Venus ingrese en tu octava casa el 24, el amor se volverá más erótico, más sexual. El magnetismo sexual será el súmmum para ti en esta temporada. (De todos modos, será un periodo activo sexualmente). Las oportunidades amorosas surgirán en tu vida de formas extrañas (aunque esto no es inusual para los Escorpio), como en funerales, velatorios o en las visitas para dar el pésame a una persona o a una familia. También pueden surgir al visitar a alguien que acaba de pasar por el quirófano. Te atraerán las personas adineradas en estos días. Si ya mantienes una relación, descubrirás que a tu cónyuge, pareja o amante actual las cosas le están yendo de maravilla en el aspecto económico este mes.

Tu novena casa se volverá poderosa el 21 y este aspecto propicia tu carrera laboral. Habrá éxito y expansión en esta faceta de tu vida. Tu profesión es ahora incluso más importante aún, ya que el poder planetario se encuentra en la mitad superior de tu carta astral, en el hemisferio diurno. No es la parte que predomina, pero es su momento más poderoso del año. Procura compaginar el hogar y la familia con tus objetivos profesionales. Es posible que viajes al extranjero por cuestiones laborales después del 21. Tu disposición a viajar es un factor muy importante en tu éxito profesional. El ingreso del Sol en tu novena casa es positivo para los estudiantes universitarios. Muestra que se centrarán en los estudios, por lo que rendirán en ellos. Tu interés por la religión, la filosofía y la teología aumentará también en esta temporada. Una buena discusión teológica o la visita de un maestro espiritual o de un teólogo te atraerán más que salir por la noche.

Julio

Mejores días en general: 8, 9, 16, 17, 26, 27
Días menos favorables en general: 1, 2, 14, 15, 21, 22, 28, 29
Mejores días para el amor: 6, 7, 15, 21, 22, 26
Mejores días para el dinero: 1, 2, 10, 11, 18, 19, 28, 29
Mejores días para la profesión: 1, 2, 8, 9, 17, 28, 29

Tu salud será buena hasta el 23, pero vigílala más después de esta fecha. Marte, tu planeta de la salud, ingresará en Tauro, tu séptima casa, el 5, y la ocupará el resto del mes. Una buena salud significa en esta temporada una vida amorosa y social saludables. Si tienes algún problema en estos aspectos de tu vida, restablece la armonía lo antes posible. Fortalece tu salud con masajes en el cuello y la garganta, y por medio de la terapia craneosacral. Como tu planeta de la salud se encuentra en tu séptima casa, quizá ahora estés más pendiente de la salud de tus amigos y de tu pareja que de la tuya. La buena noticia es que al ocupar el benévolo Júpiter tu sexta casa de la salud, lo más probable es que te espere un panorama muy positivo en este sentido.

Marte en tu séptima casa complica tu vida amorosa. Te hace ser demasiado perfeccionista en el amor —excesivamente crítico—, demasiado proclive a buscar defectos. Y esta actitud destruirá los momentos románticos. Ten cuidado con esta tendencia. Por otro lado, indica que en esta temporada te atraerán los profesionales sanitarios y las personas implicadas en tu salud. Una visita al terapeuta podría acabar en algo más.

Como Marte formará aspectos dinámicos con Plutón, el regente de tu horóscopo, el 1 y 2, sé más consciente en el plano físico. Al igual que el 30 y 31, cuando Marte viaje con Urano. A los miembros de tu familia también les conviene serlo el 30 y 31.

Cuando Marte ingrese en Tauro el 5, el equilibrio planetario cambiará a la mitad superior de tu carta astral, el hemisferio diurno. Esta parte será ahora la que predominará. Si se le añade a esta coyuntura lo poderosa que será tu décima casa a partir del 23, el mensaje planetario es muy claro: céntrate en tu profesión.

Tu salud y energía podrían ser mejores, pero este mes las cosas te irán estupendamente en tu profesión. El 23 empezará uno de tus mejores momentos profesionales del año. El Sol, tu planeta de la profesión, ocupará su propio signo y casa, y en este lugar será sumamente poderoso. Estos aspectos anuncian éxitos.

El Sol, tu planeta de la profesión, formará unos aspectos muy favorables con Júpiter, tu planeta de la economía, el 30 y 31. Esta coyuntura propicia la prosperidad económica y los éxitos profesionales. Puede traer aumentos salariales, sean oficiales o no oficiales, y un buen apoyo parental. Tus jefes estarán bien dispuestos en cuanto a tus objetivos profesionales. Si tienes algún problema con el gobierno, es un buen momento para resolverlo.

Al ser tu novena casa tan poderosa hasta el 23, viajarás en diversas ocasiones. Al igual que el mes pasado, serán viajes laborales. La religión, la filosofía y la teología seguirán despertándote un gran interés. Si eres un estudiante universitario, rendirás en los estudios.

Plutón continuará siendo retrógrado (junto con tres planetas más) este mes. Y la mayoría de los planetas seguirán ocupando la mitad occidental de tu carta astral, la de la vida social. Tal vez sea positivo que tu confianza y autoestima no sean ahora tan fuertes como de costumbre, ya que este mes te conviene centrarte en los demás y en sus necesidades. Actuar a tu manera (además, no estás seguro de lo que esto significa) no es probablemente ahora lo mejor. Deja que los demás hagan las cosas a su manera mientras que no sean destructivos.

Agosto

Mejores días en general: 4, 5, 13, 14, 22, 23
Días menos favorables en general: 11, 12, 17, 18, 25, 26
Mejores días para el amor: 4, 5, 15, 17, 18, 25, 26
Mejores días para el dinero: 7, 8, 15, 25
Mejores días para la profesión: 7, 8, 16, 25, 26

Dado que Marte seguirá viajando con Urano el 1 y 2, al igual que el mes anterior, sé consciente en el plano físico. A los miembros de tu familia también les conviene serlo. Habrá cambios en tu programa de salud.

Sigue vigilando tu salud hasta el 23. A partir del 24 notarás una mejoría espectacular, ya que Marte dejará de formar aspectos desfavorables en tu carta astral, al igual que el Sol y Mercurio. Mientras tanto, descansa bastante y relájate más. No llegues al agotamiento. Mantén la armonía con tus amigos y tu pareja. Los masajes en el cuello y la garganta, y la terapia craneosacral, serán beneficiosos para ti hasta el 20. A partir del 21, fortalece tu salud con masajes en los brazos y los hombros. Trabajar los puntos reflejos de los pulmones y los bronquios también te sentará bien en esta temporada. Rodéate de aire puro y respira a fondo. Trabajar los puntos reflejos de las manos (lo puedes buscar en Google) te vendrá de maravilla en estos días. Marte en tu octava casa a partir del 20 propicia las dietas depurativas y de adelgazamiento. En esta temporada te pueden recomendar que pases por el quirófano —no significa que decidas hacerlo—, pero se dará esta tendencia en tu vida.

Al encontrarte hasta el 23 en uno de tus mejores momentos profesionales del año, seguirá siendo una temporada fructífera. Céntrate pues ahora en tu profesión y en tus objetivos externos. (Tu salud emocional será importante el 1 y 2, pero después de estos días ya no lo será tanto). Triunfar en el mundo exterior es lo mejor para gozar de armonía emocional en estos días. Además es la mejor forma de ayudar a tu familia.

Este mes seguirás distanciado de tu pareja hasta el 12, será en el aspecto psicológico más que en el físico. Tu reto consistirá en salvar vuestras diferencias. Ninguno de los dos tiene la razón —simplemente discrepáis en vuestro modo de ver el mundo—, tenéis puntos de vista distintos. En algunas ocasiones una visión es la correcta, y en otras, la otra. Los aspectos armoniosos que Venus formará con Neptuno el 6 y 7 propician las oportunidades para las aventuras amorosas. Aunque al parecer no serán nada serio.

Venus ingresará en tu décima casa de la profesión después del 12. Este tránsito se puede interpretar de muchas formas. Si no tienes pareja, te sentirás atraído en esta temporada por el poder y la fama. Surgirán oportunidades románticas (y quizá propuestas) con tus jefes y con personas de un nivel social o profesional superior al tuyo. El peligro está en mantener una relación de conveniencia en lugar de hacerlo por amor. Las redes sociales y organizar el tipo adecuado de fiestas y reuniones, o asistir a ellas, te ayudarán a darle un empujón a tu carrera. Tus contactos sociales jugarán un papel importante en tu profesión, y buena parte de tu socialización tendrá que ver con tu trabajo. Los aspectos favorables que Venus formará con Júpiter el 17 y 18 son muy venturosos para el amor y la economía.

Como la actividad retrógrada sigue siendo muy alta este mes, el ritmo de la vida bajará. Aunque esto no afectará a tu profesión. El Sol, tu planeta de la profesión, nunca es retrógrado.

Aunque tu planeta de la economía sea retrógrado todo el mes, tus finanzas progresarán hasta el 23. Tal vez lo hagan con más lentitud y surjan más retrasos, pero tus ingresos serán buenos.

Cuando el Sol ingrese en tu undécima casa el 23, puedes impulsar tu profesión con tu experiencia tecnológica y las actividades digitales. Tus contactos sociales serán también importantes a partir del 24.

Septiembre

Mejores días en general: 1, 2, 9, 10, 18, 19, 20, 28, 29
Días menos favorables en general: 7, 8, 13, 14, 15, 21, 22
Mejores días para el amor: 4, 5, 13, 14, 15
Mejores días para el dinero: 3, 4, 11, 21, 30
Mejores días para la profesión: 5, 6, 14, 15, 21, 22, 25, 26

Tu salud ha mejorado mucho. Dos planetas lentos volverán a formar aspectos desfavorables en tu carta astral, pero los planetas rápidos te están ayudando a contrarrestarlos o no te crean problemas. Fortalece tu salud con masajes en los brazos y los hombros. Rodearte de aire puro y respirar a fondo también te irá de maravilla. Al igual que las dietas depurativas. Te sentará bien trabajar los puntos reflejos de los pulmones y los bronquios. Potencia tu salud en esta temporada al eliminar lo que no es bueno para ti en lugar de añadir más cosas a tu vida.

Venus, tu planeta del amor, ingresará en tu undécima casa el 5 y la ocupará hasta finales de mes. (Ingresará en Libra el 30). El poder y el prestigio ya no te atraerán tanto después del 5. En estos días querrás mantener una relación de igual a igual. Además de gozar de pasión en vuestra relación, desearás ser amigo de tu pareja. Tu vida amorosa será buena este mes, pero surgirán algunos contratiempos. Venus en el signo de Virgo (tu undécima casa) puede hacer que tu pareja o tú (os afectará a ambos) seáis demasiados críticos y perfeccionistas sobre el amor. Tenderéis a relacionaros de una forma demasiado cerebral en lugar de hacerlo con el corazón. A fijaros demasiado en los defectos. Tu intención es buena, deseas la perfección y quieres corregir cualquiera detalle que no esté a la altura del listón que te has puesto. Pero esta actitud puede destruir los momentos románticos en vuestra relación, la sensación de amor. Es bueno desear la perfección, pero los análisis no se han de hacer en los momentos románticos, sino más tarde. También es importante que las críticas sean constructivas. Al igual que el momento de hacerlas. Otro problema es que Plutón seguirá siendo retrógrado, y aunque las oportunidades románticas sigan apareciendo en tu vida, no estarás seguro de lo que quieres. Tu confianza no estará en su mejor momento. Pero Venus seguirá formando aspectos favorables con Plutón, el regente de tu horóscopo, a partir del 5, y sobre todo el 25 y 26. De modo que si no tienes pareja, surgirán oportunidades románticas en tu vida. El mundo de Internet —como las redes sociales y los portales de citas— será importante en el aspecto del amor en esta temporada. Las actividades con organizaciones profesionales o comerciales también serán positivas. En estos lugares también pueden darse encuentros románticos.

Venus, tu planeta del amor, tendrá su solsticio del 30 de septiembre al 3 de octubre. Después se detendrá en el firmamento y cambiará de sentido, en latitud. Lo mismo le ocurrirá a tu vida amorosa. Experimentará una pausa y un cambio de dirección. Este solsticio es como un «respiro cósmico». Harás balance de la situación y decidirás tomar otro rumbo. Será una pausa renovadora.

Tu economía se complicará este mes. Júpiter, tu planeta de las finanzas, será retrógrado el mes entero. (En general, la actividad retrógrada alcanzará su punto máximo del año). Seguirás teniendo ingresos, pero te llegarán más despacio de lo usual. Tu economía será mejor antes del 23 que después de esta fecha. Si es posible, evita realizar adquisiciones o inversiones importantes este mes. Pero si no te queda más remedio que hacerlo, investiga más a fondo el tema y llévalo a cabo con más celo.

Como tu undécima casa será poderosa hasta el 23, vivirás uno de tus mejores momentos sociales del año, pero tendrá más que ver con los amigos y las actividades grupales que con las relaciones amorosas (aunque estas pueden surgir como un efecto secundario). El Sol ingresará en tu duodécima casa de la espiritualidad el 23 y empezará una temporada sumamente espiritual para ti. Será un buen momento para meditar, estudiar la literatura sagrada, hacer donaciones benéficas y participar en causas altruistas. Para implicarte en aquello que te trasciende. Al conectar con más intensidad con lo Divino que hay en ti y dejar que su poder actúe, se resolverán muchos problemas de tu vida.

Octubre

Mejores días en general: 7, 16, 17, 25, 26
Días menos favorables en general: 4, 5, 11, 12, 18, 19
Mejores días para el amor: 4, 5, 11, 12, 13, 14, 25
Mejores días para el dinero: 1, 8, 9, 18, 26, 27, 28
Mejores días para la profesión: 4, 5, 13, 14, 18, 19, 25

Dado que Venus, tu planeta del amor, seguirá en su solsticio hasta el 3, consulta las previsiones del mes anterior. Tu vida amorosa está experimentando una saludable pausa.

El solsticio de Júpiter, tu planeta de la economía, empezó el 8 de septiembre y durará hasta el 16 de octubre. (Al ser un planeta que se mueve con gran lentitud, su solsticio durará mucho más tiempo). Por lo que ahora se ha estado dando una pausa en tu vida económica —un respiro—, es decir, unas pequeñas vacaciones. La pausa durará una temporada y luego habrá un cambio de rumbo en esta faceta de tu vida. Es como si «cambiaras de marcha» en lo económico. (Júpiter cambiará además de signos este mes, retrocederá a Piscis el 29, y este aspecto ralentizará más aún las cosas.

La actividad retrógrada sigue siendo intensa, pero es menor que la del mes anterior. Este mes será venturoso para ti, a pesar del eclipse solar del 25. Estar centrado en el mundo espiritual hasta el 23 (e incluso durante más tiempo aún) te ayudará a superar este poderoso eclipse. Te conviene reducir tu agenda.

El eclipse ocurrirá en tu signo y te afectará personalmente. (Es el segundo eclipse que se dará en tu signo este año). Desearás de nuevo redefinirte y cambiar el concepto que tienes de ti. Lo cambiarás para mejor. Cambiarás de ropa, peinado y aspecto en los próximos meses. Tu cambio interior se reflejará por fuera.

Como el Sol es tu planeta de la profesión, cada eclipse solar repercute en tu carrera laboral y provoca cambios y trastornos. Es posible que cambies de profesión, aunque no siempre es así. O también pueden haber modificaciones en la jerarquía de tu empresa o en tu sector, o cambiar el gobierno las normas de tu ramo. En otras ocasiones, puedes decidir abordar de otro modo tu profesión. Tus jefes, tus padres o figuras parentales, y las personas mayores de tu entorno, también pueden enfrentarse a dramas personales que les cambiarán la vida. Es posible que se te presente una oportunidad profesional (el Sol se encuentra en tu primera casa) y que la aproveches. Las organizaciones benéficas o espirituales en las que participas se verán obligadas a hacer cambios económicos importantes. Las personas adineradas de tu vida vivirán cambios en el aspecto espiritual. Tus hermanos o figuras fraternas vivirán dramas con los amigos y quizá experiencias cercanas a la muerte. Es posible que tus hijos o figuras filiales cambien de empleo o que se den cambios en su programa de salud. Si son estudiantes universitarios, tal vez su plan de estudios cambie.

Este mes habrá más agitación en tu vida, pero también más felicidad. El ingreso del Sol en tu signo el 23 te dará energía y carisma. Tendrás un aspecto estupendo en esta temporada. Gozarás de confianza y autoestima. (Plutón, el regente de tu horóscopo, empezará a ser directo el 2, y esto también hará que tu confianza y autoestima sean más altas aún).

Venus también ingresará en tu signo el 23. Este tránsito indica que el amor te está buscando ahora a ti. No es necesario que hagas nada para encontrarlo, sigue simplemente con tu vida cotidiana. Ahora es el momento de disfrutar del amor en tus propios términos. Si mantienes una relación, tu pareja estará dedicada a ti. Antepondrá tus intereses a los suyos. No es una temporada propicia al matrimonio, pero es un buen momento para las aventuras amorosas.

Noviembre

Mejores días en general: 3, 4, 12, 13, 22, 23, 30
Días menos favorables en general: 1, 2, 7, 8, 15, 16, 28, 29
Mejores días para el amor: 3, 4, 7, 8, 3, 24
Mejores días para el dinero: 4, 14, 23, 24, 25
Mejores días para la profesión: 3, 4, 13, 14, 15, 16, 23

Seguirás viviendo una de tus temporadas más placenteras del año hasta el 22. Ahora te toca gozar de los placeres de los sentidos y del cuerpo. Mimarlo y recompensarlo por el invalorable servicio que te está prestando (y por su abnegación) es muy bueno para ti. Poner en forma tu cuerpo de la manera que deseas también es una idea excelente.

Ahora luces un aspecto estupendo. No solo has mejorado físicamente, sino que emanas más energía, vitalidad y magnetismo sexual. Y la gente, sobre todo el sexo opuesto, responde a ello.

Aunque la mitad oriental de tu carta astral, la del yo, no sea la que predomine, es su momento más poderoso del año. Ahora los demás son muy importantes para ti, pero eres al mismo tiempo más independiente de lo habitual. Haz los cambios necesarios para ser más feliz, es el momento de llevarlos a cabo.

El principal titular del mes es el poderoso eclipse lunar —será total— que tendrá lugar el 8. Al afectar a muchos otros planetas, y a muchas áreas de tu vida, será mucho más potente que el eclipse solar del mes anterior. Os afectará con fuerza tanto a ti como al mundo en general.

Dado que el eclipse ocurrirá en tu séptima casa del amor, tu relación atravesará momentos difíciles. Como he señalado, las relaciones duraderas ya llevan ahora varios años siendo puestas a prueba. Y este eclipse no hará más que intensificar esta tendencia. Tu relación será inestable en esta temporada. Este eclipse le traerá a tu cónyuge o pareja dramas personales y crisis en su vida. Los estudiantes universitarios se enfrentarán a problemas en la facultad y a cambios en el plan de estudios. Surgirán trastornos y crisis en tu lugar de culto y en la vida de tus líderes religiosos. No es aconsejable viajar al extranjero en estos días.

El eclipse afectará a Mercurio, Urano y Venus. Los efectos del eclipse sobre Venus solo intensificarán los dramas amorosos de los que he hablado. Los efectos sobre Mercurio también pondrán a prueba tus amistades (no las relaciones sentimentales). Habrá dramas en la vida de tus amigos. Los ordenadores y el equipo de alta tecnología pueden fallar y tal vez tengas que repararlos o cambiarlos. Tus padres o figuras parentales harán unos importantes cambios económicos. Como Mercurio rige tu octava casa, pueden surgir encuentros psicológicos con la muerte. Quizá vivas experiencias cercanas a la muerte. Y roces con la muerte. Los efectos del eclipse sobre Urano generarán dramas en tu círculo familiar y en la vida de tus padres o figuras parentales. A menudo será necesario hacer reparaciones en el hogar.

Pero como los planetas en general forman aspectos favorables en tu carta astral este mes, seguramente superarás estas dificultades con los mejores resultados.

Seguirás viviendo una de tus temporadas más placenteras del año hasta el 22. A partir del 23, el Sol ingresará en tu casa del dinero y empezará una de tus mejores épocas económicas del año. Será más próspera que de costumbre, ya que Júpiter, tu planeta de la economía, empezará a avanzar por el firmamento el 23. Y además será un momento sumamente venturoso para hacerlo, ya que coincidirá con una de tus mejores temporadas financieras. Te espera un mes próspero. Cualquier gasto que te cause el eclipse lo podrás cubrir sin ningún problema.

Diciembre

Mejores días en general: 1, 9, 10, 11, 19, 20, 27, 28
Días menos favorables en general: 4, 5, 6, 12, 13, 25, 26
Mejores días para el amor: 2, 3, 4, 5, 6, 14, 23, 24
Mejores días para el dinero: 1, 11, 20, 21, 22, 29
Mejores días para la profesión: 2, 3, 12, 13, 22, 23

Marte, tu planeta de la salud, lleva «fuera de límites» desde el 24 de octubres y lo seguirá estando el resto del mes. (Otros planetas también estarán «fuera de límites» en diciembre). Marte será retrógrado el mes entero. Por lo que en las cuestiones de salud te moverás fuera de tu órbita habitual, explorarás aspectos que normalmente no explorarías. Pero como Marte es retrógrado, sé muy precavido a la hora de hacer cambios importantes en tu programa de salud. Tu salud será buena este mes y no es necesario apresurarse a hacer grandes cambios. Este aspecto planetario también podría indicar que en el trabajo te moverás fuera de tu esfera habitual. Tal vez tu actividad profesional te lleve a lugares desconocidos.

En el amor también se dará esta tendencia. Serás original en tu vida amorosa y tal vez la persona que conquistes también se moverá fuera de su órbita usual. Lo mismo te ocurrirá con la espiritualidad. (Por lo visto, será una tendencia en el mundo en general, la gente deseará explorar aspectos desconocidos).

Te espera un mes próspero. Seguirás viviendo uno de tus mejores momentos económicos del año hasta el 22. Júpiter, tu planeta de la economía, es ahora directo. Gozas de confianza y claridad. Y lo más importante es que estás centrado. Según la ley espiritual, obtenemos aquello en lo que nos concentramos. Júpiter cambiará de signos el 21 de este mes. En esta ocasión, ocupará tu sexta casa durante mucho tiempo. Este aspecto propicia los ingresos procedentes del trabajo. Surgirán en tu vida unas oportunidades laborales excelentes, tanto si tienes trabajo como si estás desempleado. También te pueden llegar ingresos del sector de la salud y probablemente gastes más en él. Tus hijos o figuras filiales han gozado de prosperidad todo el año y este mes serán incluso más prósperos aún.

Cuando el Sol ingrese en tu novena casa el 22, te volcarás en tus intereses intelectuales. Ya has alcanzado tus objetivos económicos, al menos los inmediatos, y ahora desearás expandir tu mente y tus conocimientos. Los alumnos de primaria o secundaria rendirán en los estudios. Se centrarán en ellos. Tus facultades intelectuales aumentarán y aprenderás (y asimilarás las enseñanzas) con facilidad. Los Escorpio no son muy habladores. Pero este mes hablarás más de lo habitual. Es el momento ideal para hacer cursos que te interesen. Si eres experto en un determinado campo, puedes impartir clases o escribir en un blog sobre tu especialidad. Es una buena temporada para responder las llamadas, los e-mails o las cartas pendientes.

Venus, tu planeta del amor, ingresará en tu tercera casa el 10. Inició el año ocupándola y también lo terminará en ella. Cerrará el ciclo que empezó. El amor rondará cerca de tu hogar, en tu barrio o con los vecinos. La compatibilidad intelectual con tu pareja será importante para ti en esta temporada. Ahora te gustan las perso-

nas con labia para poder conversar. Una buena comunicación formará parte de tus preliminares sexuales en estos días. Te saldrán
oportunidades románticas en universidades, conferencias, seminarios, bibliotecas y librerías. Es decir, en espacios culturales. Como
he señalado en el inicio del año, Venus en Capricornio te hace proclive a tardar en enamorarte. A ser muy precavido en tus relaciones.
Esta actitud es positiva, pero si viene del miedo, no es saludable. Te
gustará poner a prueba tu relación en estos días. Querrás asegurarte de que el amor sea real. (Al igual que tu pareja).

Sagitario

El Arquero
Nacidos entre el 23 de noviembre y el 20 de diciembre

Rasgos generales

SAGITARIO DE UN VISTAZO

Elemento: Fuego

Planeta regente: Júpiter
  Planeta de la profesión: Mercurio
  Planeta del amor: Mercurio
  Planeta de la riqueza y la buena suerte: Júpiter

Colores: Azul, azul oscuro
  Colores que favorecen el amor, el romance y la armonía social: Amarillo, amarillo anaranjado
  Colores que favorecen la capacidad de ganar dinero: Negro, azul índigo

Piedras: Rubí, turquesa

Metal: Estaño

Aromas: Clavel, jazmín, mirra

Modo: Mutable (= flexibilidad)

Cualidades más necesarias para el equilibrio: Atención a los detalles, administración y organización

Virtudes más fuertes: Generosidad, sinceridad, amplitud de criterio, una enorme clarividencia

Necesidad más profunda: Expansión mental

Lo que hay que evitar: Exceso de optimismo, exageración, ser demasiado generoso con el dinero ajeno

Signos globalmente más compatibles: Aries, Leo

Signos globalmente más incompatibles: Géminis, Virgo, Piscis

Signo que ofrece más apoyo laboral: Virgo

Signo que ofrece más apoyo emocional: Piscis

Signo que ofrece más apoyo económico: Capricornio

Mejor signo para el matrimonio y/o las asociaciones: Géminis

Signo que más apoya en proyectos creativos: Aries

Mejor signo para pasárselo bien: Aries

Signos que más apoyan espiritualmente: Leo, Escorpio

Mejor día de la semana: Jueves

La personalidad Sagitario

Si miramos el símbolo del Arquero conseguiremos una buena e intuitiva comprensión de las personas nacidas bajo este signo astrológico. El desarrollo de la arquería fue el primer refinamiento que hizo la Humanidad del poder de cazar y hacer la guerra. La habilidad de disparar una flecha más allá del alcance normal de una lanza amplió los horizontes, la riqueza, la voluntad personal y el poder de la Humanidad.

Actualmente, en lugar de usar el arco y las flechas proyectamos nuestro poder con combustibles y poderosos motores, pero el motivo esencial de usar estos nuevos poderes sigue siendo el mismo. Estos poderes representan la capacidad que tenemos de ampliar nuestra esfera de influencia personal, y eso es lo que hace Sagitario en todo. Los nativos de este signo siempre andan en busca de expandir sus horizontes, cubrir más territorio y aumentar su alcance y su campo de acción. Esto se aplica a todos los aspectos de su vida: económico, social e intelectual.

Los Sagitario destacan por el desarrollo de su mente, del intelecto superior, que comprende conceptos filosóficos, metafísicos y espirituales. Esta mente representa la parte superior de la naturaleza psíquica y está motivada no por consideraciones egoístas, sino por la luz y la gracia de un poder superior. Así pues, a los Sagitario les gusta la formación superior. Tal vez se aburran con los estudios formales, pero les encanta estudiar solos y a su manera. El gusto por los viajes al extranjero y el interés por lugares lejanos son también características dignas de mención.

Si pensamos en todos estos atributos de Sagitario, veremos que nacen de su deseo interior de desarrollarse y crecer. Viajar más es conocer más, conocer más es ser más, cultivar la mente superior es crecer y llegar más lejos. Todos estos rasgos tienden a ampliar sus horizontes intelectuales y, de forma indirecta, los económicos y materiales.

La generosidad de los Sagitario es legendaria. Hay muchas razones que la explican. Una es que al parecer tienen una conciencia innata de la riqueza. Se sienten ricos, afortunados, piensan que pueden lograr cualquier objetivo económico, y entonces creen que pueden permitirse ser generosos. Los Sagitario no llevan la carga de la carencia y la limitación, que impide a muchas personas ser generosas. Otro motivo de su generosidad es su idealismo religioso y filosófico, nacido de la mente superior, que es generosa por naturaleza, ya que las circunstancias materiales no la afectan. Otro motivo más es que el acto de dar parece ser enriquecedor, y esa recompensa es suficiente para ellos.

Situación económica

Generalmente los Sagitario atraen la riqueza. O la atraen o la generan. Tienen ideas, energía y talento para hacer realidad su visión del Paraíso en la Tierra. Sin embargo, la riqueza sola no es suficiente. Desean el lujo; una vida simplemente cómoda les parece algo pequeño e insignificante.

Para convertir en realidad su verdadero potencial de ganar dinero, deben desarrollar mejores técnicas administrativas y de organización. Deben aprender a fijar límites, a llegar a sus metas mediante una serie de objetivos factibles. Es muy raro que una persona pase de los andrajos a la riqueza de la noche a la mañana. Pero a los Sagitario les resultan difíciles los procesos largos e interminables. A semejanza de los nativos de Leo, quieren alcanzar la riqueza y el éxito de manera rápida e impresionante. Deben tener presente, no obstante, que este exceso de optimismo puede conducir a proyectos económicos no realistas y a decepcionantes pérdidas. Evidentemente, ningún signo del zodiaco es capaz de reponerse tan pronto como Sagitario, pero esta actitud sólo va a causar una innecesaria angustia. Los Sagitario tienden a continuar con sus sueños, jamás los van a abandonar, pero deben trabajar también en su dirección de maneras prácticas y eficientes.

Profesión e imagen pública

Los Sagitario son grandes pensadores. Lo quieren todo: dinero, fama, prestigio, aplauso público y un sitio en la historia. Con frecuencia suelen ir tras estos objetivos. Algunos los consiguen, otros no; en gran parte esto depende del horóscopo de cada persona. Pero si Sagitario desea alcanzar una buena posición pública y profesional, debe comprender que estas cosas no se conceden para enaltecer al ego, sino a modo de recompensa por la cantidad de servicios prestados a toda la Humanidad. Cuando descubren maneras de ser más útiles, los Sagitario pueden elevarse a la cima.

Su ego es gigantesco, y tal vez con razón. Tienen mucho de qué enorgullecerse. No obstante, si desean el aplauso público, tendrán que aprender a moderarlo un poco, a ser más humildes y modestos, sin caer en la trampa de la negación y degradación de sí mismos. También deben aprender a dominar los detalles de la vida, que a veces se les escapan.

En el aspecto laboral, son muy trabajadores y les gusta complacer a sus jefes y compañeros. Son cumplidores y dignos de confianza, y disfrutan con las tareas y situaciones difíciles. Son compañeros de trabajo amistosos y serviciales. Normalmente aportan ideas nuevas e inteligentes o métodos que mejoran el ambiente laboral para todos. Siempre buscan puestos y profesiones que representen un reto y desarrollen su intelecto, aunque tengan que trabajar arduamente para triunfar. También trabajan bien bajo la supervisión de otras personas, aunque por naturaleza prefieren ser ellos los supervisores y aumentar su esfera de influencia. Los Sagitario destacan en profesiones que les permitan comunicarse con muchas personas diferentes y viajar a lugares desconocidos y emocionantes.

Amor y relaciones

A los nativos de Sagitario les gusta tener libertad y de buena gana se la dan a su pareja. Les gustan las relaciones flexibles, informales y siempre cambiantes. Tienden a ser inconstantes en el amor y a cambiar con bastante frecuencia de opinión respecto a su pareja. Se sienten amenazados por una relación claramente definida y bien estructurada, ya que esta tiende a coartar su libertad. Suelen casarse más de una vez en su vida.

Cuando están enamorados son apasionados, generosos, francos, bondadosos y muy activos. Demuestran francamente su afecto. Sin embargo, al igual que los Aries, tienden a ser egocéntricos en su manera de relacionarse con su pareja. Deberían cultivar la capacidad de ver el punto de vista de la otra persona y no sólo el propio. Es necesario que desarrollen cierta objetividad y una tranquila claridad intelectual en sus relaciones, para que puedan mantener una mejor comunicación con su pareja y en el amor en general. Una actitud tranquila y racional les ayudará a percibir la realidad con mayor claridad y a evitarse desilusiones.

Hogar y vida familiar

Los Sagitario tienden a dar mucha libertad a su familia. Les gusta tener una casa grande y muchos hijos. Sagitario es uno de los signos más fértiles del zodiaco. Cuando se trata de sus hijos, peca por el lado de darles demasiada libertad. A veces estos se forman la idea de que no existe ningún límite. Sin embargo, dar libertad en casa es algo básicamente positivo, siempre que se mantenga una cierta medida de equilibrio, porque la libertad permite a todos los miembros de la familia desarrollarse debidamente.

Horóscopo para el año 2022 *

Principales tendencias

En este año tu profesión no destacará. El 2022 más bien tratará de tu bienestar emocional y de resolver las cuestiones pendientes del pasado. Tu décima casa de la profesión está vacía, en cambio tu cuarta casa del hogar y de la familia es la más poderosa de tu carta astral este año. Volveremos a este tema más adelante.

Plutón lleva ya cerca de veinte años en tu casa del dinero y la seguirá ocupando en 2022. Este aspecto muestra una intuición financiera fabulosa y una persona generosa y caritativa (aunque no lo sea desmesuradamente). Como tu planeta de la economía se encuentra en tu tercera casa desde el año pasado, ahora gastas en equipos de comunicación y quizá te entren ingresos de este campo. Tu economía progresará este año, pero el próximo será incluso mejor. Volveremos a este tema más adelante.

Tu salud será buena este año, pero será más excelente aún a partir del 12 de mayo. Ahora te gusta probar métodos y tratamientos nuevos relacionados con la salud. Volveremos a este tema más adelante.

El ingreso de Júpiter en tu quinta casa el 11 de mayo augura un año lleno de diversión. Si eres una mujer en edad de concebir, serás mucho más fértil todo el año.

Marte pasará mucho más tiempo del habitual en tu séptima casa del amor este año. Normalmente se queda un mes y medio en un signo o casa, pero este año pasará más de cuatro en tu séptima casa. Si no tienes pareja, este tránsito indica aventuras amorosas. Y si mantienes una relación, muestra luchas de poder con tu pareja. Volveremos a este tema más adelante.

Las áreas que más te interesarán este año serán la economía. La comunicación y los intereses intelectuales. El hogar y la familia. La diversión, los hijos y la creatividad (del 11 de mayo al 29 de

---

* Las previsiones de este libro se basan en el Horóscopo Solar y en todos los signos derivados del mismo: tu signo solar se convierte en el Ascendente, y las casas se numeran a partir de él. Tu horóscopo personal, el trazado concretamente para ti (según la fecha, hora y lugar exactos de tu nacimiento) podría modificar lo que se indica aquí. Joseph Polansky.

octubre, y a partir del 21 de diciembre). Y la salud, el trabajo, el amor y las relaciones amorosas (a partir del 20 de agosto).

Lo que más te llenará este año será el hogar y la familia (hasta el 11 de mayo, y del 29 de octubre al 21 de diciembre). La diversión, los hijos y la creatividad (del 11 de mayo al 29 de octubre, y a partir del 21 de diciembre). Y la salud y el trabajo.

Salud

(Ten en cuenta que se trata de una perspectiva astrológica de la salud, no de una médica. En el pasado, no había ninguna diferencia, ambas eran idénticas, pero en la actualidad podrían diferir mucho. Para obtener un punto de vista médico, consulta a tu médico de cabecera o a un profesional de la salud).

Tu sexta casa ya lleva varios años siendo poderosa y en este también lo será. Urano, un planeta lento, se aloja en ella. Este aspecto indica una serie de cambios en tu programa de salud. Ahora estás intentando seguir el programa perfecto y cada vez que crees haberlo encontrado, aparece algo nuevo y lo vuelves a cambiar.

Pero esta actitud es positiva. Estás experimentando con distintos médicos y terapias.

Te estás desprendiendo de los manuales para aprender por ti mismo lo que te funciona. Sabes que estás «hecho» de una manera única y que lo que a los demás les funciona, quizá a ti no te vaya bien. Y que lo que a ti te funciona, a lo mejor no les va bien a los demás. Aprender cómo funcionas es tu tarea principal en este momento (y en los últimos años). Es una de las mejores cosas que podemos hacer: aprender de nosotros mismos y conocernos mejor. Esto es lo que ahora estás haciendo.

Urano está creando un cambio en tu programa de salud, aunque los dos eclipses que tendrán lugar en tu sexta casa este año —el eclipse solar del 30 de abril y el eclipse lunar del 8 de noviembre—, también colaborarán en ello.

Tu salud será buena este año. Y mejorará más aún a partir del 12 de mayo. En agosto, cuando Marte forme una alineación desfavorable en tu carta astral, te convendrá cuidarte más.

Para fortalecer tu salud y evitar la aparición de problemas, presta más atención a las siguientes áreas vulnerables de tu carta astral.

El corazón. Este órgano se volvió importante cuando Júpiter empezó a formar una alineación desfavorable en tu carta astral. Y será más importante aún a partir del 20 de agosto. Te sentará bien trabajar los puntos reflejos del corazón. Los masajes torácicos, sobre todo en el esternón y en la parte superior de la caja torácica, son buenos para ti. Lo más importante para el corazón es cultivar la fe, el antídoto para las preocupaciones y la ansiedad. Evita preocuparte a toda costa. La meditación te vendrá de maravilla para mantenerlo en forma.

El cuello y la garganta. Estas partes del cuerpo siempre son importantes para los Sagitario, ya que Venus es tu planeta de la salud. Te sentará bien trabajar los puntos reflejos de estas zonas. Te conviene eliminar la tensión acumulada en el cuello.

El hígado y los muslos. Estas áreas son siempre importantes para los Sagitario. Te sentará bien trabajar sus puntos reflejos. Los masajes regulares en los muslos no solo fortalecen esta parte del cuerpo y el hígado, sino además las lumbares.

Los tobillos y las pantorrillas. Estas partes se volvieron importantes en 2019, cuando Urano ingresó en tu sexta casa. Los masajes regulares en estas zonas de tu cuerpo son buenos para ti. Cuando hagas ejercicio protégete los tobillos con una mayor sujeción.

Venus, tu planeta de la salud, avanza raudamente por el firmamento, como nuestros lectores saben. Transita por todos los signos y casas de tu carta astral a lo largo del año. Por lo que se darán muchas tendencias de corta duración relacionadas con la salud que dependerán de dónde esté Venus y de los aspectos que reciba. En las previsiones mes a mes hablaré de estas tendencias con más detalle.

Hogar y vida familiar

Tu cuarta casa del hogar y de la familia es importante este año. Es una casa poderosa. En cambio, tu décima casa de la profesión está vacía. Y además TODOS los planetas lentos se encontrarán en la mitad inferior de tu carta astral este año. Todos estos aspectos indican que te centrarás en el hogar, la familia y en tu bienestar emocional.

Tu vida familiar y doméstica será feliz este año. Si eres una mujer en edad de concebir, serás inusualmente fértil en esta temporada. Tu círculo familiar aumentará. Normalmente suele ocurrir por medio de los nacimientos o de las bodas, aunque no siempre es así. En ocasiones, puedes conocer a alguien que sea «como» uno de los tuyos para ti. Es un buen año para comprar o vender una vivienda. Tendrás muy buena suerte en la operación. Lo más probable es que cambies de casa y que la mudanza sea auspiciosa. Aunque en ocasiones este aspecto también indica la adquisición de una segunda residencia o una propiedad, o el acceso a otras casas. O bien la reforma del hogar o la compra de objetos caros para decorarlo. El resultado es en realidad «como si» te hubieras mudado.

«El pasado no ha muerto, ni siquiera ha pasado», afirmó William Faulkner. Este año comprobarás que es cierto. Te sentirás muy nostálgico, la historia estará muy presente en ti, tanto tu historia personal, como la de tu familia y la del mundo. Te dedicarás a asimilar y reinterpretar los acontecimientos y las vivencias del pasado.

Si estás siguiendo una terapia psicológica, harás grandes progresos en ella este año. Se darán muchos descubrimientos psicológicos. Y aunque no sigas una terapia, experimentarás sus efectos terapéuticos por medio de los amigos y la familia. Tendrás grandes percepciones interiores en estos días.

Si estás planeando hacer obras o reformas en tu hogar, del 15 de abril al 25 de mayo es un buen momento.

Si estás pensando en volver a decorar tu hogar o en comprar objetos de arte para embellecerlo, del 5 de abril al 2 de mayo serán los días idóneos.

Uno de tus padres o figura parental en edad de concebir es fértil en esta temporada. Una de tus figuras parentales prosperará mucho este año, y el próximo también. Está haciendo reformas importantes en su casa.

Tus hermanos o figuras fraternas llevan ya varios años que son inestables emocionalmente. Es posible que se hayan mudado en los últimos años y esta tendencia se sigue dando en este.

La vida familiar de tus hijos o figuras filiales seguirá siendo la misma.

Profesión y situación económica

Tu casa del dinero lleva ahora siendo poderosa cerca de veinte años. Y este año también lo será. Pero la situación cambiará pronto. En los dos próximos años, Plutón la abandonará e ingresará en tu tercera casa.

Tu vida económica se ha estado transformando por completo en los últimos veinte años. Has vivido crisis, experiencias económicas «cercanas a la muerte» y, en algunos casos, «muertes económicas» (quiebras, morosidad o incidentes similares). Aunque no hayan sido vivencias agradables, te han conducido a la vida económica con la que soñabas y ahora está a punto de hacerse realidad. Las angustias económicas no pretendían castigarte, no eran más que las punzadas de un nuevo nacimiento.

Una buena parte de esta transformación ha sido una depuración económica, este tipo de limpieza siempre forma parte de los preliminares de un nuevo nacimiento. Por eso necesitabas (y aún necesitas) desprenderte del derroche, es decir, de los gastos innecesarios, de las cuentas bancarias y de otros gastos banales. Menos es más. Siempre ha sido bueno desprenderte de los objetos inútiles o innecesarios.

Como Plutón es el planeta más lento de todos, se establece en un signo de 22 a 35 años. Muchas de las tendencias que he citado en las previsiones de los años anteriores seguirán dándose en este.

Plutón rige las herencias. Y esto es lo que podría sucederte. Pero también puede indicar que te beneficiarás de un patrimonio. Afortunadamente, no significa necesariamente que se vaya a producir una defunción, sino que tu nombre podría figurar en algún testamento, o te podrían nombrar administrador de una propiedad. Si te dedicas al sector inmobiliario —a la compraventa de propiedades—, este aspecto astrológico también es auspicioso.

Este año también es bueno para la planificación patrimonial, en el caso de tener la edad adecuada.

La planificación tributaria y una buena eficiencia fiscal han sido importantes para ti y lo seguirán siendo este año.

La tendencia más importante de todas es que ahora tal vez estés implicado en las dimensiones espirituales del dinero, es decir, en aplicar las leyes espirituales en tu vida y escuchar tu intuición. Volveremos a este tema más adelante.

Como he señalado, este año tu profesión no te interesará demasiado. Como saben nuestros lectores, el cosmos procura que nos desarrollemos equilibradamente en distintas áreas de nuestra vida. En algunas ocasiones, el hogar y la familia, el bienestar emocional, y los hijos y la creatividad personal son más importantes que la profesión. Como ocurre este año. Pero tu profesión va bien, lo único que ocurre es que ahora te interesa menos. Tu décima casa de la profesión está en esencia vacía. En cambio, tu cuarta casa del hogar y de la familia es muy poderosa. Por eso este año estarás más pendiente de tu familia y de tu bienestar emocional, pondrás tu vida doméstica en orden. Esto creará los cimientos para tu futuro éxito profesional.

El hecho de que tu décima casa esté vacía se puede interpretar como un aspecto positivo. Muestra que estás satisfecho con tu vida profesional y que no es necesario estar pendiente de esta faceta de tu vida. Seguirá siendo la misma.

Mercurio, tu planeta de la profesión, es de movimiento rápido, como saben nuestros lectores. Transita por todos los signos y casas de tu carta astral a lo largo del año. De ahí que se den muchas tendencias de corta duración relacionadas con tu profesión que dependan de dónde esté Mercurio y de los aspectos que reciba. En las previsiones mes a mes hablaré de estas tendencias con más detalle.

Amor y vida social

Tu vida amorosa seguirá siendo la misma hasta el 11 de mayo, pero a partir del 20 de agosto se irá animando.

Aunque esto no significa que sea un año que propicie el matrimonio o una relación seria. Pero favorece las aventuras amorosas, es decir, las relaciones amenas. Si no tienes pareja, no te apetecerá casarte en esta temporada. Además, por lo visto ahora atraes a personas que también quieren solo pasárselo bien.

Como he señalado, eres más fértil en estos días y podrías casarte debido a un embarazo. Aunque ni tú ni tu pareja os apetezca mantener una relación duradera, las circunstancias especiales os podrían obligar a ello.

Marte en tu séptima casa del amor se puede interpretar de distintas formas. Por un lado, indica como he señalado, el deseo de divertirte y pasártelo bien. Las relaciones son ahora para ti otra forma de diversión, no significan nada serio. Tienden a volverse inestables en los momentos difíciles, y estos baches son inevitables en cualquier relación.

El otro problema de Marte en tu séptima casa son las luchas de poder en una relación, ya que acaban destruyendo el romanticismo. Si consigues evitarlas, vuestra relación sobrevivirá a esta etapa.

Este año te atraen las personas que te lo hacen pasar bien. Las que son una compañía amena. También te atraen las personas atléticas. Las oportunidades románticas pueden surgir en el gimnasio, los pabellones deportivos, el cine, en un balneario o en espacios de ocio. En las fiestas también puedes conocer a alguien. Salir de noche será una buena velada romántica.

Como Mercurio, tu planeta del amor, es también el regente de tu décima casa, te atraerán las personas exitosas, así como las poderosas y prestigiosas. Las oportunidades románticas se te pueden presentar mientras intentas alcanzar tus objetivos profesionales (aunque no te interesen demasiado este año), o con personas que tienen que ver con tu profesión.

Se darán muchas tendencias de corta duración relacionadas con el amor, ya que Mercurio, tu planeta del amor, es muy raudo. Transita por todos los signos y casas de tu carta astral a lo largo del año. De ahí que estas tendencias pasajeras dependan de dónde esté Mercurio y de los aspectos que reciba. En las previsiones mes a mes hablaré de estas tendencias con más detalle.

Progreso personal

Este año tu hogar y tu familia serán muy importantes para ti, como he señalado. Pero tu bienestar emocional aún lo será más. Te enfrentarás a tu pasado. Te interesarás por él de manera natural. No solo te atraerá tu pasado, sino además la historia de tu familia. Revivirás muchos sentimientos. La mayoría serán del pasado, las situaciones de la vida cotidiana te los evocarán fácilmente. Como, por ejemplo, alguien mirándote de un cierto modo. Una persona con un cierto perfume. O alguien haciendo un determinado gesto o hablando en un determinado tono de voz. Estas escenas te traerán a la memoria vivencias del pasado y las recordarás por una razón. Para que cierres tus heridas. Para que resuelvas tus traumas. Para que los reinterpretes desde tu perspectiva actual. Y aunque haya sido una experiencia traumática para ti a los seis años de edad, ahora te hará sonreír. Sí, las emociones siguen ahí, pero ya no tienes seis años y ahora lo ves de una manera muy distinta. En la mayoría de los casos, una observación imparcial y ecuánime bastará para resolverlos. Si la experiencia fue muy traumática, existen métodos espirituales para limpiarla y disipar las emociones negativas que acarrea. Te quedará el recuerdo, pero sin las emociones negativas ligadas a él. Las experiencias sumamente traumáticas requerirán aplicar estos métodos más veces. En mi libro *A Technique for Meditation* hay dos capítulos que tratan sobre este tema. Si deseas conocerlo más a fondo, encontrarás una gran cantidad de información sobre él en mi web www.spiritual-stories. com. Limpiar los recuerdos del cuerpo —los recuerdos de las experiencias del pasado, tanto positivos como negativos—, es una tarea de muchas vidas según los sabios. Ten paciencia. Este tipo de traumas no desaparecen de la noche a la mañana, repentinamente. Pero cada pequeño progreso mejorará tu vida. Esto es lo que importa y en este año progresarás en ello.

Júpiter, el regente de tu horóscopo, y Neptuno, el planeta más espiritual de todos, viajarán juntos una buena parte del año. Detrás de este tránsito hay un propósito espiritual. Cuando hayas limpiado los recuerdos de tu cuerpo, tu vida espiritual también progresará.

Como Plutón, tu planeta de la economía, lleva ya cerca de veinte años en tu casa del dinero, has estado viviendo un ciclo para aprender las leyes espirituales del dinero y del suministro divino, y para saber aplicarlas en tu vida. Aquí es donde está la solución real y duradera para la pobreza. El remedio para este problema. Todo lo demás, como la búsqueda de trabajo, la formación laboral, las ayudas sociales… no son más que parches que nos alivian del sufrimiento por un tiempo, pero en el fondo no resuelven el origen del problema. Una buena definición espiritual de la pobreza es «estar desconectado de la Abundancia Divina». Esta abundancia siempre existe, y nunca disminuye ni se pierde. No depende de ninguna condición material. No depende de cuánto dinero tenemos o no en el banco. Ni tampoco de si tenemos trabajo, estamos desempleados, somos morosos, o de si hemos sido víctimas de un mercado bajista. Simplemente existe. Y cuando conectamos con esta abundancia divina y la entendemos, fluye por nuestra vida. Nunca se agota. Aunque tiene sus propias leyes. A estas alturas ya las conoces en gran parte, pero siempre puedes aprender más cosas. En mi web también encontrarás mucha información sobre la abundancia divina.

Previsiones mes a mes

Enero

Mejores días en general: 1, 8, 9, 18, 19, 27, 28

Días menos favorables en general: 6, 7, 13, 14, 21, 22
Mejores días para el amor: 2, 3, 4, 5, 11, 12, 13, 14, 21, 22, 23, 29, 30
Mejores días para el dinero: 2, 3, 4, 5, 6, 13, 14, 16, 23, 24, 25, 29, 30, 31
Mejores días para la profesión: 4, 5, 13, 14, 21, 22, 23

Te espera un mes feliz y próspero, sagitario. Disfrútalo.

Tu salud es excelente. Marte en tu signo hasta el 25 te da energía, coraje y la actitud de «¡puedo hacerlo!» Ahora lo llevas a cabo todo con rapidez. Destacas en los deportes y en tu rutina de ejercicios. Por lo visto, también te estás divirtiendo. Tus hijos o figuras filiales están dedicados a ti. El único problema con Marte en tu signo es que al fomentar las prisas y la impaciencia, podría hacerte sufrir accidentes o lesiones. (Seguramente ni te das cuenta de ir a todo correr, es como si no pudieras parar un minuto). Si no te queda más remedio que apresurarte, presta atención. Controla también tu carácter. No soportarás las estupideces ajenas en esta temporada. Puedes estallar con más agresividad de la habitual.

Seguirás viviendo una de tus mejores temporadas económicas del año hasta el 20. E incluso después de esta fecha gozarás de prosperidad. El 60 por ciento de los planetas se encuentran en tu casa del dinero o están transitando por ella. Es un montón de energía. El dinero te puede llegar de muchas fuentes y a través de muchas personas. Si te dedicas a las inversiones, esta coyuntura propicia una cartera muy diversificada. Ahora estás implicado en muchas compañías e industrias.

Si bien tu salud es buena, Venus, tu planeta de la salud, será retrógrado hasta el 29. Evita hacer cambios importantes en tu dieta o en tu programa de salud en esta temporada. (Urano, que también tiene que ver con la salud, será retrógrado hasta el 18). Lo más sensato es dejar los cambios para más adelante.

Surgirán oportunidades laborales en tu vida, pero te conviene analizarlas más a fondo. Resuelve tus dudas al respecto. Haz preguntas. Las cosas no son lo que parecen. El próximo mes verás la situación con más claridad.

Tu vida amorosa será complicada este mes por diversas razones. En primer lugar, la mayoría de planetas se encuentran en la mitad oriental de tu carta astral, la del yo. Tu primera casa será poderosa hasta el 25, en cambio tu séptima casa del amor está vacía (solo la Luna la visitará el 13 y 14). Si le añadimos a esta coyuntura la retrogradación del 14 de Mercurio, tu planeta del amor, el resultado es que los acontecimientos de tu vida amorosa bajarán de ritmo.

Las relaciones no serán tan importantes en esta temporada, sino que estarás más bien pendiente de «ti». Es el momento para manifestar tus iniciativas personales y tu independencia, para ser autosuficiente. Aunque esto no significa que puedas ser cruel con los demás, solo que tú eres lo más importante en estos días. Es el momento oportuno para ocuparte de tu propia felicidad. De ti depende. La felicidad, hablando en el sentido espiritual, no es más que una elección. Decide ser dichoso. Si tienes que hacer cambios para ser más feliz, ahora es el momento de llevarlos a cabo. Dispones del dinero necesario y del deseo. Más adelante, cuando los planetas ocupen la mitad occidental de tu carta astral, te costará más esfuerzo lograrlo.

No tomes decisiones amorosas importantes, en un sentido o en el otro, después del 14. Espera a ver la situación con más claridad. Mercurio, tu planeta del amor, retrocederá a tu segunda casa y luego ingresará de nuevo en la tercera. Hasta el 2 y a partir del 27, gozarás de oportunidades románticas mientras intentas alcanzar tus objetivos económicos o te relacionas con gente que tiene que ver con tus finanzas. Del 2 al 27 podrías conocer a alguien en tu barrio o mantener una relación amorosa con alguno de tus vecinos.

Febrero

Mejores días en general: 5, 6, 14, 15, 24, 25
Días menos favorables en general: 2, 3, 9, 10, 11, 17, 18
Mejores días para el amor: 7, 8, 9, 10, 11, 17, 18, 19, 27, 28
Mejores días para el dinero: 1, 2, 3, 9, 10, 11, 12, 13, 19, 20, 21, 22, 26, 27, 28
Mejores días para la profesión: 8, 17, 18, 19, 20, 28

Tu situación amorosa se empezará a enderezar el 4 con el movimiento directo de Mercurio. Como este planeta ocupará tu casa del dinero hasta el 15, al igual que el mes anterior gozarás de oportunidades románticas mientras intentas alcanzar tus objetivos económicos o quizá con personas involucradas en tus finanzas. Ahora estás socializando más con las personas adineradas de tu vida. El dinero te excita sexualmente. Expresas tu amor de formas prácticas y así es también cómo te sientes amado. Mercurio ingresará en Acuario, tu tercera casa, el 15. En este signo será extremadamente poderoso. Estará en «exaltación». De modo que tu encanto social será fuertísimo en estos días. El problema es tu falta de interés. Tu séptima casa sigue vacía (solo la Luna la visitará el 9, 10 y 11). Por lo que todo seguirá igual en el amor. Si no tienes pareja, te atraerán las personas intelectuales. La compatibilidad mental será esencial para ti en esta temporada. Para que alguien te atraiga, tendrá que gustarte tanto su cuerpo como su mente.

Seguirás siendo muy independiente este mes. Si aún no has hecho los cambios para ser feliz, tienes las condiciones perfectas para ello. Como los planetas se están preparando para ocupar la mitad occidental de tu carta astral el próximo mes, haz los cambios ahora.

Tu tercera casa se volvió poderosa el 20 de enero y lo seguirá siendo hasta el 18 de este mes. Es un aspecto fabuloso tanto para los estudiantes universitarios como para los alumnos de primaria o secundaria. Se centrarán en los estudios y rendirán en ellos. Tus facultades mentales y tu capacidad de comunicación serán mayores de lo habitual en esta temporada.

Tu casa del dinero seguirá siendo poderosa este mes, aunque no tanto como en enero. Tus ingresos continuarán siendo abundantes. Gozarás de una buena intuición financiera en estos días. Además, es posible que ahora también seas más especulador que de costumbre. Los días 3 y 4 serán muy ventajosos para ello. Como la luna nueva del 1 ocurrirá cerca de Saturno, tu planeta de la economía, también es una buena jornada para las finanzas. Tu situación económica se irá aclarando a lo largo del mes. Te llegará de manera natural toda la información necesaria para tomar buenas decisiones (al igual que para las cuestiones intelectuales y académicas).

Vigila más tu salud a partir del 18. Fortalécela con masajes torácicos. Te sentará bien trabajar los puntos reflejos del corazón. Los masajes en la espalda y las rodillas también son buenos para ti.

Tu vida doméstica y familiar será muy feliz este año, en especial a partir del 18. Es posible que ocurran mudanzas. Al igual que embarazos. Tu círculo familiar aumentará por los nacimientos o las bodas. Serás optimista en esta temporada. TODOS los planetas (salvo la Luna, y solo ocasionalmente) se encuentran por debajo del horizonte de tu carta astral, en el hemisferio nocturno de tu horóscopo. Tu décima casa de la profesión está vacía (solo la Luna la visitará el 17 y 18). Vuélcate pues en tu hogar, tu familia y tu bienestar emocional en esta temporada. Este mes experimentarás muchos progresos psicológicos. (Te ha estado ocurriendo desde que empezó el año, pero en febrero será más intenso aún). El cosmos, a modo de terapeuta, está intentando sanar tu mundo emocional.

Marzo

Mejores días en general: 4, 5, 14, 15, 23, 24
Días menos favorables en general: 2, 3, 9, 10, 16, 17, 30, 31
Mejores días para el amor: 1, 9, 10, 11, 12, 18, 19, 22, 27, 28
Mejores días para el dinero: 1, 2, 3, 9, 10, 11, 12, 18, 19, 21, 22, 25, 26, 27, 28, 30, 31
Mejores días para la profesión: 8, 16, 17, 19, 20, 28

Marte y Venus llevan viajando juntos desde el 25 de febrero y lo seguirán haciendo hasta el 12 de marzo. Es como si avanzaran al mismo paso convertidos en uno. Por lo general, esta coyuntura mejora la vida romántica de todo el planeta. Se da una cercanía entre ambos sexos. En tu carta astral, este aspecto muestra que tus hijos o figuras filiales prosperan este mes. También podrían embarcarse en una relación seria.

Tu hogar será por lo visto el centro de todo en marzo. Incluso Mercurio, tu planeta del amor y de la profesión, ocupará tu cuarta casa del 10 al 27. Tu hogar y tu familia serán tu misión, tu ocupación, en esta temporada. También indica que trabajarás desde tu hogar y que tu casa es ahora tu centro social.

Sigue vigilando tu salud hasta el 20. A partir del 21 notarás una mejoría espectacular. Fortalece tu salud descansando más. Hasta el 6, los masajes en la espalda y las rodillas te sentarán bien. Y a partir del 7, los masajes en los tobillos y las pantorrillas serán buenos para ti. Después del 6, rodéate de aire puro y respira a fondo.

El Sol viajará con Júpiter del 4 al 6. Este tránsito favorece los viajes al extranjero a solas o con la familia. (Lo más divertido sería seguramente hacer un crucero). Es muy probable que los estudiantes universitarios o los que han solicitado ingresar en una facultad tengan buenas noticias.

Mercurio viajará con Saturno, tu planeta de la economía, el 1 y 2. Este tránsito te traerá aumentos salariales y apoyo económico de tus padres o figuras parentales. Tal vez surja la oportunidad de montar un negocio con socios o una empresa conjunta. Mercurio viajará con Júpiter el 20 y 21. Este tránsito favorece las oportunidades laborales y románticas. Tu cónyuge, pareja o amante actual está teniendo una buena racha económica.

El ingreso de Mercurio en Piscis, tu cuarta casa, fomenta el idealismo en el amor y en la profesión. Una mayor participación en causas benéficas y altruistas le dará impulso a tu carrera. Aunque no verás los resultados al momento, sino al cabo de un tiempo. Este tránsito también indica que los valores familiares y la compatibilidad espiritual serán importantes para ti en una relación. La intimidad emocional con tu pareja será quizá más importante que la física en estos días.

Tu economía prosperará en general. Saturno, tu planeta de las finanzas, es directo y está recibiendo aspectos favorables este mes.

Cuando el Sol ingrese en tu quinta casa el 20, empezará una de tus temporadas más placenteras del año. Es el momento de disfrutar de la vida. Mientras te lo pasas en grande, te surgirán oportunidades profesionales y amorosas de manera espontánea, sobre todo a partir del 28.

Abril

Mejores días en general: 1, 2, 10, 11, 19, 20, 28, 29
Días menos favorables en general: 5, 6, 13, 14, 25, 26
Mejores días para el amor: 1, 2, 5, 6, 8, 12, 13, 17, 18, 21, 22, 25, 26, 27
Mejores días para el dinero: 5, 6, 8, 9, 15, 16, 17, 18, 21, 22, 23, 24, 26, 27
Mejores días para la profesión: 1, 2, 12, 13, 14, 21, 22

Vigila más tu salud a partir del 15. Es posible que tengas algún que otro achaque causado por los aspectos desfavorables de los planetas rápidos, pero durará poco y no será nada serio. Fortalece tu salud, como siempre, descansando más. Hasta el 5, los masajes en los tobillos y las pantorrillas te sentarán bien. Al igual que rodearte de aire puro y respirar a fondo. Potencia tu salud con masajes en los pies y con técnicas espirituales de curación a partir del 6. Si notas que tu tono vital está bajo, recurre a un sanador espiritual. Una buena salud emocional es muy importante a partir del 5. La curación espiritual será especialmente eficaz del 26 al 28.

Dado que el poder planetario cambiará a la mitad occidental el 15, a partir de esta fecha entrarás en una etapa más social. Será el momento para cultivar tus habilidades sociales. La iniciativa personal y la asertividad no serán lo más indicado en esta temporada. Alcanzarás tus objetivos por medio de la unanimidad y de tu encanto social. Si conviertes a los demás en tu prioridad, lo bueno de la vida te llegará de forma natural y normal. Cuando Mercurio ingrese en tu séptima casa el 30, esta se volverá más poderosa.

El eclipse solar del 30 tendrá lugar en tu sexta casa de la salud. Este aspecto indica cambios importantes en tu programa de salud en los próximos meses. Es posible que te lleves algún que otro susto en este sentido, pero si te ocurre pide una segunda opinión. (A veces los resultados de las analíticas pueden mostrar unos resultados negativos que desaparecen más adelante al cambiar los aspectos planetarios). Es probable que se den cambios laborales. Tal vez cambies de ocupación en tu empresa o decidas trabajar para otra. Si te ocupas de las contrataciones de tu compañía, quizá haya renovación de personal y dramas en la vida de los empleados.

Como el Sol rige tu novena casa, cada eclipse solar la afecta. Por lo que los estudiantes universitarios se enfrentarán a interrupciones en su facultad y a cambios en el plan de estudios. Es posible que cambien de universidad. Surgirán problemas en tu lugar de culto y dramas en la vida de tus líderes religiosos. Aunque te guste viajar, evita hacerlo en el periodo del eclipse. Si tienes problemas jurídicos, darán un gran vuelco en un sentido o en el otro en estos días.

Tu economía te irá mejor hasta el 20 que después de esta fecha. Los ingresos te seguirán llegando a partir del 21, pero te costará más esfuerzo obtenerlos.

Mayo

Mejores días en general: 7, 8, 9, 16, 17, 25, 26
Días menos favorables en general: 2, 3, 4, 10, 11, 23, 24, 30, 31
Mejores días para el amor: 2, 3, 4, 7, 8, 12, 13, 16, 17, 18, 19, 28, 30, 31
Mejores días para el dinero: 3, 4, 6, 13, 16, 19, 21, 22, 25, 31
Mejores días para la profesión: 2, 3, 4, 10, 11, 12, 13, 18, 19, 28

En general, tu salud será buena este mes. Aunque debido a los aspectos desfavorables de los planetas rápidos, tu energía no está ahora en su mejor momento, ni lo estará por un tiempo. Descansa bastante, un nivel alto de energía es la mejor defensa contra las enfermedades. Fortalece tu salud con masajes en el cuero cabelludo, el rostro y la cabeza del 3 al 28. El ejercicio físico te ayudará a mantener un buen tono muscular, algo importante. Evita la ira y el miedo, las dos emociones que estresan las suprarrenales. Trabajar los puntos reflejos de estas glándulas es una buena idea. A partir del 29, los masajes en el cuello y la garganta te sentarán bien. La terapia craneosacral será beneficiosa el mes entero. La buena noticia es que como tu sexta casa de la salud será muy poderosa todo el mes, no ignorarás la situación y te cuidarás.

El importante ingreso de Júpiter, el regente de tu horóscopo, en tu quinta casa el 11, es el principal titular este mes. Estarás más implicado en tus hijos o figuras filiales en estos días. Si estás en edad de concebir, seguirás siendo muy fértil. También habrá más diversión en tu vida. Es la tendencia de este año y la del próximo. Tu creatividad personal será mucho mayor de lo habitual.

El eclipse lunar del 16 tendrá lugar en tu duodécima casa de la espiritualidad y será relativamente suave para ti, pero es mejor reducir de todos modos tu agenda en estos días. (Te conviene hacerlo el mes entero, pero en especial en el periodo del eclipse). Este evento planetario traerá cambios relacionados con la práctica, las enseñanzas y los maestros espirituales que sigues. Así como en tus actitudes referentes a tu camino espiritual. A veces la gente decide emprender un camino espiritual con este tipo de eclipse. Y en muchas otras ocasiones, el eclipse crea revelaciones interiores que generan cambios en la práctica y en las actitudes. Habrá trastornos en las organizaciones benéficas y espirituales en las que participas. (Y como la Luna rige tu novena casa, también provocará problemas en tu lugar de culto). Tus líderes religiosos y tus figuras de gurú se enfrentarán a dramas personales en este periodo.

A los estudiantes universitarios y a los que han solicitado entrar en una facultad también les afectará el eclipse. Su plan de estudios se modificará y es posible que cambien de universidad. Tal vez haya cambios en la jerarquía del centro docente. Si tienes problemas jurídicos, darán un gran vuelco en un sentido o en el otro. Progresarán. Saturno, tu planeta de la economía, también acusará los efectos del eclipse. Por lo que te verás obligado a hacer cambios en tus finanzas. Tus ideas y suposiciones relacionadas con esta esfera de tu vida —como los acontecimientos del eclipse te mostrarán— no han sido acertadas, y deberás hacer ajustes para corregirlas. Surgirán dramas en la vida de las personas adineradas de tu vida. Tus amigos se verán obligados a hacer cambios económicos importantes, sus suposiciones tampoco han sido realistas.

Tu vida amorosa es ahora activa, pero complicada. Cuando el Sol ingrese en tu séptima casa el 21, empezará una de tus mejores temporadas amorosas y sociales del año. El único problema será la retrogradación de Mercurio, tu planeta del amor, el 10. Este aspecto planetario complicará las cosas. Tu confianza social no será tan alta como debería serlo. Si no tienes pareja, tendrás citas y asistirás a fiestas, pero no es necesario que tomes decisiones amorosas importantes.

Si buscas trabajo, te saldrán muchas oportunidades este mes. Quizá demasiadas. Y si ya estás trabajando, te surgirán oportunidades para hacer horas extras o dedicarte al pluriempleo. Ahora tienes ganas de trabajar y tus jefes lo notan.

Junio

Mejores días en general: 4, 5, 13, 14, 21, 22
Días menos favorables en general: 6, 7, 19, 20, 26, 27
Mejores días para el amor: 6, 7, 16, 17, 26, 27
Mejores días para el dinero: 2, 3, 4, 10, 13, 15, 16, 18, 21, 29, 30
Mejores días para la profesión: 6, 7, 17, 26, 27

El poder planetario se encuentra ahora en su mayor parte en la mitad occidental de tu carta astral, en el punto más occidental. Tu séptima casa del amor y de las actividades sociales está repleta de planetas, en cambio tu primera casa del yo está vacía (solo la Luna la visitará el 13 y 14). El claro mensaje de esta coyuntura es que te espera un mes en el que lo más importante serán los demás y las relaciones que mantienes. El amor y las actividades sociales —las necesidades ajenas— son ahora tu prioridad en la vida. Estás cultivando tus habilidades sociales en esta temporada. Las habilidades personales, la asertividad y la iniciativa, no son tan importantes este mes como tus habilidades sociales. Consigue lo que deseas por medio de los acuerdos y la cooperación. No intentes obtenerlo a tu manera. Lo bueno de la vida te llegará de la generosidad de los demás en esta temporada.

Te encuentras aún en una de tus mejores épocas amorosas y sociales del año. Aunque lo más probable es que no te cases —de momento, no te apetece—, gozarás de muchas oportunidades amorosas. Ahora te gusta más pasártelo bien y divertirte que mantener una relación seria. El movimiento directo de Mercurio del 3 también le dará un empujón a tu vida amorosa. Recuperarás tu confianza social en esta temporada. Verás con más claridad lo que quieres. Una relación estancada empezará a progresar de nuevo.

Sigue vigilando tu salud hasta el 21. Aunque sea en esencia buena, ahora estás notando los efectos de los aspectos desfavorables de los planetas rápidos. La mayoría desaparecerán el 21, pero mientras tanto descansa bastante y fortalece tu salud con masajes en el cuello hasta el 23, y por medio de la terapia craneosacral. Y a partir del 24, con masajes en los brazos y los hombros. Trabajar los puntos reflejos de las manos también es bueno para ti. Rodearte de aire puro y respirar a fondo te sentará bien. A partir del 24, la armonía social será muy importante en tu vida.

Si bien tu salud y energía podrían ser mejores, ahora estás disfrutando de la vida. Tu quinta casa es poderosa y te apetece divertirte en estos días. Dos planetas muy importantes se alojan en ella: Júpiter, el regente de tu horóscopo, y Marte, el regente de tu quinta casa. Por lo que tu objetivo en la vida es ahora ser feliz. Tu creatividad personal es inusualmente poderosa. Las mujeres en edad de concebir siguen siendo extraordinariamente fértiles.

Tu economía será muy buena este mes. Saturno recibirá unos aspectos sumamente venturosos hasta el 21. El 15 y 16 son unas jornadas especialmente favorables a las ganancias. El único problema económico es el movimiento retrógrado de Saturno, tu planeta de las finanzas, que empezará el 4. Esta retrogradación durará muchos meses más. Al durar tanto tiempo, aunque tu actividad financiera siga progresando, te convendrá investigar más a fondo todas las cuestiones relacionadas con ella.

El Sol ingresará en tu octava casa el 21 y la ocupará el resto del mes, y buena parte del siguiente. Es el momento de dedicarte a tu transformación personal para traer al mundo a la persona que quieres ser. Este proceso comporta soltar tu vieja mochila, dejar atrás tus antiguos hábitos mentales y emocionales para que pueda entrar lo nuevo. Es también un buen momento para las dietas depurativas y de adelgazamiento. Para ensanchar tus horizontes y deshacerte de lo que ya no necesitas. Desprenderte de lo superfluo en lugar de añadir más cosas a tu vida es ahora la forma de crecer por dentro.

Julio

Mejores días en general: 1, 2, 10, 11, 18, 19, 20, 28, 29
Días menos favorables en general: 4, 5, 16, 17, 23, 24, 31
Mejores días para el amor: 6, 7, 8, 15, 16, 17, 23, 24, 26, 28, 29
Mejores días para el dinero: 1, 2, 7, 10, 11, 12, 13, 15, 18, 19, 24, 28, 29
Mejores días para la profesión: 4, 5, 8, 16, 17, 28, 29, 31

Tu salud y energía son excelentes. Y mejorarán más aún en el transcurso del mes. Dispones de toda la energía necesaria para alcanzar lo que te propongas. Pero por buena que sea tu salud, siempre puedes mejorarla. Los masajes en los brazos y los hombros, y trabajar los puntos reflejos de las manos, los pulmones y los bronquios, te sentará de maravilla hasta el 18. A partir del 19, la dieta será muy importante para ti. Trabajar los puntos reflejos del estómago y una buena salud emocional también será muy beneficioso en estos días.

Dado que tu octava casa es incluso más poderosa que el mes anterior, como he señalado, es una etapa para reinventarte y transformarte, y para las dietas depurativas y adelgazantes. Mercurio, tu planeta del amor, ocupará tu octava casa buena parte del mes, del 5 al 19. Este aspecto muestra que el magnetismo sexual será ahora lo que más te atraerá si no tienes pareja. Por lo general, te espera un mes sexualmente activo. Pero la situación cambiará el 19, cuando tu planeta del amor ingrese en Leo, tu novena casa. Descubrirás entonces que aunque el sexo sea importante para ti, hay otras cosas que también lo son. Te atraerán las personas extremadamente cultas y refinadas en esta temporada. Y además buscarás la compatibilidad filosófica en una relación. Te atraerán las personas que puedan enseñarte algo y que te inspiren admiración. Tendrás los aspectos planetarios de alguien que se enamora de su profesor, pastor, cura o rabino. El amor y las oportunidades sociales surgirán en la universidad y en actos académicos, o en tu lugar de culto y en celebraciones religiosas. Las personas extranjeras también te atraerán en estos días.

Tu planeta del amor avanza raudamente por el firmamento este mes. La actividad retrógrada será intensa, pero al parecer no afectará tu vida amorosa ni tu profesión. Ahora estás lleno de confianza y progresas con rapidez.

Marte ingresará en tu sexta casa el 5. Este tránsito favorece las rutinas de ejercicios. Sentirás el deseo de gozar de un buen tono muscular (además de lo que he señalado antes). Este aspecto muestra que tal vez te impliques más en la salud de tus hijos o figuras filiales que en la tuya. Se te presentará una oportunidad laboral ventajosa.

Como tu novena casa se volverá poderosa el 23, surgirán oportunidades para viajar, y muchas tendrán que ver con tu profesión. El 30 y 31 son unos días excelentes para viajar al extranjero. También será un buen periodo para los estudiantes universitarios y los que han solicitado entrar en una facultad. En estos días recibirán buenas noticias al respecto.

Agosto

Mejores días en general: 7, 8, 15, 16, 25, 26
Días menos favorables en general: 1, 13, 14, 20, 21, 27, 28
Mejores días para el amor: 4, 5, 9, 15, 17, 18, 20, 21, 25, 26, 29
Mejores días para el dinero: 3, 7, 9, 10, 12, 15, 21, 25, 30
Mejores días para la profesión: 1, 9, 17, 18, 27, 28, 29

Vigila más tu salud a partir del 23. Quizá tengas algún que otro achaque pasajero por los aspectos desfavorables de los planetas rápidos, pero no será nada grave. Lo mejor es intentar mantener siempre un nivel alto de energía. Trabajar los puntos reflejos del corazón y recibir masajes torácicos te sentará bien. La dieta también será importante para ti hasta el 12.

Tu vida amorosa será interesante este mes. Marte ingresará en tu séptima casa el 20 y la ocupará el resto del año. Este aspecto no propicia el matrimonio, sino las aventuras amorosas, la diversión y el jugueteo sexual. Como tu planeta del amor ingresará en tu décima casa de la profesión el 4, te atraerán las personas poderosas y famosas en esta temporada. Las que pueden darle impulso a tu carrera. Este mes te relacionarás con este tipo de gente. Del 4 al 26 emanarás un gran encanto social, ya que Mercurio será extremadamente poderoso al encontrarse en su propio signo y casa, en la cúspide de tu carta astral. Tu vida amorosa también es buena. La mayor parte de tu actividad social tiene que ver con tu profesión (aunque no toda). Te surgirán oportunidades románticas con tus jefes y con personas de una posición social más elevada que la tuya. Y también con personas que tienen que ver con tu profesión. Cuando Mercurio ingrese en el romántico Libra después del 26, tus actitudes amorosas cambiarán. Hasta el 26 has estado siendo pragmático —práctico— en el amor. Lo que buscabas es que tu pareja impulsara tu carrera laboral. Pero a partir del 27 desearás mantener una relación más romántica.

Te espera un mes fructífero. Aunque el hemisferio diurno de tu carta astral no sea el más potente, ya que el hemisferio nocturno es el que predomina, será su momento más poderoso del año. Te conviene centrarte más en tu profesión. Como ahora te encuentras en el mediodía de tu año, deberías estar despejado y dedicarte a las actividades diurnas, pero en su lugar estás soñoliento y te duermes a pleno día. Y luego te despiertas y vuelves a adormecerte. Te cuesta quitarte la noche de encima.

Es muy probable que hagas viajes laborales este mes. Tu disposición a viajar y asesorar a los demás es importante en tu carrera. No te olvides de organizar fiestas y reuniones adecuadas o de asistir a este tipo de eventos.

Tu economía se complicará un poco este mes. Aunque tu profesión te vaya ahora de maravilla, es posible que los beneficios económicos te lleguen más adelante, ya que Saturno, tu planeta de la economía, además de ser retrógrado, recibirá aspectos desfavorables hasta el 23. Tus finanzas mejorarán a partir del 24. El próximo mes tu economía progresará mucho más que en este.

Septiembre

Mejores días en general: 3, 4, 11, 12, 21, 22, 30
Días menos favorables en general: 9, 10, 16, 17, 23, 24
Mejores días para el amor: 4, 5, 7, 8, 13, 14, 15, 16, 17, 24
Mejores días para el dinero: 3, 5, 6, 7, 8, 11, 16, 17, 21, 26, 27, 30
Mejores días para la profesión: 7, 8, 16, 23, 24

La actividad retrógrada llegará a su punto máximo del año. A partir del 10, el 60 por ciento de los planetas serán retrógrados, un porcentaje elevadísimo. Los niños nacidos en estas fechas —ni siquiera es necesario conocer su horóscopo— tardarán más de lo habitual en desarrollarse y progresar en la vida. Es positivo que Júpiter tenga su solsticio este mes. Durará del 8 de septiembre al 16 de octubre. (Como Júpiter avanza muy despacio por el firmamento, su solsticio durará mucho más tiempo). Es un aspecto planetario muy importante para ti, ya que Júpiter es el regente de tu horóscopo. Tus actividades personales experimentarán una pausa y luego un cambio de rumbo. Esta pausa será renovadora.

Cuando la actividad retrógrada es tan elevada, lo mejor es aprovechar al máximo esta temporada y analizar todos los aspectos de tu vida para ver en qué los puedes mejorar. Y cuando los planetas vuelvan a ser directos, estarás preparado para avanzar con ellos. Procura, además, realizarlo todo a la perfección. Asegúrate de llevar a cabo perfectamente todos los detalles del día a día, como los económicos, los profesionales y los de otros aspectos de tu vida. Ahora no hay atajos. Tómate el tiempo necesario para ser perfecto. Aunque esta forma de actuar no elimine los retrasos ni los obstáculos, los reducirá para minimizar sus efectos.

Sigue vigilando tu salud hasta el 23. Descansa y relájate bastante y escucha los mensajes de tu cuerpo. Si mientras haces ejercicio notas algún dolor o molestia, haz una pausa para recuperarte. Fortalece tu salud al trabajar los puntos reflejos del corazón y con masajes torácicos. Después del 5, los masajes abdominales te sentarán bien. Tu salud mejorará de manera espectacular a partir del 24.

Seguirás viviendo una de tus mejores temporadas profesionales hasta el 23. Procura estar despejado y céntrate en tu carrera. Es normal que te sientas soñoliento (todavía hay muchos planetas en el hemisferio nocturno de tu carta astral), pero intenta sacudirte la modorra de encima lo máximo posible.

La actividad retrógrada de Mercurio del 10 te complicará la vida amorosa y la profesional. Al ser Júpiter y Mercurio retrógrados al mismo tiempo, tu pareja y tú no sabréis por dónde tirar y no veréis la situación con claridad. No sabréis lo que queréis. Evita tomar decisiones amorosas importantes a partir del 10.

Aunque tu planeta de la economía siga siendo retrógrado, al estar recibiendo aspectos favorables, tus ingresos están aumentando y además te costará menos esfuerzo obtenerlos.

Octubre

Mejores días en general: 1, 9, 10, 18, 19, 27, 28
Días menos favorables en general: 7, 13, 14, 21, 22
Mejores días para el amor: 2, 3, 4, 5, 13, 14, 25
Mejores días para el dinero: 2, 3, 4, 5, 8, 9, 13, 14, 18, 23, 24, 26, 27, 30
Mejores días para la profesión: 2, 3, 13, 21, 22, 23, 24

El eclipse solar que tendrá lugar el 25 será como una repetición (aunque no sea idéntico) del eclipse lunar del 16 de mayo. Ocurrirá en tu duodécima casa y no te afectará demasiado a nivel personal, pero generará cambios espirituales. Traerá cambios entre bastidores que más adelante descubrirás. Surgirán trastornos y dramas en las organizaciones benéficas o espirituales en las que participas. Habrá cambios relacionados con tus donaciones benéficas. Y también en el aspecto de las enseñanzas, los maestros y las prácticas espirituales que sigues. (Estos cambios vienen de revelaciones interiores y son algo muy natural y normal).

Tus amigos están haciendo cambios económicos importantes en su vida. Tus hermanos o figuras fraternas se están enfrentando a dramas sentimentales. Tu relación de pareja atravesará momentos difíciles en esta temporada. Tus hijos o figuras filiales pueden tener encuentros psicológicos con la muerte. Es posible que les aconsejen pasar por el quirófano.

El Sol rige tu novena casa y cada eclipse solar afecta los aspectos de la vida que tienen que ver con ella. De modo que los estudiantes universitarios vivirán dramas en la facultad. Es posible que el plan de estudios cambie o que cambien de especialidad. En ocasiones, pueden cambiar de universidad. La política académica también puede cambiar y afectar el plan de estudios. Surgirán trastornos en tu lugar de culto. Y dramas personales que les cambiarán la vida a tus líderes religiosos. No es un buen momento para viajar. Si no te queda más remedio, programa el viaje antes o después de los días del eclipse. En el caso de tener un problema jurídico, la sentencia judicial puede ser impactante.

La buena noticia es que tu salud será buena este mes. Tu situación doméstica y familiar es feliz, y ahora estás más pendiente de esta esfera de tu vida. Uno de tus padres o figura parental prospera en la vida.

Tu economía también progresa. Como Saturno, tu planeta de las finanzas, empezará a ser directo el 23, verás tu situación económica con claridad y estarás preparado para avanzar en este sentido. Aunque es posible que obtener tus ingresos te cueste más a partir del 23. Pero si te esfuerzas, prosperarás.

Fortalece tu salud con masajes en las caderas. Trabajar los puntos reflejos de los riñones hasta el 23 te sentará bien. A partir del 24, las dietas depurativas y las técnicas espirituales de curación te irán de maravilla.

Noviembre

Mejores días en general: 5, 6, 15, 16, 24, 25
Días menos favorables en general: 3, 4, 10, 11, 17, 18, 30
Mejores días para el amor: 3, 4, 10, 11, 13, 14, 23, 24, 25
Mejores días para el dinero: 1, 2, 4, 10, 11, 14, 19, 20, 23, 26, 27, 28, 29
Mejores días para la profesión: 3, 4, 13, 14, 17, 18, 24, 25

La actividad retrógrada seguirá bajando este mes. A finales de noviembre solo el 20 por ciento de los planetas serán retrógrados. Los acontecimientos del mundo y de la vida empezarán a reactivarse. Los proyectos bloqueados comenzarán a despegar.

Aparte de todo esto, habrá un eclipse lunar colosal el 8 (los proyectos se «desbloquearán» en parte por sus efectos, se llevará por delante los obstáculos). Será un eclipse potente por muchas razones. Por un lado, será un eclipse total (siempre son más fuertes que los parciales). Y por otro, afectará a muchos otros planetas y, por lo tanto, a muchos aspectos de la vida. Será potente a nivel personal y mundial. Afectará a Mercurio, Venus y Urano.

Este eclipse tendrá lugar en tu sexta casa de la salud y el trabajo, y afectará a Venus, el regente de esta casa. Por lo que te esperan cambios de empleo. Las condiciones laborales de tu lugar de trabajo también pueden cambiar. Es posible que te lleves algún que otro susto relacionado con la salud (si es así, pide una segunda opinión a finales de mes, ya que cuando la energía planetaria está agitada, las pruebas médicas dan un resultado distinto de cuando es más armoniosa). En los próximos meses harás cambios importantes en tu programa de salud. Si te ocupas de las contrataciones en tu empresa, surgirán dramas en la vida de tus empleados y habrá renovación de personal en este mes o en los próximos.

Como la Luna, el planeta eclipsado, rige tu octava casa, vivirás encuentros psicológicos con la muerte o experiencias cercanas a la muerte. Es posible que te aconsejen pasar por el quirófano. (Pero pide una segunda opinión). Tu cónyuge, pareja o amante actual se verá obligado a hacer cambios económicos importantes. Sus ideas y sus estrategias financieras no han sido realistas.

Tu cónyuge, pareja o amante actual se enfrentará a dramas personales en su vida. Sentirá el irreprimible deseo de redefinirse. De cambiar el concepto que tiene de sí mismo y la imagen que proyecta en el mundo. Vuestra relación atravesará momentos difíciles.

También se darán cambios profesionales en tu vida. Normalmente, no se trata de cambios en el sentido literal, sino de cambios en la política empresarial, en el sector en el que trabajas, o en las normas gubernamentales que lo rigen. Tendrás que abordar tu trabajo con otro enfoque. Pero en otras ocasiones, las circunstancias te pueden obligar a cambiar de profesión. Tus jefes, tus padres o figuras parentales, y las personas mayores de tu entorno, se enfrentarán a dramas que pueden cambiarles la vida.

Como este eclipse ocurrirá cuando tu duodécima casa de la espiritualidad es poderosa, vivirás una temporada más espiritual hasta el 22. La espiritualidad —la meditación y la práctica espiritual— será el mejor modo de afrontar este tipo de eclipse. Te permitirá mantenerte sereno y te revelará soluciones.

Cuando el Sol ingrese en tu primera casa el 22, empezará uno de tus momentos más placenteros del año, una época feliz.

Diciembre

Mejores días en general: 2, 3, 12, 13, 21, 22, 29, 30
Días menos favorables en general: 1, 7, 8, 14, 15, 16, 27, 28
Mejores días para el amor: 2, 3, 7, 8, 14, 17, 18, 23, 24, 25, 26
Mejores días para el dinero: 1, 7, 8, 11, 17, 18, 20, 21, 23, 24, 25, 26, 29
Mejores días para la profesión: 2, 3, 14, 15, 16, 23, 24

Te espera un mes feliz y próspero, Sagitario, disfrútalo.

El poder planetario se encuentra ahora en gran parte en la mitad oriental de tu carta astral, la del yo, en el punto máximo oriental. Por lo que ahora eres muy independiente. Es el momento de hacer las cosas a tu manera —y además es así como debe ser—, y los demás no te pondrán trabas. Haz los cambios necesarios para ser feliz. No te costarán ningún esfuerzo en esta temporada. No es necesario que los demás los aprueben (aunque lo harán de todos modos). Ser feliz depende de ti.

Aún sigues viviendo una de las épocas más placenteras del año, empezó el 22 del mes pasado. Tu salud es buena y lo será más aún después del 21. Ahora te toca disfrutar de los placeres del cuerpo y de los sentidos. Mima tu cuerpo y muéstrale tu agradecimiento por el invalorable servicio que te ha estado prestando todos estos años. Es el momento idóneo para ponerte en forma tal como deseas. Y también para comprar ropa y accesorios personales, ya que tu gusto estético es ahora excelente. (Venus ocupará tu primera casa hasta el 10).

Surgirán en tu vida oportunidades agradables para viajar. Así como oportunidades laborales. Si eres estudiante universitario, recibirás buenas noticias de la facultad. Ahora luces un aspecto fabuloso y las personas del otro sexo lo notan.

Mercurio, tu planeta del amor, lleva en tu signo desde el 17 de noviembre y lo seguirá ocupando hasta el 7. Este aspecto planetario muestra a alguien que goza del amor en sus propios términos. El amor te está ahora buscando a ti. No hace falta que hagas nada especial, mientras te dedicas a tus oportunidades profesionales te llegará por sí solo. Sin necesidad de buscarlo.

El Sol ingresará en tu casa del dinero el 21 y empezará uno de tus mejores momentos económicos del año. Lo notarás incluso antes de esta fecha, cuando Mercurio ingrese en ella el 7 y Venus lo haga el 10.

Cuando Júpiter regrese a tu quinta casa el 21, vivirás una intensa temporada de diversión. Además, dispondrás de los medios económicos para pasártelo en grande.

Salir del espacio habitual por el que uno se mueve —ignorar los límites—, será la tendencia que se dará en el mundo en diciembre. Muchas personas lo harán. Este mes hay tres planetas «fuera de límites»: Marte, Venus y Mercurio. En tu caso, este aspecto planetario muestra que te moverás fuera de tu órbita habitual en lo que respecta al amor, el trabajo, la salud y tus diversiones preferidas.

Capricornio

♑

La Cabra
Nacidos entre el 21 de diciembre y el 19 de enero

Rasgos generales

CAPRICORNIO DE UN VISTAZO

Elemento: Tierra

Planeta regente: Saturno
 Planeta de la profesión: Venus
 Planeta del amor: la Luna
 Planeta del dinero: Urano
 Planeta de la salud y el trabajo: Mercurio
 Planeta del hogar y la vida familiar: Marte
 Planeta espiritual: Júpiter

Colores: Negro, índigo
 Colores que favorecen el amor, el romance y la armonía social: Castaño rojizo, plateado
 Color que favorece la capacidad de ganar dinero: Azul marino

Piedra: Ónice negro

Metal: Plomo

Aromas: Magnolia, pino, guisante de olor, aceite de gualteria

Modo: Cardinal (= actividad)

Cualidades más necesarias para el equilibrio: Simpatía, espontaneidad, sentido del humor y diversión

Virtudes más fuertes: Sentido del deber, organización, perseverancia, paciencia, capacidad de expectativas a largo plazo

Necesidad más profunda: Dirigir, responsabilizarse, administrar

Lo que hay que evitar: Pesimismo, depresión, materialismo y conservadurismo excesivos

Signos globalmente más compatibles: Tauro, Virgo

Signos globalmente más incompatibles: Aries, Cáncer, Libra

Signo que ofrece más apoyo laboral: Libra

Signo que ofrece más apoyo emocional: Aries

Signo que ofrece más apoyo económico: Acuario

Mejor signo para el matrimonio y/o asociaciones: Cáncer

Signo que más apoya en proyectos creativos: Tauro

Mejor signo para pasárselo bien: Tauro

Signos que más apoyan espiritualmente: Virgo, Sagitario

Mejor día de la semana: Sábado

La personalidad Capricornio

Debido a las cualidades de los nativos de Capricornio, siempre habrá personas a su favor y en su contra. Mucha gente los admira, y otros los detestan. ¿Por qué? Al parecer esto se debe a sus ansias de poder. Un Capricornio bien desarrollado tiene sus ojos puestos en las cimas del poder, el prestigio y la autoridad. En este signo la ambición no es un defecto fatal, sino su mayor virtud.

A los Capricornio no les asusta el resentimiento que a veces puede despertar su autoridad. En su mente fría, calculadora y organizada, todos los peligros son factores que ellos ya tienen en cuenta en la ecuación: la impopularidad, la animosidad, los malentendidos e incluso la vil calumnia; y siempre tienen un plan para afrontar estas cosas de la manera más eficaz. Situaciones que aterrarían a cualquier mente corriente, para Capricornio son meros problemas que hay que afrontar y solventar, baches en el

camino hacia un poder, una eficacia y un prestigio siempre crecientes.

Algunas personas piensan que los Capricornio son pesimistas,
pero esto es algo engañoso. Es verdad que les gusta tener en cuenta el lado negativo de las cosas; también es cierto que les gusta
imaginar lo peor, los peores resultados posibles en todo lo que
emprenden. A otras personas les pueden parecer deprimentes estos análisis, pero Capricornio sólo lo hace para poder formular
una manera de salir de la situación, un camino de escape o un
«paracaídas».

Los Capricornio discutirán el éxito, demostrarán que las cosas
no se están haciendo tan bien como se piensa; esto lo hacen con
ellos mismos y con los demás. No es su intención desanimar, sino
más bien eliminar cualquier impedimento para un éxito mayor.
Un jefe o director Capricornio piensa que por muy bueno que sea
el rendimiento siempre se puede mejorar. Esto explica por qué es
tan difícil tratar con los directores de este signo y por qué a veces
son incluso irritantes. No obstante, sus actos suelen ser efectivos
con bastante frecuencia: logran que sus subordinados mejoren y
hagan mejor su trabajo.

Capricornio es un gerente y administrador nato. Leo es mejor
para ser rey o reina, pero Capricornio es mejor para ser primer
ministro, la persona que administra la monarquía, el gobierno o
la empresa, la persona que realmente ejerce el poder.

A los Capricornio les interesan las virtudes que duran, las cosas
que superan las pruebas del tiempo y circunstancias adversas. Las
modas y novedades pasajeras significan muy poco para ellos; sólo
las ven como cosas que se pueden utilizar para conseguir beneficios o poder. Aplican esta actitud a los negocios, al amor, a su
manera de pensar e incluso a su filosofía y su religión.

Situación económica

Los nativos de Capricornio suelen conseguir riqueza y generalmente se la ganan. Están dispuestos a trabajar arduamente y durante mucho tiempo para alcanzar lo que desean. Son muy dados
a renunciar a ganancias a corto plazo en favor de un beneficio a
largo plazo. En materia económica entran en posesión de sus bienes tarde en la vida.

Sin embargo, si desean conseguir sus objetivos económicos, deben despojarse de parte de su conservadurismo. Este es tal vez el

rasgo menos deseable de los Capricornio. Son capaces de oponerse a cualquier cosa simplemente porque es algo nuevo y no ha sido puesto a prueba. Temen la experimentación. Es necesario que estén dispuestos a correr unos cuantos riesgos. Debería entusiasmarlos más lanzar productos nuevos al mercado o explorar técnicas de dirección diferentes. De otro modo el progreso los dejará atrás. Si es necesario, deben estar dispuestos a cambiar con los tiempos, a descartar métodos anticuados que ya no funcionan en las condiciones modernas.

Con mucha frecuencia, la experimentación va a significar que tengan que romper con la autoridad existente. Podrían incluso pensar en cambiar de trabajo o comenzar proyectos propios. Si lo hacen deberán disponerse a aceptar todos los riesgos y a continuar adelante. Solamente entonces estarán en camino de obtener sus mayores ganancias económicas.

Profesión e imagen pública

La ambición y la búsqueda del poder son evidentes en Capricornio. Es tal vez el signo más ambicioso del zodiaco, y generalmente el más triunfador en sentido mundano. Sin embargo, necesita aprender ciertas lecciones para hacer realidad sus más elevadas aspiraciones.

La inteligencia, el trabajo arduo, la fría eficiencia y la organización los llevarán hasta un cierto punto, pero no hasta la misma cima. Los nativos de Capricornio han de cultivar la buena disposición social, desarrollar un estilo social junto con el encanto y la capacidad de llevarse bien con la gente. Además de la eficiencia, necesitan poner belleza en su vida y cultivar los contactos sociales adecuados. Deben aprender a ejercer el poder y a ser queridos por ello, lo cual es un arte muy delicado. También necesitan aprender a unir a las personas para llevar a cabo ciertos objetivos. En resumen, les hacen falta las dotes sociales de Libra para llegar a la cima.

Una vez aprendidas estas cosas, los nativos de Capricornio tendrán éxito en su profesión. Son ambiciosos y muy trabajadores; no tienen miedo de dedicar al trabajo todo el tiempo y los esfuerzos necesarios. Se toman su tiempo para hacer su trabajo, con el fin de hacerlo bien, y les gusta subir por los escalafones de la empresa, de un modo lento pero seguro. Al estar impulsados por el éxito, los Capricornio suelen caer bien a sus jefes, que los respetan y se fían de ellos.

Amor y relaciones

Tal como ocurre con Escorpio y Piscis, es difícil llegar a conocer a un Capricornio. Son personas profundas, introvertidas y reservadas. No les gusta revelar sus pensamientos más íntimos. Si estás enamorado o enamorada de una persona Capricornio, ten paciencia y tómate tu tiempo. Poco a poco llegarás a comprenderla.

Los Capricornio tienen una naturaleza profundamente romántica, pero no la demuestran a primera vista. Son fríos, flemáticos y no particularmente emotivos. Suelen expresar su amor de una manera práctica.

Hombre o mujer, a Capricornio le lleva tiempo enamorarse. No es del tipo de personas que se enamoran a primera vista. En una relación con una persona Capricornio, los tipos de Fuego, como Leo o Aries, se van a sentir absolutamente desconcertados; les va a parecer fría, insensible, poco afectuosa y nada espontánea. Evidentemente eso no es cierto; lo único que pasa es que a los Capricornio les gusta tomarse las cosas con tiempo, estar seguros del terreno que pisan antes de hacer demostraciones de amor o de comprometerse.

Incluso en los asuntos amorosos los Capricornio son pausados. Necesitan más tiempo que los otros signos para tomar decisiones, pero después son igualmente apasionados. Les gusta que una relación esté bien estructurada, regulada y definida, y que sea comprometida, previsible e incluso rutinaria. Prefieren tener una pareja que los cuide, ya que ellos a su vez la van a cuidar. Esa es su filosofía básica. Que una relación como esta les convenga es otro asunto. Su vida ya es bastante rutinaria, por lo que tal vez les iría mejor una relación un poco más estimulante, variable y fluctuante.

Hogar y vida familiar

La casa de una persona Capricornio, como la de una Virgo, va a estar muy limpia, ordenada y bien organizada. Los nativos de este signo tienden a dirigir a su familia tal como dirigen sus negocios. Suelen estar tan entregados a su profesión que les queda poco tiempo para la familia y el hogar. Deberían interesarse y participar más en la vida familiar y doméstica. Sin embargo, sí se toman muy en serio a sus hijos y son padres y madres muy orgullosos, en especial si sus hijos llegan a convertirse en miembros destacados de la sociedad.

Horóscopo para el año 2022*

Principales tendencias

Plutón ya lleva en tu signo los últimos veinte años y dentro de poco lo abandonará, aunque no todavía. El próximo año entrará y saldrá de tu signo, y en 2024 lo dejará atrás por completo. La mayoría de Capricornio no lo notarán demasiado, pero los nacidos en los últimos días del signo —del 14 al 20 de enero— son los que más lo percibirán. Este aspecto planetario ha traído muchos dramas personales a tu vida, como cirugías, experiencias cercanas a la muerte y encuentros psicológicos con la muerte. Ahora estás dando vida a un nuevo yo —a la persona que siempre has aspirado ser—, y en la que querías convertirte. La mayoría de Capricornio ya han vivido esta experiencia, pero a los nacidos en los últimos días del signo les ocurrirá este año. Un nuevo nacimiento puede ser una experiencia dolorosa. Pero los resultados serán buenos.

El último año (en realidad, a finales de 2020) Saturno, el regente de tu horóscopo, ingresó en tu casa del dinero. Y la ocupará el resto del año. Este tránsito es favorable a las cuestiones económicas, indica que te volcarás en esta parcela de tu vida. Pero te exigirán más esfuerzo del habitual este año. También te conviene resolver los conflictos con las personas adineradas de tu vida. Volveremos a este tema más adelante.

Tu tercera casa de la comunicación y las actividades intelectuales lleva muchos años siendo poderosa. Neptuno, el regente de esta casa, se ha establecido en ella. Y este año se volverá más importante todavía al ocuparla Júpiter cerca de medio año. Es un aspecto fabuloso para los alumnos de primaria o secundaria. Ahora están centrados en los estudios y rinden mucho en ellos. También es un aspecto favorable si te dedicas a las ventas, el marketing, la docencia o la escritura. Tus facultades intelectuales y tu capacidad de comunicación aumentarán considerablemente.

---

* Las previsiones de este libro se basan en el Horóscopo Solar y en todos los signos derivados del mismo: tu signo solar se convierte en el Ascendente, y las casas se numeran a partir de él. Tu horóscopo personal, el trazado concretamente para ti (según la fecha, hora y lugar exactos de tu nacimiento) podría modificar lo que se indica aquí. Joseph Polansky.

Júpiter pasará el resto del año en tu cuarta casa del hogar y de la familia. Este aspecto indica que probablemente te mudes de lugar, te beneficies de la lucrativa venta de una casa, o adquieras una nueva vivienda. Las mujeres en edad de concebir serán más fértiles de lo habitual. Volveremos a este tema más adelante.

Urano ya lleva ahora varios años en tu quinta casa y la ocupará varios más. Por eso el trato con tus hijos o figuras filiales ha estado siendo más difícil. Se muestran rebeldes y son más independientes de lo habitual. Pero este aspecto también trae una creatividad personal sumamente original y unos ingresos ganados de formas más placenteras.

Tu salud será buena este año, pero vigílala más a partir del 12 de mayo. Marte pasará una cantidad inusual de tiempo en tu sexta casa a partir del 20 de agosto. Este aspecto indica que una buena salud emocional es vital para ti. El ejercicio físico también es ahora más importante en tu vida. Volveremos a este tema más adelante.

Las áreas que más te interesarán este año serán el cuerpo, la imagen y el aspecto personal. La economía. La comunicación y los intereses intelectuales. El hogar y la familia (del 11 de mayo al 29 de octubre, y a partir del 21 de diciembre). Los hijos, la diversión y la creatividad. Y la salud y el trabajo (a partir del 20 de agosto).

Lo que más te llenará este año será la comunicación y los intereses intelectuales (hasta el 11 de mayo, y del 29 de octubre al 21 de diciembre). El hogar y la familia (del 11 de mayo al 29 de octubre, y a partir del 21 de diciembre). Y los hijos, la diversión y la creatividad.

Salud

(Ten en cuenta que se trata de una perspectiva astrológica de la salud, no de una médica. En el pasado, no había ninguna diferencia, ambas eran idénticas, pero en la actualidad podrían diferir mucho. Para obtener un punto de vista médico, consulta a tu médico de cabecera o a un profesional de la salud).

Tu salud será buena este año. A principios de él solo Plutón, un planeta lento— formará una alineación desfavorable en tu carta astral. Aunque la mayoría de Capricornio ni se darán cuenta, solo lo notarán los nacidos en los últimos días del signo. Júpiter formará un aspecto desfavorable el 11 de mayo, pero los efectos de este planeta suelen ser suaves. Tu salud y energía serán buenas. Como es natural, habrá temporadas en las que flaquearán un poco debido a los tránsitos de algunos planetas. Pero sus efectos durarán poco y no será la tendencia del año. Cuando los tránsitos hayan desaparecido, volverás a gozar de tu salud y energía habituales.

Tu sexta casa de la salud estará vacía hasta el 20 de agosto, otra señal positiva. Darás por sentada tu buena salud. Al encontrarte de maravilla, no estarás pendiente de ella. Marte ingresará en tu sexta casa el 20 de agosto y la ocupará el resto del año. Este aspecto le da más importancia a la salud. Aunque el énfasis tiene más que ver con la salud de tu familia y de los miembros que la componen, que con la tuya.

Por buena que sea tu salud, siempre puedes mejorarla. Préstale más atención a las siguientes zonas vulnerables de tu carta astral.

El corazón. Este órgano lleva más de veinte años siendo importante para ti. Y este año lo será para los nacidos del 14 al 20 de enero, los últimos días del signo de Capricornio. Te sentará bien trabajar los puntos reflejos del corazón. Los masajes torácicos —en especial en el esternón y en la parte superior de la caja torácica— te irán de maravilla. Lo importante para el corazón es evitar las preocupaciones y la ansiedad, las dos emociones que lo estresan.

La columna, las rodillas, la dentadura, los huesos y la alineación esquelética en general. Estas partes del cuerpo siempre son importantes para los Capricornio. Te sentará bien trabajar sus puntos reflejos. Incluye en tu programa de salud los masajes regulares en la espalda y las rodillas. Visitar con regularidad al quiropráctico o al osteópata te irá bien. Mantén las vértebras de la columna alineadas. Una buena higiene dental también es importante para ti. Asegúrate de ingerir el calcio necesario para una buena salud ósea. El yoga y el Pilates son excelentes para la columna. Si tomas el sol, utiliza un buen protector solar.

Los pulmones, los brazos, los hombros y el sistema respiratorio. Todas estas partes del cuerpo son importantes para los Capricornio. Te sentará bien trabajar los puntos reflejos de estas zonas. Incluye en tu programa de salud los masajes regulares en los brazos, te ayudarán a eliminar la tensión acumulada en los hombros. Rodearte de aire puro también es un tónico natural muy saludable.

La cabeza y el rostro. Estas partes se volverán importantes a partir del 20 de agosto. Te sentará bien trabajar sus puntos reflejos. Los masajes regulares en el cuero cabelludo y en el rostro son una buena idea, no solo fortalecen el cuero cabelludo, sino el cuerpo entero. La terapia craneosacral también es excelente para la cabeza.

Las suprarrenales. Estas glándulas también se volverán importantes a partir del 20 de agosto. Te sentará bien trabajar sus puntos reflejos.

La musculatura. Esta parte del cuerpo adquirirá relevancia a partir del 20 de agosto. Mantener un buen tono muscular es importante. Al igual que hacer ejercicio físico con regularidad, de acuerdo con tu edad y etapa en la vida. No hace falta que seas un culturista, lo que cuenta es tener un buen tono muscular. Una musculatura débil o fofa puede desalinear la columna vertebral o el esqueleto y causar todo tipo de problemas adicionales.

Al ser Marte tu planeta de la familia, como he señalado, ahora estás más pendiente de la salud. Pero en realidad te fijas más en la de los miembros de tu familia que en la tuya. También indica la necesidad de una buena salud emocional. Procura ser positivo y constructivo.

Como Mercurio, tu planeta de la salud, es muy raudo, se darán muchas tendencias de corta duración relacionadas con la salud en tu carta astral. Al transitar este planeta a lo largo del año por todo tu horóscopo, tu salud puede variar dependiendo de dónde se encuentre Mercurio y de los aspectos que reciba. En las previsiones mes a mes hablaré de estas tendencias con más detalle.

Hogar y vida familiar

Este año será un año importante y feliz en cuanto a tu hogar y tu familia. No solo tu cuarta casa será poderosa durante medio año, sino que además TODOS los planetas lentos se encuentran ahora por debajo del horizonte de tu carta astral, en el hemisferio nocturno de tu horóscopo. En cambio, tu décima casa de la profesión está vacía, solo la visitarán los planetas rápidos y además sus efectos serán pasajeros. Los Capricornio siempre son ambiciosos, pero este año lo serán menos de lo habitual. La familia y el bienestar emocional —los cimientos en los que se sustenta la profesión— son ahora tu prioridad. No has perdido tu ambición, pero estás creando la infraestructura para darle impulso a tu carrera. Cuanto más alto es el edificio, más hondos tienen que ser los cimientos. El ingreso de Júpiter en tu cuarta casa (entrará en ella y la abandonará, y luego volverá a entrar) del 11 de mayo al 29 de octubre, y a partir del 21 de diciembre, suele indicar una mudanza, en este caso feliz. En ocasiones, no es en el sentido literal, sino que puede referirse a la compra de una segunda vivienda, o a tener acceso a una segunda casa, aunque no sea de propiedad. Otras veces se puede referir a la compra de objetos caros para embellecer el hogar o renovarlo. Pero los efectos son «como si» uno se hubiera mudado a otro lugar. La casa se vuelve más acogedora.

Este tránsito también indica que tu círculo familiar aumentará este año. Normalmente ocurre a través de nacimientos o bodas. Pero en ocasiones puede indicar que conocerás a alguien que será como de la familia para ti, que desempeñará esta función. Como he señalado, las mujeres en edad de concebir serán más fértiles de lo habitual. Al igual que el próximo año.

Pero aquí no acaba todo. Júpiter es tu planeta de la espiritualidad. Su ingreso en tu cuarta casa muestra que tu familia en conjunto, y en especial uno de tus padres o figura parental, se están volviendo más espirituales. Están recibiendo unas intensas influencias espirituales. Su vida onírica es activa (al igual que la tuya). Su percepción extrasensorial es también más aguda. Están experimentando todo tipo de fenómenos sobrenaturales. Es posible que celebren reuniones espirituales, conferencias o actos benéficos en su hogar.

Uno de tus padres o figura parental viajará más este año. Si es una mujer en edad de concebir, será más fértil de lo habitual. Tanto si es un hombre como una mujer, experimentará muchos cambios económicos, pero gozará de prosperidad, y el próximo año también. Su vida familiar seguirá siendo la misma. No es probable que se mude a otro lugar.

Tus hermanos o figuras fraternas tienen un buen año. Gozarán de prosperidad y fertilidad (si están en edad de concebir). No es probable que se trasladen a otra parte, pero tal vez renueven su hogar.

Tus hijos o figuras filiales han estado yendo de un sitio a otro sin parar. Están inquietos. Pero no es probable que se muden a otro lugar.

La vida familiar y doméstica de tus nietos, en el caso de tenerlos, o de quienes desempeñan este papel en tu vida, seguirá igual este año.

Profesión y situación económica

Tu economía es muy importante este año, ya que Saturno, un planeta muy relevante y favorable para ti al ser el regente de tu horóscopo, ocupa esta casa. Este aspecto indica prosperidad. Ahora gastas en ti. Has adoptado una imagen de opulencia y vistes con ropa lujosa. Los demás te ven como una persona adinerada y esta imagen te abre todo tipo de puertas y te ofrece muchas oportunidades. Como tu aspecto y tu porte juegan un gran papel en tus ingresos, ahora gastas en ti. Te consideras la mejor inversión.

Pero tu economía es un poco complicada. Se debe a que no coincides con las personas adineradas de tu vida. Hay algunos conflictos en este sentido. Tendréis que esforzaros más para poneros de acuerdo. Te conviene encontrar un punto medio en el que podáis coincidir plenamente.

Pero estas cuestiones son secundarias. Urano, tu planeta de la economía, ya lleva ahora varios años en tu quinta casa. Esta casa es afortunada. Tiende a la prosperidad. Pero no se refiere solo a la prosperidad tal como la entendemos en nuestra realidad mundana, sino a una prosperidad feliz. El acto de ganar dinero es placentero. Lo ganas mientras te diviertes o te dedicas a actividades recreativas. Tal vez cierres un negocio importante mientras estás en el cine, en un balneario, o sentado junto a la piscina tomando una piña colada. Quizá tu trabajo tiene que ver con entretener a tus clientes en clubs lujosos o con cenas fastuosas. Ahora eres afortunado en la especulación. (Cada inversión comporta un cierto riesgo, pero algunas son más arriesgadas que otras).

Ganas dinero de formas agradables y lo gastas en cosas placenteras que te dan alegría. Es un dinero feliz. Disfrutas del dinero que tienes.

Tu creatividad personal ahora se vende mejor. Gastas en tus hijos o figuras filiales, pero los ingresos también te llegan de este entorno. Si son jóvenes, te sirven de inspiración para aumentar tus ganancias. A menudo tienen ideas productivas. Muchas fortunas se han amasado al observar alguien la conducta de sus hijos. Y si son adultos, pueden ayudarte materialmente.

Las empresas concebidas para el mercado juvenil, sobre todo las electrónicas, son unos negocios o inversiones interesantes para ti. Los videojuegos, la música digital, las películas o los conciertos en directo, es decir, el entretenimiento de alta tecnología para los jóvenes, son unas actividades amenas y rentables. Las empresas relacionadas con los juegos de azar virtuales —como el póker, las máquinas tragaperras, y el béisbol o el fútbol de fantasía—, también son unos negocios o inversiones interesantes para ti. Tu intuición para este tipo de negocios es buena.

Tu profesión, como he señalado, no será una prioridad este año, ya que estás construyendo la infraestructura para el futuro. Los cimientos. Tu décima casa está prácticamente vacía. Y, como he mencionado antes, el hemisferio nocturno de tu carta astral es mucho más poderoso que el diurno. Pero no te alarmes. Algunos años son así. Tu situación profesional seguirá siendo la misma. El problema no está en la falta de talento o de habilidades, sino en tu desinterés.

Venus es tu planeta de la profesión. Como nuestros lectores saben, es un planeta muy raudo que transita por toda tu carta astral cada año. Por lo que se darán muchas tendencias de corta duración relacionadas con tu profesión que dependerán de dónde esté Venus y de los aspectos que reciba. En las previsiones mes a mes hablaré de estas tendencias con más detalle.

Amor y vida social

Como tu séptima casa del amor está vacía este año, al igual que en otros muchos anteriores, tu vida amorosa seguirá siendo la misma. Estás satisfecho con la situación y no necesitas hacer cambios importantes ni estar pendiente de esta faceta de tu vida. Si estás casado, seguirás con tu pareja. Y si estás soltero, tu situación seguirá siendo la misma.

Sin embargo, si tuvieras problemas en tu relación podrían deberse a haber descuidado este aspecto de tu vida. En este caso, te convendrá prestarle más atención. Los dos eclipses lunares de este año te obligarán a hacerlo. El primero ocurrirá el 16 de mayo, y el segundo el 8 de noviembre. Será el momento oportuno para corregir el rumbo de tu vida amorosa, para eliminar los errores y las imperfecciones.

Si vives tus primeras o segundas nupcias, o planeas contraerlas, tu vida amorosa seguirá siendo la misma. En cambio, si se trata de tu tercer matrimonio o planeas contraerlo, hay unos mejores aspectos amorosos y sociales en tu carta astral. Si no tienes pareja, el amor te encontrará. Alguien te está buscando. Y si estás casado, gozarás de más intimidad en tu relación y tu pareja se mostrará muy solidaria contigo y dedicada a ti.

La Luna es tu planeta del amor. Y como nuestros lectores saben, es el planeta más raudo de todos. Al Sol, Mercurio y Venus —los otros planetas rápidos—, les lleva un año transitar por tu carta astral, en cambio la Luna lo hace cada mes. Por lo que el amor puede manifestarse en tu vida de muchas formas y a través de muchos conductos, dependerá de dónde se encuentre la Luna y de los aspectos que reciba. En las previsiones mes a mes hablaré con más detalle de este tema.

Por lo general, se puede afirmar que el amor te irá mejor en la fase de la luna creciente (cuando aumenta de tamaño). Gozarás de más energía, entusiasmo y encanto social en este periodo. Los días de luna nueva y de luna llena suelen ser activos socialmente (si se dan combinados con buenos aspectos planetarios, traen felicidad; si se dan combinados con aspectos desfavorables, traen problemas).

Uno de tus padres o figura parental llevará una vida amorosa y social fabulosa este año a partir del 11 de mayo (aunque experimentará una breve pausa en ella del 29 de octubre al 21 de diciembre). Si no tiene pareja, puede llegar a contraer matrimonio o a iniciar una relación seria.

Tus hermanos o figuras fraternas tendrán un año próspero, pero su vida amorosa seguirá siendo la misma.

Tus hijos o figuras filiales probablemente no deberían casarse este año (ni en los próximos). Son demasiado inestables como para mantener una relación seria. Es mejor que disfruten de aventuras amorosas.

Tus nietos, en el caso de tenerlos, o quienes desempeñan este papel en tu vida, tendrán una vida amorosa y social fabulosa este año. Depende sobre todo de su edad. Si son pequeños, harán amigos y serán populares. Si son adultos, es posible que lleguen a casarse o que mantengan una relación que será «como» un matrimonio.

Progreso personal

Neptuno lleva ya en tu tercera casa muchos años. En el sentido espiritual, significa que te está elevando la mente, el intelecto y las facultades mentales a un plano superior más espiritual, ahora tienen unas vibraciones más altas. En mis previsiones de años anteriores ya he hablado del tema. Pero este año el proceso se acelerará mucho, será mucho más intenso de lo que indiqué en el pasado porque Júpiter, tu planeta de la espiritualidad, se alojará también en tu tercera casa medio año. Y este aspecto aumenta los efectos de forma espectacular.

Lo primero que te ocurrirá es que desearás leer libros mucho más especiales. Ahora te apetecerá leer sobre temas espirituales en periódicos, revistas y libros. Las lecturas mundanas a las que eras aficionado te resultarán tediosas y vacías de relevancia o sentido. Desearás leer textos más profundos.

Además, te comunicarás con una gran inspiración. Muchos buenos escritores fueron (y son) Capricornio. Como Jack London, Edgar Allen Poe, Rudyard Kipling, y más recientemente, J. R. R. Tolkien. Si te dedicas a escribir, te sentirás inspirado desde lo alto. «Toda escritura procede de la gracia de Dios», afirma Emerson. Y ahora estás en sintonía con ella. Algunos Capricornio tal vez decidan empezar a escribir en estos días. La poesía también te atraerá en esta temporada.

Tus palabras y tus escritos tienen ahora una cualidad musical. Normalmente los Capricornio hablan con claridad y van al grano. Pero ahora eres más consciente del tono, el ritmo y los matices de tus palabras. Y también de tus procesos mentales. Cuando escuchas o lees algo, eres consciente de lo que no se dice o de cómo se expresa. De lo que se recalca o se omite. Captas con más profundidad lo que lees.

Como Urano, el planeta de los cambios, se encuentra en tu quinta casa de la creatividad, estás listo para explorar nuevos medios creativos en estos días, y la escritura quizá sea el mejor para ti. (El de la música también es interesante).

Hace varios años que tus hijos se muestran rebeldes. Y a base de práctica ahora ya estás aprendiendo a manejarlos. Cuando los efectos de Urano desparezcan de tu vida, serás todo un experto en ello. A los Capricornio les gusta tener autoridad y ejercerla. Pero con los niños un exceso de autoritarismo no lleva a ninguna parte. A decir verdad, los incita a mostrarse más rebeldes aún. Urano se enorgullece de su «férrea» autoridad. Le gusta «imponerla». Pero también es un amante de la verdad. Si tienes que ponerles límites a tus hijos (lo necesitan), no seas autoritario, tómate tu tiempo para explicarles la razón. Necesitan entenderlo.

Marte ocupará tu sexta casa de la salud a partir del 20 de agosto. Ya he hablado de las repercusiones que este aspecto tiene sobre la salud. Pero el mensaje más profundo es que la curación emocional será esencial para ti en esta temporada. Marte, como nuestros lectores saben, es tu planeta de la familia, el regente de la cuarta

casa que gobierna tus estados de ánimo, emociones y recuerdos.
Por eso será un buen momento para intentar sanar emocionalmente —cerrar las heridas del pasado— y curar lo que tu cuerpo ha
memorizado. Será el momento ideal para iniciar terapias psicológicas. Pero también puedes curar por ti mismo lo que tu cuerpo ha
memorizado con técnicas meditativas. En mi libro *A Technique for
Meditation* ofrezco técnicas para lograrlo. Son inofensivas tanto
para ti como para los demás. Si hay algo que te preocupa, si te altera y te impide funcionar bien en la vida, quiere decir que necesitas
resolverlo. Puedes usar la técnica de «sentirlo y dejarlo ir» que des-
cribo en mi libro, o realizar el ejercicio de escritura que incluyo en
él. Encontrarás mucha información sobre este tema en mi web
www.spiritual-stories.com.

Previsiones mes a mes

Enero

Mejores días en general: 2, 3, 11, 12, 21, 22, 29, 30
Días menos favorables en general: 8, 9, 16, 17, 23, 24
Mejores días para el amor: 2, 3, 11, 12, 16, 17, 21, 22, 23, 29, 30
Mejores días para el dinero: 2, 3, 4, 5, 6, 11, 12, 16, 21, 22, 25,
    29, 30, 31
Mejores días para la profesión: 2, 3, 11, 12, 21, 22, 23, 24, 29, 30

Te espera un mes feliz y próspero, Capricornio. Disfrútalo. La acción este mes ocurrirá en tu primera casa. Será la más poderosa de
tu carta astral. El 50 por ciento, y en ocasiones el 60 por ciento de
los planetas, la están ocupando o visitando. Ahora es una de tus
temporadas más placenteras del año y un momento de máxima
independencia personal. Este mes irá de «yo, yo, yo». Es el momento de decidir ser feliz, de crear tu propia felicidad. Tu iniciativa
personal es importante en estos días. Cuando te toque cultivar tu
encanto social, ya lo harás. Pero ahora es el momento de hacer los
cambios necesarios para ser más feliz. Cuentas con el apoyo del
cosmos. Si eres feliz, habrá mucho menos sufrimiento en el mundo.

Es un mes para hacerlo todo a tu manera. Tú sabes mejor que
nadie lo que más te conviene. Como se suele decir, sigue el camino
de tu felicidad.

El amor no predominará en tu vida este mes. Tu primera casa está llena de planetas, en cambio tu séptima casa del amor está vacía, solo la Luna la visitará el 16 y 17. Las relaciones te funcionarán mientras tu pareja ceda a tus deseos.

El Sol se unirá a Saturno en tu casa del dinero el 20, y empezará una de tus mejores temporadas profesionales del año. Es un buen momento para saldar deudas o pedir préstamos, depende de tus necesidades. También es un buen momento tanto para la planificación tributaria como para la de seguros, y si tienes la edad adecuada, para la planificación patrimonial. Si se te ocurren buenas ideas, es el momento perfecto para atraer a inversores del extranjero para tus proyectos.

Tu salud es excelente este mes. Tienes la energía de diez personas. Como Mercurio, tu planeta de la salud, será retrógrado el 14, no es un buen momento para las analíticas o los tratamientos médicos. Si no te queda más remedio, prográmalos antes del 14.

Júpiter y Neptuno en tu tercera casa muestra un mes excelente para los estudiantes, y los próximos meses también lo serán.

Febrero

Mejores días en general: 7, 8, 17, 18, 26, 27
Días menos favorables en general: 5, 6, 12, 13, 19, 20
Mejores días para el amor: 1, 7, 8, 9, 10, 12, 13, 17, 18, 22, 23, 27
Mejores días para el dinero: 1, 2, 3, 7, 8, 12, 13, 17, 18, 21, 22, 26, 27, 28
Mejores días para la profesión: 7, 8, 17, 18, 19, 20, 27

Marte ingresó en tu signo el 25 de enero y lo ocupará el resto del mes. Marte y Plutón en tu signo es un aspecto muy dinámico. Ahora tu atractivo sexual es más fuerte de lo usual. También sobresales en tus rutinas de ejercicios. Lo llevas a cabo todo apresuradamente. La parte negativa de este aspecto son las prisas y la precipitación. Esta actitud tuya puede llevarte a lesionarte o a tener un accidente. También tenderás a ser combativo en esta temporada, quizá demasiado agresivo. La gente te puede ver así. Ten cuidado con esta tendencia.

Tu primera casa sigue siendo poderosa, en cambio tu séptima casa del amor continúa vacía, solo la Luna la visitará el 12 y 13. Este mes, como el anterior, te centrarás en «ti». Ahora estás intentando crear las condiciones para ser feliz. Tu independencia y tu iniciativa son importantes en tu vida. De ti depende ser feliz.

Venus lleva en tu signo el año entero. El mes anterior era retrógrado, pero ahora ya es directo. Este aspecto muestra que surgirán oportunidades profesionales en tu vida, te buscarán a ti hasta dar contigo. Tienes el aspecto de una persona triunfadora. La gente te ve así. El único problema es que ahora tu profesión no te interesa demasiado. TODOS los planetas están por debajo del horizonte de tu carta astral. Te encuentras en la noche de tu año. Las oportunidades profesionales te están esperando, pero el problema es tu falta de interés.

Aunque tu profesión no destaque ahora, es un buen momento para las finanzas. Seguirás viviendo una de tus mejores temporadas económicas del año hasta el 18. Después de esta fecha, las ganancias te seguirán llegando, pero te exigirán más esfuerzo.

Tu tercera casa ha sido poderosa (y afortunada) todo el año, pero lo será incluso más aún a partir del 19. Este aspecto se puede interpretar de muchas formas, Todas favorables. Tus hermanos o figuras fraternas están ahora prosperando en la vida. Los estudiantes están rindiendo en los estudios. Si te dedicas a las ventas o al marketing, este mes será excelente para ti en el terreno económico. Tal vez adquieras un coche nuevo o un equipo de comunicación (o ambas cosas). Las personas adineradas de tu vida se están haciendo más ricas aún.

El amor no predominará este mes en tu vida. Como el anterior, tu séptima casa está vacía (solo la Luna la visitará el 12 y 13). Tu vida amorosa seguirá siendo la misma. Ahora te dedicas a alcanzar tus objetivos personales en lugar de buscar pareja.

Marzo

Mejores días en general: 6, 7, 8, 16, 17, 25, 26
Días menos favorables en general: 4, 5, 11, 12, 13, 18, 19
Mejores días para el amor: 2, 3, 9, 11, 12, 13, 18, 19, 23, 27, 28
Mejores días para el dinero: 1, 2, 3, 6, 7, 11, 12, 16, 17, 21, 22, 25, 26, 27, 28, 30, 31
Mejores días para la profesión: 9, 18, 19, 27, 28

TODOS los planetas son directos este mes y el Sol viajará con Aries el 20. Como ahora tu nivel de energía es muy alto, es el momento para iniciar cualquier proyecto que tengas en mente o para lanzar al mercado cualquier producto nuevo. Tienes un gran «empuje» cósmico a tu favor.

Aunque no estés en una de tus mejores temporadas financieras, es un buen momento económico. Tu casa del dinero es poderosa. Será un mes próspero. Marte y Venus ingresarán en tu casa del dinero el 6. Marte, tu planeta de la familia, indica un buen apoyo familiar. Venus muestra que gastarás en tus hijos o figuras filiales, y quizá obtendrás también ingresos de este entorno. Indica además que cuentas con el apoyo de tus jefes y de las personas mayores de tu vida. Están en sincronía con tus objetivos económicos. En ocasiones, este aspecto también trae aumentos salariales y otros tipos de beneficios.

Tu tercera casa seguirá siendo poderosa este mes, sobre todo hasta el 20. Como tus facultades mentales son ahora mayores de lo habitual, es un momento para apuntarte a cursos que te interesen. Y también para impartir enseñanzas sobre tu especialidad. El Sol viajará con Júpiter del 4 al 6. Este tránsito propicia una buena recompensa económica para tu cónyuge, pareja o amante actual.

Marte viajará con Plutón del 2 al 4. Al ser un aspecto dinámico, sé más consciente en el plano físico. A tus padres o figuras parentales también les conviene serlo. Quizá le recomienden a uno de tus padres o figura parental pasar por el quirófano. Como Marte formará aspectos dinámicos con Urano del 20 al 22, sé también más consciente en el plano físico en estos días.

El Sol ingresará en tu cuarta casa del hogar y de la familia el 20. Ahora te encuentras en la medianoche de tu año. Es el momento para dormir, retirarte del mundo y mirar en tu interior. Mientras duermes tu conciencia está inactiva, pero se da una tremenda actividad dentro de ti. Las células de tu cuerpo se renuevan. Los patrones del próximo día se establecen. Te cargas de energía para el día siguiente. Se da una gran actividad entre bastidores.

Los Capricornio siempre son ambiciosos, pero ahora es el momento de dedicarte a la infraestructura de tu hogar, a los cimientos en los que se sustenta una profesión exitosa.

Tu salud es buena, pero vigílala más a partir del 21.

Abril

Mejores días en general: 3, 4, 13, 14, 21, 22, 30
Días menos favorables en general: 1, 2, 8, 9, 15, 16, 28, 29

Mejores días para el amor: 1, 2, 8, 9, 12, 13, 17, 18, 21, 22, 25, 26, 27

Mejores días para el dinero: 3, 4, 8, 9, 13, 14, 17, 18, 21, 22, 23, 24, 26, 27, 30

Mejores días para la profesión: 8, 15, 16, 17, 18, 25, 26, 27

Tu tercera casa seguirá siendo muy poderosa este mes. Tanto Marte como Venus ingresarán en ella: Venus lo hará el 5 y Marte el 15. Será un mes excelente para tus hermanos o figuras fraternas. Gozarán de prosperidad en estos días, sobre todo del 1 al 17. Su profesión también les irá de maravilla. Será también una buena temporada para los estudiantes, los escritores, los profesores, los vendedores y quienes se dedican al marketing.

Sigue vigilando tu salud hasta el 20. Tal vez tengas algún que otro achaque debido a los aspectos desfavorables de los planetas rápidos, pero no será nada serio. Descansa bastante. Fortalece tu salud con masajes en la cabeza, el rostro y el cuerpo cabelludo; y por medio del ejercicio físico y de la estimulación de los puntos reflejos de las suprarrenales hasta el 11. Los masajes en el cuello y en la garganta te sentarán bien a partir del 12. Tu salud mejorará de forma espectacular después del 20.

El eclipse solar del 30 no te afectará con fuerza, pero reduce tus actividades de todos modos. Como tendrá lugar en tu quinta casa, extrema las precauciones para que tus hijos o figuras filiales no corran ningún peligro. A ellos también les conviene reducir sus actividades. Tus hijos o figuras filiales se redefinirán en estos días. Cambiarán el concepto que tienen de sí mismos y la imagen que quieren dar a los demás. Uno de tus padres o figura parental se verá obligado a hacer cambios económicos importantes. Tendrá problemas financieros. Como el Sol rige tu octava casa, cada eclipse solar afecta las esferas de la vida que esta representa. Tal vez vivas encuentros (psicológicos) con la muerte o experiencias cercanas a la muerte. Si tratas con inversores del extranjero, podría surgir algún problema con ellos. Tu cónyuge, pareja o amante actual se enfrentará a contratiempos económicos.

A pesar del eclipse, gozarás de una buena oportunidad profesional el 30. También será una buena jornada económica para tus hijos o figuras filiales.

Como tu cuarta casa seguirá siendo muy poderosa hasta el 20, te conviene ahora centrarte en tu hogar, tu familia y tu bienestar emocional. Cuando el Sol ingrese en tu quinta casa el 20, empezará una de tus temporadas más placenteras del año. Será el momento para disfrutar de la vida. Tómate unas vacaciones de los problemas y las preocupaciones en estos días.

Mayo

Mejores días en general: 1, 10, 11, 19, 25, 26
Días menos favorables en general: 5, 6, 12, 13, 25, 26
Mejores días para el amor: 5, 6, 7, 8, 10, 11, 20, 30, 16, 17
Mejores días para el dinero: 1, 6, 10, 11, 16, 19, 21, 25, 27, 28
Mejores días para la profesión: 7, 8, 12, 13, 16, 17

Será un mes intenso.

El poder planetario cambiará decisivamente de la mitad oriental a la mitad occidental de tu carta astral, del sector del yo al sector de los demás. Júpiter ingresará en tu cuarta casa el 11, un tránsito importante. Tres planetas tendrán su solsticio este mes, un evento muy inusual. Y en último lugar, aunque no es por ello menos importante, se dará un eclipse lunar el 16 que te afectará con fuerza.

Vigila más tu salud este mes a partir del 11. Tal vez tengas algún que otro achaque debido a los aspectos desfavorables de los planetas rápidos, pero no será nada serio. La buena noticia es que al estar pendiente de tu salud este mes, te cuidarás. Aunque espero que no te excedas en ello. Mercurio, tu planeta de la salud, será retrógrado el 10. No es un buen momento para los análisis clínicos ni los tratamientos médicos (sobre todo si los puedes posponer). Fortalece tu salud con masajes en los brazos y los hombros del 1 al 24. Trabajar los puntos reflejos de los pulmones y los bronquios, y rodearte de aire puro también te sentará bien en estos días. Los masajes en el cuello serán buenos para ti a partir del 25.

Ahora que el poder planetario se encuentra sobre todo en la mitad occidental de tu carta astral, la de la vida social, este mes te conviene centrarte más en los demás que en ti. Como el cosmos quiere que desarrolles tus habilidades sociales, arreglará las cosas para que lo bueno de la vida te llegue de la generosidad ajena. Las habilidades personales, la iniciativa o la asertividad no te servirán demasiado en estos días. En cambio, tu encanto social te será muy útil.

Al tener Venus su solsticio del 4 al 8, se producirá una pausa en tus asuntos profesionales y después un cambio de rumbo.

Como Marte, tu planeta de la familia, tendrá su solsticio del 27 de mayo al 2 de junio, se producirá una pausa en tu vida familiar y luego un cambio de rumbo.

El solsticio de Júpiter será mucho más largo, ya que es un planeta muy lento. Durará del 12 de mayo al 11 de junio. Por lo que se producirá una pausa en tu vida espiritual y después un cambio de rumbo.

El eclipse lunar del 16 tendrá lugar en tu undécima casa de los amigos. Habrá dramas con los amigos. Tus amistades serán puestas a prueba. Es posible que tus amigos se enfrenten a dramas que les cambien la vida. Tu relación de pareja también atravesará momentos difíciles. La Luna, el planeta eclipsado, es tu planeta del amor. Normalmente este tipo de eclipses hacen aflorar todo lo reprimido, como el duelo u otras emociones que debemos asimilar. Las buenas relaciones de pareja superarán esta crisis e incluso mejorarán. Pero las defectuosas tal vez se acaben rompiendo. Aunque como cada año hay dos eclipses lunares en tu vida, a estas alturas ya sabes manejarlos.

Junio

Mejores días en general: 6, 7, 15, 16, 23, 24, 25
Días menos favorables en general: 1, 2, 3, 9, 10, 21, 22, 28, 29, 30
Mejores días para el amor: 1, 2, 3, 6, 7, 9, 10, 16, 18, 26, 28, 29, 30
Mejores días para el dinero: 4, 6, 7, 13, 15, 16, 17, 18, 21, 23, 24
Mejores días para la profesión: 6, 7, 9, 10, 16, 26

Tu familia sigue siendo importante para ti ahora que Júpiter se encuentra en tu cuarta casa. Marte, tu planeta de la familia, también la ocupa. En tu familia reina la felicidad y la prosperidad. El círculo familiar aumentará. Los Capricornio en edad de concebir son muy fértiles en estos días. Uno de tus padres o figura parental prospera en la vida.

Tu sexta casa de la salud y del trabajo será poderosa hasta el 21. Como Mercurio, tu planeta de la salud, será directo el 3, a partir de esta fecha será más seguro hacerte analíticas y pruebas médicas. Tu salud será buena hasta el 21. A partir del 22 descansa y relájate más. Fortalece tu salud con masajes en los brazos y los hombros. Trabajar los puntos reflejos de los pulmones y los bronquios también te sentará bien. Rodéate además de aire puro.

Si buscas trabajo, hasta el 21 (e incluso más tarde de esta fecha) son unos días favorables para encontrarlo. Y si ya estás trabajando, te saldrán oportunidades para hacer horas extras o dedicarte al pluriempleo. Si te ocupas de las contrataciones en tu empresa, también serán unos días venturosos para ti.

El Sol ingresará en tu séptima casa el 21 y empezará una de tus mejores temporadas amorosas y sociales del año. El amor será muy erótico en estos días. Te atraerán las personas acaudaladas. Aunque no está claro lo que te atraerá más, si el dinero o un buen magnetismo sexual. Ambos factores serán importantes para ti.

Tu cónyuge pareja o amante actual prospera este mes. Goza de ingresos inesperados y de oportunidades provechosas.

Saturno, el regente de tu horóscopo, será retrógrado el 4. Este aspecto es positivo, ya que reduce la autoestima y la confianza, y crea la necesidad de revisar los objetivos personales y el rumbo que uno ha tomado en la vida. Pero como ahora la mitad occidental de tu carta astral es tan poderosa, no necesitas tener demasiada confianza. Lo más importante para ti en estos días es tu encanto social. Avenirte con la gente. Deja que los demás hagan las cosas a su manera mientras no sean destructivos.

Julio

Mejores días en general: 4, 5, 12, 13, 21, 22, 31
Días menos favorables en general: 6, 7, 18, 19, 20, 26, 27
Mejores días para el amor: 6, 7, 8, 9, 15, 17, 26, 27, 28, 29
Mejores días para el dinero: 1, 2, 4, 5, 10, 11, 12, 13, 14, 15, 18, 19, 21, 22, 28, 29, 31
Mejores días para la profesión: 6, 7, 15, 26

La actividad retrógrada aumenta progresivamente este mes. A finales de julio, el 40 por ciento de los planetas retrocederán en el firmamento. El ritmo de la vida es ahora más sosegado. Los acontecimientos transcurren con más lentitud.

Esta coyuntura no afectará sin embargo tu vida amorosa y social, en julio será estupenda. Tu séptima casa del amor es la más poderosa de tu carta astral este mes. Si no tienes pareja, irás a más citas y gozarás de muchas oportunidades amorosas. Y si mantienes una relación, saldrás más y acudirás a más actos sociales. ¿Es posible que te cases si no tienes pareja? Quizá. Sin duda, conocerás a personas con las que podrías considerar casarte.

El mes pasado fue próspero para tu cónyuge, pareja o amante actual, y este lo será incluso más todavía. El 23 empezará una de sus mejores temporadas económicas del año.

Como Marte formará aspectos dinámicos con Plutón el 1 y 2, tanto a ti como a uno de tus progenitores os conviene ser más conscientes en el plano físico. A finales de mes —el 30 y 31— Marte viajará con Urano, otro aspecto dinámico para ambos. La buena noticia es que esta persona es muy activa y útil en tu vida económica.

Tu séptima casa es más poderosa que la primera. La mayoría de los planetas se encuentran ahora en la mitad occidental de tu carta astral. Deja que los demás hagan las cosas a su manera mientras no sean destructivos. El impulso planetario apoya a los demás y se aleja de uno mismo.

Sigue vigilando tu salud hasta el 23. Notarás una mejoría espectacular a partir del 24. Mientras tanto, los masajes en los brazos y los hombros, y trabajar los puntos reflejos de los pulmones y los bronquios será beneficioso hasta el 5. La dieta será importante para ti a partir del 6. Una buena salud significa también llevar una vida social saludable. Si surge algún problema con los amigos o con tu pareja, restablece la armonía lo antes posible. Los masajes torácicos y trabajar los puntos reflejos del corazón será importante después del 19. La curación espiritual será inusualmente eficaz el 22 y 23.

Tu economía será buena este mes, pero se complicará un poco después del 23, te toparás con más dificultades en estos días. Lo más probable es que a partir del 24 la entrada de ingresos te exija un mayor esfuerzo. Tu cónyuge, pareja o amante actual será muy generoso el 30 y 31.

Agosto

Mejores días en general: 1, 9, 10, 17, 18, 27, 28
Días menos favorables en general: 2, 3, 15, 16, 22, 23, 29, 30
Mejores días para el amor: 4, 5, 7, 8, 15, 16, 22, 23, 25, 26
Mejores días para el dinero: 1, 7, 9, 10, 11, 12, 15, 17, 18, 25, 27, 28
Mejores días para la profesión: 2, 3, 4, 5, 15, 25, 26, 29, 30

El hemisferio nocturno de tu carta astral sigue predominando este mes. Sin embargo, el hemisferio diurno, el sector relacionado con los logros externos, se encuentra en su momento más poderoso del año. No puedes ignorar la familia, el hogar ni tu bienestar emocional, pero ten también en cuenta hasta cierto punto tu profesión.

Este mes serás feliz. Tu salud es buena. Y tu energía es muy alta. Se dará un gran trígono en los signos de tierra a partir del 4. Es otro aspecto positivo para ti. La tierra es tu elemento natural y los demás aprecian tu pragmatismo innato. Tu gran capacidad gestora es ahora mayor aún.

Marte ingresará en tu sexta casa de la salud el 20 y la ocupará el resto del año. Este tránsito se puede interpretar de diversas maneras. Una buena salud significa ahora para ti una vida familiar saludable, una vida doméstica y emocional sana. Probablemente te preocupas más por la salud de los miembros de tu familia que por la tuya en esta temporada. El ejercicio físico también será importante para ti el resto del año. Necesitas gozar de un buen tono muscular. Mercurio, tu planeta de la salud, avanzará raudamente este mes. Visitará tres signos y casas de tu carta astral. Es un tránsito positivo para la salud. Estarás lleno de confianza. Rendirás mucho. Pero tus necesidades relacionadas con la salud cambiarán con rapidez. Una buena salud cardiovascular será importante hasta el 4. Una buena salud intestinal será esencial del 4 al 19. Al igual que los masajes abdominales. Y los masajes en las caderas y trabajar los puntos reflejos de los riñones te sentarán bien a partir del 27.

Tu economía mejorará después del 23. Antes de esta fecha también prosperarás, pero te costará más esfuerzo.

Este mes serás sexualmente activo, pero tu vida amorosa seguirá siendo la misma. Tu séptima casa está vacía, solo la Luna la visitará el 22 y 23. En general, si somos activos sexualmente suponemos que nos va bien en el amor, pero el sexo y el amor son dos cosas distintas.

Como Marte formará aspectos dinámicos con Saturno el 6 y 7, te conviene ser más consciente en el plano físico. Sé más paciente con uno de tus padres o figura parental. Al parecer, tenéis un conflicto.

Septiembre

Mejores días en general: 5, 6, 13, 14, 15, 23, 24
Días menos favorables en general: 11, 12, 18, 19, 20, 26, 27
Mejores días para el amor: 4, 5, 6, 13, 14, 15, 18, 19, 20, 25, 26

Mejores días para el dinero: 3, 5, 6, 7, 8, 11, 14, 15, 21, 23, 24, 30
Mejores días para la profesión: 4, 5, 13, 14, 15, 26, 27

El 23 empezará uno de tus mejores momentos profesionales del año. En los últimos años viviste temporadas mejores, y también las habrá en el futuro, pero esta será la mejor del año. Tu décima casa es poderosa, al igual que la cuarta. El hemisferio nocturno de tu carta astral sigue predominando. Tu reto es ahora compaginar una vida doméstica saludable con una profesión exitosa. Estás pasando de una faceta de tu vida a la otra.

Venus, tu planeta de la profesión, tendrá su solsticio del 30 de septiembre al 3 de octubre. Se detendrá en el firmamento y luego cambiará de sentido, en latitud. Lo mismo le ocurrirá a tu profesión. Se dará una breve pausa en esta parcela de tu vida y luego un cambio de rumbo.

Tu salud será buena este mes, pero vigílala más a partir del 24. Quizá tengas algún que otro achaque debido a los aspectos desfavorables pasajeros de los planetas rápidos, pero no será nada serio. Fortalece tu salud descansando más de lo habitual. Los masajes torácicos y trabajar los puntos reflejos del corazón también te sentará bien. Los masajes en las caderas y trabajar los puntos reflejos de los riñones será importante para ti hasta el 24. Los masajes en el bajo vientre y trabajar los puntos reflejos del intestino delgado te irá bien a partir del 25. Mercurio, tu planeta de la salud, será retrógrado a partir del 10. (Como la actividad retrógrada alcanzará su punto máximo del año, la retrogradación de Mercurio será más potente que las anteriores de este año al sumarse a la de otros planetas). No es un buen momento para las analíticas, los análisis de sangre, los escáneres o los tratamientos médicos, ya que en estos días aumentan las probabilidades de error. Si te lo puedes permitir, prográmalos para antes del 10 o déjalos para el próximo mes.

Tal vez te surja un viaje profesional este mes, pero si es posible procura evitarlo o retrasarlo. Si no te queda más remedio que viajar, intenta no ir con el tiempo justo en la conexión con otros vuelos. Contrata un seguro para tu billete de avión. Resérvate más tiempo del habitual para el viaje de ida y vuelta.

Tu economía será buena este mes, pero ten en cuenta que Urano, tu planeta de las finanzas, sigue siendo retrógrado. Te entrarán ingresos —Urano recibirá buenos aspectos hasta el 23—, pero te llegarán con contratiempos y retrasos.

El amor ahora no te interesa demasiado. Tu séptima casa está vacía, solo la Luna la visitará el 18, 19 y 20. Tu vida amorosa seguirá siendo la misma.

Octubre

Mejores días en general: 2, 3, 11, 12, 21, 22, 30
Días menos favorables en general: 9, 10, 16, 17, 23, 24
Mejores días para el amor: 4, 5, 13, 14, 16, 17, 25
Mejores días para el dinero: 2, 3, 4, 5, 8, 9, 11, 12, 18, 21, 22, 26, 27, 30
Mejores días para la profesión: 4, 5, 13, 14, 23, 24, 25

Sigue vigilando tu salud hasta el 23. A partir del 24 notarás una gran mejoría. Mientras tanto, fortalece tu salud con masajes torácicos. Trabajar los puntos reflejos del corazón te sentará bien. Al igual que los masajes abdominales y trabajar los puntos reflejos del intestino delgado (hasta el 11). Los masajes en las caderas y trabajar los puntos reflejos de los riñones será bueno para ti del 11 al 30. Como Mercurio, tu planeta de la salud, empezará a ser directo el 2 (la actividad retrógrada está disminuyendo este mes), será un momento más seguro para las analíticas, los escáneres, los análisis de sangre y los tratamientos médicos.

Seguirás viviendo una de tus mejores temporadas profesionales del año hasta el 23. Procura compaginar el hogar y la familia con tu profesión. No podrás ignorar las cuestiones domésticas y familiares, pero ten en cuenta también hasta cierto punto tu carrera.

Como el solsticio de Venus, tu planeta de la profesión, durará hasta el 3, se dará una pausa en este ámbito de tu vida y después un cambio de rumbo.

Tu situación económica será mejor antes del 23 que después de esta fecha. Urano, tu planeta de la economía, sigue siendo retrógrado. A partir del 24, tus ingresos te exigirán más esfuerzo, pero si te esfuerzas, lo conseguirás.

A partir del 24 vivirás una temporada muy social, pero no tendrá que ver con el amor, sino más bien con las amistades y las actividades en grupo. La vida social de tus hijos o figuras filiales también será muy activa. No les conviene casarse en estos días, aunque se les presente la oportunidad de hacerlo.

El eclipse solar del 25 que ocurrirá en tu undécima casa de los amigos será relativamente suave para ti (pero si tienes un horóscopo personalizado, podría ser poderoso al afectar a puntos sensibles de tu carta astral). Pondrá a prueba tus amistades. Tal vez surjan trastornos y problemas en las organizaciones comerciales o profesionales con las que estás implicado. Puede haber dramas en la vida de tus amigos, quizá pasen por el quirófano o vivan experiencias cercanas a la muerte. Tus jefes, y tus padres o figuras parentales, están haciendo cambios económicos importantes. Al igual que tu cónyuge, pareja o amante actual. Se verán obligados a corregir el rumbo de sus finanzas. Tus hijos o figuras filiales se están enfrentando a dramas sentimentales. Una relación de pareja está atravesando momentos difíciles.

Noviembre

Mejores días en general: 7, 8, 17, 18, 26, 27
Días menos favorables en general: 5, 6, 12, 13, 19, 20
Mejores días para el amor: 3, 4, 12, 13, 14, 23, 24
Mejores días para el dinero: 1, 2, 4, 7, 8, 14, 17, 18, 23, 26, 27, 28, 29
Mejores días para la profesión: 3, 4, 13, 19, 20, 23, 24

Tu salud es excelente este mes, y el próximo será incluso más fabulosa aún, pero el poderosísimo eclipse lunar del 8 perturbará tu vida y el mundo en general. Será un eclipse total (el más potente de todos), y además afectará a otros tres planetas de tu carta astral: Mercurio, Urano y Venus. Te conviene reducir tu agenda en este periodo. Haz lo que debas hacer, pero deja para más adelante lo que puedas posponer, sobre todo si es una actividad estresante.

Como este eclipse ocurrirá en tu quinta casa de los hijos, repercutirá en tus hijos o figuras filiales. Sentirán el deseo de redefinirse, de cambiar su modo de verse, el concepto que tienen de sí mismos y la imagen que proyectan a los demás. Y como el eclipse también afectará a Venus, les impactará aún con más fuerza. Si no han seguido una dieta saludable, este tipo de eclipse puede traer una depuración del cuerpo. Tal vez parezca una enfermedad, pero no lo será. Es simplemente el cuerpo intentando eliminar las toxinas.

Los efectos sobre Venus, tu planeta de la profesión, indican cambios laborales. Tal vez surjan trastornos en la jerarquía de tu empresa y dramas en la vida de tus jefes o superiores. Y quizá cambien las normas y las regulaciones de tu sector. Tendrás que abordar tu trabajo de otra manera. En ocasiones, puedes llegar a cambiar de profesión.

Uno de tus padres o figura parental está viviendo dramas personales. Otro está haciendo cambios económicos importantes.

Los efectos sobre Urano, tu planeta de la economía, indican que habrá problemas económicos en tu vida. Te obligarán a corregir tu planificación y estrategia financiera. Los acontecimientos del eclipse revelarán en qué sentido tus suposiciones económicas han sido poco realistas.

Cada eclipse lunar pone a prueba tus relaciones. Como nuestros lectores saben, ocurren dos veces al año y a estas alturas ya te has acostumbrado a ellos. En general, sacan los trapos sucios a la luz, los sentimientos reprimidos, para que los afrontemos. Tu cónyuge, pareja o amante actual también se enfrenta a dramas en su vida y esto puede causaros problemas en la relación. Le conviene reducir sus actividades.

Los efectos sobre Mercurio, tu planeta de la salud, podrían causarte algún que otro susto en este sentido. Pero como tu salud es ahora excelente, lo más probable es que no vaya a más. Sin embargo, te verás obligado a hacer cambios importantes en tu programa de salud en los próximos meses. Una buena parte de estos cambios son muy normales. Somos seres que evolucionamos. Y tenemos que adaptar nuestro programa de salud a lo largo de la vida. Es posible que cambies de trabajo en tu compañía actual o que te contraten en otra nueva. Como Mercurio rige también tu novena casa, surgirán trastornos en tu lugar de culto y dramas en la vida de tus líderes religiosos. No es una buena idea viajar en estos días. Si no te queda más remedio, programa el viaje antes o después del periodo del eclipse.

Diciembre

Mejores días en general: 4, 5, 6, 14, 15, 16, 23, 24
Días menos favorables en general: 2, 3, 9, 10, 11, 17, 18, 29, 30
Mejores días para el amor: 2, 3, 9, 10, 11, 13, 14, 22, 23, 24
Mejores días para el dinero: 1, 4, 5, 11, 14, 15, 20, 21, 23, 24, 25, 26, 29
Mejores días para la profesión: 2, 3, 14, 17, 18, 23, 24

El 22 de noviembre iniciaste una temporada muy espiritual que durará hasta el 22 de diciembre. Y esto es positivo, ya que la práctica espiritual es quizá la mejor forma de afrontar los trastornos causados por el eclipse. El altruismo y el conocimiento espiritual también te ayudarán en tu profesión. Hacer donaciones benéficas y participar en actividades altruistas es una buena idea, en especial hasta el 10. Venus, tu planeta de la profesión, ingresará en tu signo el 10 y lo ocupará el resto del mes. Es un tránsito venturoso. Te trae oportunidades profesionales sin necesidad de buscarlas. En realidad te buscarán a ti. También le da glamur y estilo a tu imagen.

El Sol ingresará en tu signo el 22 y empezará una de tus temporadas más placenteras del año. Es hora de gozar de tu cuerpo y de los placeres de los sentidos. De mimarte y agradecer el invalorable servicio que te ha estado prestando todos estos años. Tendemos a no valorar el cuerpo. Pero debemos mostrarle nuestro aprecio con regularidad.

El ingreso del Sol en tu primera casa el 22 favorece la pérdida de peso y las dietas depurativas. Por un lado, Venus te anima a darte atracones, y por el otro el Sol te alienta a adelgazar. Yo creo que harás ambas cosas. Comerás en exceso y después te pondrás a dieta, una y otra vez. Pasarás de las comilonas a las dietas para bajar de peso.

Tu salud será buena este mes. Aunque Júpiter forme un aspecto desfavorable en tu carta astral, no bastará para causarte problemas, hay demasiados planetas rápidos contrarrestándolo. Fortalece tu salud con masajes en los muslos hasta el 7. Trabajar los puntos reflejos del hígado también te sentará bien en estos días. Los masajes en la espalda y las rodillas serán buenos para ti a partir del 8. No te olvides además de hacer ejercicio.

Júpiter ingresará en tu cuarta casa el 21 y la ocupará durante mucho tiempo. Este tránsito propicia el aumento del círculo familiar y la adquisición o la venta afortunada de una vivienda. En tu familia reinará la felicidad.

Este mes será próspero, sobre todo a partir del 22. Urano está recibiendo aspectos armoniosos. Aunque ten en cuenta que como sigue siendo retrógrado (es uno de los pocos planetas retrógrados de este mes) se darán retrasos y contratiempos. Pero los ingresos te llegarán.

Acuario

El Aguador
Nacidos entre el 20 de enero y el 18 de febrero

Rasgos generales

ACUARIO DE UN VISTAZO

Elemento: Aire

Planeta regente: Urano
  Planeta de la profesión: Plutón
  Planeta de la salud: la Luna
  Planeta del amor: el Sol
  Planeta del dinero: Neptuno
  Planeta del hogar y la vida familiar: Venus

Colores: Azul eléctrico, gris, azul marino
  Colores que favorecen el amor, el romance y la armonía social:
    Dorado, naranja
  Color que favorece la capacidad de ganar dinero: Verde mar

Piedras: Perla negra, obsidiana, ópalo, zafiro

Metal: Plomo

Aromas: Azalea, gardenia

Modo: Fijo (= estabilidad)

Cualidades más necesarias para el equilibrio: Calidez, sentimiento
  y emoción

Virtudes más fuertes: Gran poder intelectual, capacidad de comunicación y de formar y comprender conceptos abstractos, amor por lo nuevo y vanguardista

Necesidad más profunda: Conocer e introducir lo nuevo

Lo que hay que evitar: Frialdad, rebelión porque sí, ideas fijas

Signos globalmente más compatibles: Géminis, Libra

Signos globalmente más incompatibles: Tauro, Leo, Escorpio

Signo que ofrece más apoyo laboral: Escorpio

Signo que ofrece más apoyo emocional: Tauro

Signo que ofrece más apoyo económico: Piscis

Mejor signo para el matrimonio y/o las asociaciones: Leo

Signo que más apoya en proyectos creativos: Géminis

Mejor signo para pasárselo bien: Géminis

Signos que más apoyan espiritualmente: Libra, Capricornio

Mejor día de la semana: Sábado

La personalidad Acuario

En los nativos de Acuario las facultades intelectuales están tal vez más desarrolladas que en cualquier otro signo del zodiaco. Los Acuario son pensadores claros y científicos; tienen capacidad para la abstracción y para formular leyes, teorías y conceptos claros a partir de multitud de hechos observados. Géminis es bueno para reunir información, pero Acuario lleva esto un paso más adelante, destacando en la interpretación de la información reunida.

Las personas prácticas, hombres y mujeres de mundo, erróneamente consideran poco práctico el pensamiento abstracto. Es cierto que el dominio del pensamiento abstracto nos saca del mundo físico, pero los descubrimientos que se hacen en ese dominio normalmente acaban teniendo enormes consecuencias prácticas. Todos los verdaderos inventos y descubrimientos científicos proceden de este dominio abstracto.

Los Acuario, más abstractos que la mayoría, son idóneos para explorar estas dimensiones. Los que lo han hecho saben que allí hay poco sentimiento o emoción. De hecho, las emociones son un estorbo para funcionar en esas dimensiones; por eso los Acuario a veces parecen fríos e insensibles. No es que no tengan sentimientos ni profundas emociones, sino que un exceso de sentimiento les nublaría la capacidad de pensar e inventar. Los demás signos no pueden tolerar y ni siquiera comprender el concepto de «un exceso de sentimientos». Sin embargo, esta objetividad acuariana es ideal para la ciencia, la comunicación y la amistad.

Los nativos de Acuario son personas amistosas, pero no alardean de ello. Hacen lo que conviene a sus amigos aunque a veces lo hagan sin pasión ni emoción.

Sienten una profunda pasión por la claridad de pensamiento. En segundo lugar, pero relacionada con ella, está su pasión por romper con el sistema establecido y la autoridad tradicional. A los Acuario les encanta esto, porque para ellos la rebelión es como un juego o un desafío fabuloso. Muy a menudo se rebelan simplemente por el placer de hacerlo, independientemente de que la autoridad a la que desafían tenga razón o esté equivocada. Lo correcto y lo equivocado tienen muy poco que ver con sus actos de rebeldía, porque para un verdadero Acuario la autoridad y el poder han de desafiarse por principio.

Allí donde un Capricornio o un Tauro van a pecar por el lado de la tradición y el conservadurismo, un Acuario va a pecar por el lado de lo nuevo. Sin esta virtud es muy dudoso que pudiera hacerse algún progreso en el mundo. Los de mentalidad conservadora lo obstruirían. La originalidad y la invención suponen la capacidad de romper barreras; cada nuevo descubrimiento representa el derribo de un obstáculo o impedimento para el pensamiento. A los Acuario les interesa mucho romper barreras y derribar murallas, científica, social y políticamente. Otros signos del zodiaco, como Capricornio, por ejemplo, también tienen talento científico, pero los nativos de Acuario destacan particularmente en las ciencias sociales y humanidades.

Situación económica

En materia económica, los nativos de Acuario tienden a ser idealistas y humanitarios, hasta el extremo del sacrificio. Normalmente son generosos contribuyentes de causas sociales y políticas. Su modo de contribuir difiere del de un Capricornio o un Tauro. Estos esperarán algún favor o algo a cambio; un Acuario contribuye desinteresadamente.

Los Acuario tienden a ser tan fríos y racionales con el dinero como lo son respecto a la mayoría de las cosas de la vida. El dinero es algo que necesitan y se disponen científicamente a adquirirlo. Nada de alborotos; lo hacen con los métodos más racionales y científicos disponibles.

Para ellos el dinero es particularmente agradable por lo que puede hacer, no por la posición que pueda implicar (como en el caso de otros signos). Los Acuario no son ni grandes gastadores ni tacaños; usan su dinero de manera práctica, por ejemplo, para facilitar su propio progreso, el de sus familiares e incluso el de desconocidos.

No obstante, si desean realizar al máximo su potencial financiero, tendrán que explorar su naturaleza intuitiva. Si sólo siguen sus teorías económicas, o lo que creen teóricamente correcto, pueden sufrir algunas pérdidas y decepciones. Deberían más bien recurrir a su intuición, sin pensar demasiado. Para ellos, la intuición es el atajo hacia el éxito económico.

Profesión e imagen pública

A los Acuario les gusta que se los considere no sólo derribadores de barreras, sino también los transformadores de la sociedad y del mundo. Anhelan ser contemplados bajo esa luz y tener ese papel. También admiran y respetan a las personas que están en esa posición e incluso esperan que sus superiores actúen de esa manera.

Prefieren trabajos que supongan un cierto idealismo, profesiones con base filosófica. Necesitan ser creativos en el trabajo, tener acceso a nuevas técnicas y métodos. Les gusta mantenerse ocupados y disfrutan emprendiendo inmediatamente una tarea, sin pérdida de tiempo. Suelen ser los trabajadores más rápidos y generalmente aportan sugerencias en beneficio de su empresa. También son muy colaboradores con sus compañeros de trabajo y asumen con gusto responsabilidades, prefiriendo esto a recibir órdenes de otros.

Si los nativos de Acuario desean alcanzar sus más elevados objetivos profesionales, han de desarrollar más sensibilidad emocional, sentimientos más profundos y pasión. Han de aprender a reducir el enfoque para fijarlo en lo esencial y a concentrarse más en su tarea. Necesitan «fuego en las venas», una pasión y un deseo arrolladores, para elevarse a la cima. Cuando sientan esta pasión, triunfarán fácilmente en lo que sea que emprendan.

Amor y relaciones

Los Acuario son buenos amigos, pero algo flojos cuando se trata de amor. Evidentemente se enamoran, pero la persona amada tiene la impresión de que es más la mejor amiga que la amante.

Como los Capricornio, los nativos de Acuario son fríos. No son propensos a hacer exhibiciones de pasión ni demostraciones externas de su afecto. De hecho, se sienten incómodos al recibir abrazos o demasiadas caricias de su pareja. Esto no significa que no la amen. La aman, pero lo demuestran de otras maneras. Curiosamente, en sus relaciones suelen atraer justamente lo que les produce incomodidad. Atraen a personas ardientes, apasionadas, románticas y que demuestran sus sentimientos. Tal vez instintivamente saben que esas personas tienen cualidades de las que ellos carecen, y las buscan. En todo caso, al parecer estas relaciones funcionan; la frialdad de Acuario calma a su apasionada pareja, mientras que el fuego de la pasión de esta calienta la sangre fría de Acuario.

Las cualidades que los Acuario necesitan desarrollar en su vida amorosa son la ternura, la generosidad, la pasión y la diversión. Les gustan las relaciones mentales. En eso son excelentes. Si falta el factor intelectual en la relación, se aburrirán o se sentirán insatisfechos muy pronto.

Hogar y vida familiar

En los asuntos familiares y domésticos los Acuario pueden tener la tendencia a ser demasiado inconformistas, inconstantes e inestables. Están tan dispuestos a derribar las barreras de las restricciones familiares como las de otros aspectos de la vida.

Incluso así, son personas muy sociables. Les gusta tener un hogar agradable donde poder recibir y atender a familiares y amigos. Su casa suele estar decorada con muebles modernos y llena de las últimas novedades en aparatos y artilugios, ambiente absolutamente necesario para ellos.

Si su vida de hogar es sana y satisfactoria, los Acuario necesitan inyectarle una dosis de estabilidad, incluso un cierto conservadurismo. Necesitan que por lo menos un sector de su vida sea sólido y estable; este sector suele ser el del hogar y la vida familiar.

Venus, el planeta del amor, rige la cuarta casa solar de Acuario, la del hogar y la familia, lo cual significa que cuando se trata de la familia y de criar a los hijos, no siempre son suficientes las teorías, el pensamiento frío ni el intelecto. Los Acuario necesitan introducir el amor en la ecuación para tener una fabulosa vida doméstica.

Horóscopo para el año 2022*

Principales tendencias

Te conviene vigilar más tu salud y energía este año, ya que dos poderosos planetas lentos —que no hay que tomarse a la ligera—, formarán una alineación desfavorable en tu carta astral el año entero. En realidad, el problema no es este aspecto, sino cuando los planetas rápidos se unan también a la fiesta. Volveremos a este tema más adelante.

Pese a tener menos energía de la habitual, este año te esperan muchas experiencias positivas. Ahora eres sumamente próspero. Tu casa del dinero predomina en tu carta astral. Y el benéfico Júpiter la ocupará además media parte del año. Volveremos a este tema más adelante.

Júpiter ingresará en tu tercera casa el 11 de mayo y la ocupará también medio año. Es un tránsito estupendo para los alumnos de primara o secundaria. Rendirán en los estudios. También es venturoso para los escritores, los periodistas, los profesores, los vendedores y quienes se dedican al marketing. Su economía prosperará este año.

Saturno se encuentra en tu primera casa desde el año pasado (desde el 18 de diciembre de 2020, para ser más exactos). Este aspecto tiene sus ventajas y sus desventajas. El lado positivo es que ahora tienes una actitud seria ante la vida. Indica que te haces

---

* Las previsiones de este libro se basan en el Horóscopo Solar y en todos los signos derivados del mismo: tu signo solar se convierte en el Ascendente, y las casas se numeran a partir de él. Tu horóscopo personal, el trazado concretamente para ti (según la fecha, hora y lugar exactos de tu nacimiento) podría modificar lo que se indica aquí. Joseph Polansky.

responsable de todo, quizá demasiado. Muestra que sabes gestionar y organizar bien las cosas. Pero el lado negativo es que puede hacerte ser demasiado pesimista. Ahora notas mucho tu edad y tus limitaciones físicas. Tiendes a una «seriedad excesiva», y esta actitud puede repercutir en tu matrimonio y en tu vida amorosa. Volveremos a este tema más adelante.

Plutón ya lleva ahora cerca de veinte años en tu duodécima casa. Este aspecto muestra que se está dando una completa transformación en tu vida espiritual. Pero cuando Plutón la abandone en 2024, la peor parte del tránsito habrá quedado atrás.

Urano ya lleva ahora varios años en tu cuarta casa. Este aspecto indica que estás pendiente de tu familia y de la inestabilidad familiar. Tu vida emocional también puede ser muy inestable. Volveremos a este tema más adelante.

Las áreas que más te interesarán este año serán el cuerpo, la imagen y el aspecto personal. La economía. La comunicación y los intereses intelectuales (del 11 de mayo al 29 de octubre, y a partir del 21 de diciembre). Y el hogar, la familia y la espiritualidad.

Lo que más te llenará será la economía (hasta el 11 de mayo, y del 29 de octubre al 21 de diciembre). La comunicación y los intereses intelectuales (del 11 de mayo al 29 de octubre, y a partir del 21 de diciembre). Y el hogar y la familia.

Salud

(Ten en cuenta que se trata de una perspectiva astrológica de la salud, no de una médica. En el pasado, no había ninguna diferencia, ambas eran idénticas, pero en la actualidad podrían diferir mucho. Para obtener un punto de vista médico, consulta a tu médico de cabecera o a un profesional de la salud).

Te conviene vigilar más tu salud este año, como he señalado. Tu sexta casa de la salud no predomina, no es una casa poderosa en tu carta astral, por lo que tenderás a no prestarle atención. A no valorarla. En los años anteriores podías darte este lujo, pero desde el año pasado las cosas han cambiado. Tendrás que procurar cuidarte más.

Como tu nivel de energía es más bajo de lo habitual, tu principal defensa es ahora aumentarlo. Si te sientes cansado, descansa. Si cuando haces ejercicio notas alguna molestia, no te excedas, recupera el aliento y luego sigue adelante. O quizá reduce la intensidad del ejercicio a un grado que te resulte cómodo. Escucha los mensajes de tu cuerpo.

Presta más atención a las siguientes áreas vulnerables de tu carta astral. Como lo más probable es que sea en ellas donde surja algún problema, mantenerlas sanas y en forma es una buena medicina preventiva.

El corazón. Este órgano se volvió importante desde marzo de 2019, cuando Urano empezó a formar un aspecto desfavorable en tu carta astral. Y lo fue más aún el año pasado, cuando Saturno se unió a la fiesta al formar otro aspecto desfavorable. Te sentará bien trabajar sus puntos reflejos. He descubierto que los masajes torácicos —en el esternón y en la parte superior de la caja torácica— fortalecen el corazón. A un nivel más metafísico, evita las preocupaciones y la ansiedad, las dos emociones que lo estresan. Despréndete de las preocupaciones y cultiva la fe. La meditación va de maravilla para ello.

Los tobillos y las pantorrillas. Estas zonas son siempre importantes para los Acuario. Los masajes periódicos en los tobillos y las pantorrillas te vendrán de maravilla. Busca las zonas dolorosas de estas partes del cuerpo y dales un masaje. Incluye este tipo de masajes en tu programa regular de salud. Unos tobillos débiles pueden desalinear la columna y el esqueleto, y causar así todo tipo de problemas adicionales. Cuando hagas ejercicio, protégete los tobillos con una mayor sujeción.

El estómago y los senos. Estas áreas siempre son importantes para los Acuario, ya que la Luna es tu planeta de la salud. Te sentará bien trabajar sus puntos reflejos. Una buena idea es masajear también la parte de arriba del pie. La dieta siempre es importante para ti (por cierto, no lo es para todo el mundo). Como LO que comes es importante, te conviene pedirle a un profesional de la salud que revise tu dieta. Pero CÓMO comes es igual de importante. Procura elevar el acto de comer de un simple apetito animal a un acto de culto. Da las gracias (con tus propias palabras) antes y después de las comidas. Bendice la comida (con tus propias palabras). Si es posible, pon música relajante de fondo mientras comes. Estas prácticas no solo elevan las vibraciones de la comida, sino también las vibraciones de tu cuerpo y tu sistema digestivo. Obtienes lo mejor de la comida que comes y la digieres mejor. Si eres una mujer, te conviene palparte los senos con regularidad para detectar a tiempo cualquier problema que pudiera surgir.

Como la Luna rige tu vida emocional, gozar de una vida emocional saludable es muy importante para ti. Procura que tus emociones y sentimientos sean positivos y felices. Si tienes algún problema de salud (espero que no sea así), recupera la armonía familiar lo antes posible. Meditar a diario te ayudará a mantener un buen estado de ánimo.

La Luna, tu planeta de la salud, es el más rápido del zodíaco. Transita por toda tu carta astral cada mes. De modo que se darán muchas tendencias de corta duración que dependerán de dónde esté la Luna y de los aspectos que reciba. En las previsiones mes a mes hablaré de estas tendencias con más detalle.

Hogar y vida familiar

Tu cuarta casa del hogar y de la familia lleva destacando en tu carta astral desde marzo de 2019, cuando Urano ingresó en ella. Y lo seguirá haciendo varios años más (sobre todo, el próximo). La buena noticia es que ahora estás volcado en tu hogar y tu familia de una forma muy personal. Y esto te asegura el «mejor» panorama posible en esta parcela de tu vida.

Tu situación familiar es sumamente inestable en esta temporada. Han estado ocurriendo muchos dramas y crisis en tu familia. También podrían darse rupturas en el núcleo familiar. Tendrás que estar muy pendiente de tu familia para mantenerla unida.

Ahora experimentas cambios de humor muy extremos, y a los miembros de tu familia también les puede ocurrir. Los que meditéis podréis controlarlos con la meditación, pero el resto tendrá que medicarse.

El problema con estos cambios de humor es que no sabrás cómo tú o los tuyos podéis reaccionar de un momento a otro. Podéis estallar en cualquier instante. Y tendrás que ir con pies de plomo. No es una situación que se pueda prevenir de manera lógica.

Urano en tu cuarta casa indica numerosas mudanzas o reformas en el hogar. Tu casa estará cambiando constantemente. Ya he hablado de este tema en las previsiones de años anteriores, pero esta tendencia se seguirá dando en este. Es como si intentaras hacer realidad el hogar de tus sueños, y cada vez que crees haberlo conseguido, se te ocurre una idea nueva, o tienes una visión nueva, y vuelves a empezar otra vez. Poco a poco te estás acercando a la situación familiar y al hogar con los que sueñas.

Ahora estás muy dedicado a uno de tus padres o figura parental. Pero esta persona se siente agitada e inestable. Le apasiona la libertad y quiere liberarse de cualquier carga o responsabilidad.

Habrá dos eclipses en tu cuarta casa este año. El solar ocurrirá el 30 de abril, y el lunar el 8 de noviembre. Por lo que tu situación familiar será más turbulenta aún. Pero la buena noticia es que los eclipses te obligarán a corregir el rumbo de esta faceta de tu vida.

Es posible que hagas obras o reformas en tu hogar a lo largo del año, pero del 4 de julio al 20 de agosto es un buen momento. Si planeas embellecerlo o adquirir objetos de arte para decorarlo, del 28 de mayo al 23 de junio es un momento excelente.

Uno de tus padres o figura parental viaja de un sitio a otro, tal vez se quede en distintos lugares durante temporadas largas. Pero no es probable que cambie de domicilio. (Aunque no hay tampoco ningún aspecto desfavorable para ello).

Tus hermanos o figuras fraternas prosperan este año. Si se encuentran en edad de concebir, son ahora más fértiles. No es probable que cambien de domicilio.

La vida doméstica y familiar de tus hijos o figuras filiales seguirá siendo la misma, al igual que la de tus nietos (en el caso de tenerlos).

Profesión y situación económica

Como he señalado, este año será muy próspero. Tu casa del dinero además de predominar, contiene al benéfico Júpiter. Este planeta de la abundancia y la expansión, es ahora más benéfico de lo habitual, ya que ocupará tu signo y casa medio año. Además, al sentirse cómodo en Piscis, se vuelve más poderoso aún. Y por si esto fuera poco, también viajará con Neptuno, tu planeta de la economía, una buena parte del año. A finales de año tendrás mucho más dinero del que tenías al inicio.

Júpiter rige tu undécima casa, y este aspecto se puede interpretar de muchas formas. Por un lado, es otra señal de la beneficencia de Júpiter, ya que la undécima casa es benéfica. Pero además indica ganancias procedentes del mundo digital, de las redes sociales y de la alta tecnología. Sea cual sea tu profesión, el mundo digital y tu experiencia tecnológica son ahora importantes. Gastarás más en alta tecnología en esta temporada, pero también te entrarán ingresos de ella. Tus amigos son adinerados y te ofrecen oportunidades económicas. Tus mayores deseos y esperanzas financieros se están haciendo realidad este año. (Y en cuanto te ocurra, lo más probable es que esta situación favorable se repita).

Aparte de la alta tecnología, ahora los sectores que más te atraen son los que tienen que ver con el agua: como las compañías suministradoras de agua, las empresas de embotellado de agua mineral, las compañías depuradoras, las compañías marítimas, los astilleros, las piscifactorías, la industria pesquera, el petróleo, el gas natural y ciertas compañías farmacéuticas (las que elaboran cosméticos o medicamentos potenciadores del estado de ánimo). Son unos trabajos, negocios o inversiones interesantes para ti.

Júpiter ingresará en tu tercera casa el 11 de mayo. Este tránsito hará que renueves tu vehículo o tu equipo de comunicación. También podría ocurrir el próximo año.

Plutón, tu planeta de la profesión, lleva ahora en tu duodécima casa de la espiritualidad cerca de veinte años. Y la seguirá ocupando en este. Pero el próximo año empezará a visitar tu primera casa (ingresará en ella y la abandonará). De modo que se darán cambios laborales en tu vida, y en realidad ya te estás preparando para ellos. Los dos eclipses en tu décima casa de la profesión también te empujarán a llevarlos a cabo. El eclipse lunar del 16 de mayo y el solar del 25 de octubre ocurrirán en tu décima casa de la profesión. Estos cambios serán positivos.

Durante veinte años tu éxito se ha estado gestando entre bastidores, de forma invisible. Pero pronto, en los próximos dos o tres años, será más evidente y todo el mundo lo podrá ver.

Todavía te siguen atrayendo las profesiones altruistas o las que tienen que ver con organizaciones benéficas. Necesitas trabajar en una actividad que sea significativa para ti y para el mundo. En las previsiones de los años anteriores he escrito sobre esta tendencia, y en este año seguirá dándose en tu vida.

Los Acuario nacidos en los primeros días del signo —del 19 al 21 de enero—, notarán la influencia de Plutón incluso ahora. Si es este tu caso, estás adoptando la imagen de una persona exitosa. Y los demás te ven así. Como las oportunidades profesionales te están ahora buscando a ti, no es necesario que hagas nada en especial, aparecerán por sí solas.

Amor y vida social

Tu séptima casa del amor ya lleva años sin destacar, y este año tampoco lo hará. Está prácticamente vacía, solo la visitarán los planetas rápidos y sus efectos serán pasajeros. Tu vida amorosa seguirá siendo la misma. Si no tienes pareja, tenderás a seguir así. Y si mantienes una relación, seguirás con tu pareja. En cierto modo esto es bueno, indica que estás satisfecho con la situación y que no necesitas estar pendiente de esta faceta de tu vida.

Hay otro factor que lo reafirma. Casi todos los planetas lentos (salvo Urano) se encuentran en la mitad oriental de tu carta astral, la del yo. Tu primera casa es poderosa, en cambio la séptima está vacía. Este año te centrarás en «ti». Es el momento para poner en orden tus deseos personales y tus intereses. Para conseguir ser feliz en lugar de complacer a los demás y para hacer valer tu independencia. Este año tú serás lo más importante.

La mitad occidental de tu carta astral, la de la vida social, ganará fuerza en el transcurso del año, pero no llegará a ser la más poderosa. La mitad oriental será la que predominará.

El Sol es tu planeta del amor. Es un planeta de movimiento rápido que transita por todo tu horóscopo cada año. De modo que se darán muchas tendencias amorosas de corta duración que dependerán de dónde esté el Sol y de los aspectos que reciba. En las previsiones mes a mes hablaré de estas tendencias con más detalle.

Los dos eclipses solares de este año (es la cantidad anual habitual) agitarán tu vida amorosa y te obligarán a corregir su rumbo. Uno tendrá lugar el 30 de abril y el otro el 25 de octubre. En las previsiones mes a mes hablaré con más detalle de este tema.

Si es tu primer o segundo matrimonio, o si planeas casarte por primera o segunda vez, tu situación amorosa seguirá siendo la misma. Y si es tu tercer matrimonio o planeas contraerlo pronto, hay buenos aspectos relacionados con el amor en tu carta astral este año. Tu encanto social es ahora extraordinario. Tal vez inicies una relación con una persona adinerada o con alguien involucrado en tu vida económica. Podría tratarse de una «amistad» que acaba siendo algo más.

Tu esfera de las amistades será más activa que tu vida amorosa. Cuando Júpiter ocupe Piscis, tu casa del dinero (hasta el 11 de mayo, y del 29 de octubre al 21 de diciembre), harás amistades y te surgirán oportunidades sociales mientras persigues tus objetivos económicos y te relacionas con personas implicadas en tus finanzas. Del 11 de mayo al 29 de octubre, y a partir del 21 de diciembre, harás amistades en tu barrio y en espacios culturales.

El matrimonio de tus padres o figuras parentales será puesto a prueba en estos días. Si no tienen pareja, no es un buen momento para casarse.

La vida amorosa y social de tus hermanos o figuras fraternas seguirá siendo la misma. Están centrados en «ellos» este año, al igual que tú lo estás en ti.

La vida amorosa y social de tus hijos o figuras filiales será buena este año. Están pendientes de ella y las cosas tenderán a irles bien en este sentido. Ahora les atraen las personas famosas de un alto nivel social, las encumbradas y poderosas. Conocerán a este tipo de personas este año. Tus nietos, en el caso de tenerlos, gozarán de grandes oportunidades amorosas a partir del 11 de mayo. Depende de la edad que tengan. Si son adultos, es posible que inicien una relación seria, e incluso que lleguen a casarse. Y si son más jóvenes, harán amistades nuevas que serán significativas en su vida.

Progreso personal

Como Neptuno, el planeta más espiritual de todos, es tu planeta de la economía, la intuición y las leyes espirituales de la prosperidad han sido siempre importantes para ti. Te interesarán toda la vida. Desde que Neptuno ingresó en Piscis en 2012, cada vez te han atraído más estos temas, como he señalado en las previsiones de años anteriores. Y este año aún te apasionarán más, ya que Júpiter también ingresará en Piscis y viajará con tu planeta de la economía una buena parte del año. Tu intuición financiera será increíble. No solo te ocurrirá este año, sino que descubrirás que muchas de tus intuiciones del pasado fueron acertadas. Te llegará dinero natural, —es decir, ganado de formas naturales, como del trabajo, los padres, el apoyo económico de tu pareja, las inversiones y otros medios similares—, y «dinero milagroso», el que te cae del cielo de formas que nunca habrías imaginado. (Incluso el dinero natural será en el fondo «dinero milagroso», ya que cualquier ganancia proviene del espíritu). Será un año de dinero milagroso. El dinero natural es maravilloso, y debemos agradecerlo, pero el milagroso nos produce mucha más alegría aún.

La mayoría de Acuario ya conocen el tema de la prosperidad espiritual, pero siempre hay más cosas que aprender. Y este es un año para ello. Sabrás, sin duda, que existe un poder superior que se preocupa por ti y que te abastece. Sea lo que sea lo que ocurra en el mundo, o cuánto dinero tengas o no en el banco, este poder superior siempre te abastecerá mientras sigas sus leyes.

Recibirás consejos financieros en sueños, por medio de corazonadas o presentimientos, o a través de videntes, tarotistas, médiums o sacerdotes.

Normalmente eres una persona generosa, pero este año lo serás incluso más todavía. Aunque lo más sensato es serlo de manera proporcional, es decir, dar un cierto porcentaje de tus ingresos. El diezmo es una práctica excelente (ya lleva muchos años siéndolo). Dar de forma proporcional evitará que te entusiasmes demasiado y te excedas en este sentido. Dar abre las puertas espirituales del suministro divino. Encontrarás mucha más información sobre este tema en mi web www.spiritual-stories.com.

Saturno, como he señalado, lleva en tu signo desde el año pasado. Es un gran tránsito en muchos sentidos. Ahora posees una gran capacidad gestora y ejecutora. Y sabes proyectar mejor una buena imagen y mantener tu cuerpo en forma. Eres más disciplinado en este sentido. Es un año excelente para perder peso, en el caso de necesitarlo. Sin embargo, como señalé el año anterior, no es una gran temporada para las relaciones amorosas o sociales, ya que tiendes a ser una persona fría y desapegada por naturaleza. Y en esta temporada es posible que lo seas más aún. Aunque no es algo que hagas a propósito, sino que se debe a la influencia de Saturno. Es como si tomaras un fármaco y sus efectos secundarios fueran estos. Al mostrarte tan frío y distante, los demás se desaniman. Sienten que no pueden salvar el muro del que te has rodeado. Les cuesta acercarse a ti. Pero la buena noticia es que puedes corregir esta situación fácilmente. Proponte irradiar más calidez y amor. Si lo haces a diario, verás que tu vida social mejora.

Previsiones mes a mes

Enero

Mejores días en general: 4, 5, 13, 14, 23, 24, 31
Días menos favorables en general: 11, 12, 18, 19, 25, 26
Mejores días para el amor: 2, 3, 11, 12, 18, 19, 21, 22, 23, 29, 30

Mejores días para el dinero: 6, 7, 16, 17, 25, 26
Mejores días para la profesión: 3, 12, 22, 25, 26, 30

Este mes serás extremadamente próspero y el próximo lo serás
más todavía. Y esta prosperidad te permitirá alcanzar tus intereses
espirituales. Este es el principal titular de enero.

Tu duodécima casa de la espiritualidad está repleta de planetas.
El 60 por ciento de los planetas la ocupan o están transitando por
ella. Es un montón de poder. Tu percepción extrasensorial y tus
facultades espirituales son ahora inusualmente intensas. Estás haciendo progresos espirituales de todo tipo, y cuando ocurren te
dan una alegría inmensa. Es como si te liberaran de una prisión.
Sientes un alivio enorme. Estás viviendo toda clase de experiencias sobrenaturales. Tu vida onírica es probablemente más interesante y apasionante que tu vida cotidiana. Saturno, tu planeta de
la espiritualidad, ya lleva ahora en tu signo más de un año y lo
ocupará todo este año. De ahí que ahora la gente te considere una
persona espiritual, altruista y filantrópica. Has estado recibiendo
enseñanzas espirituales para ayudarte a moldear y poner en forma
tu cuerpo a través de medios espirituales. Lo cierto es que el cuerpo está supeditado al espíritu por completo.

Cuando el Sol ingrese en tu signo el 20, empezará una de tus
temporadas más placenteras del año. Será un buen momento para
disfrutar de los placeres del cuerpo y de los sentidos, para mimarte. También es el momento perfecto para poner en forma tu cuerpo y tu imagen tal como deseas.

El 90 por ciento de los planetas se encuentran en la mitad oriental de tu carta astral este mes. Cuando la Luna la visite del 11 al
26, el 80 por ciento de los planetas estarán en este sector. Es una
temporada de máxima independencia personal. Este mes te centrarás en «ti» y tú serás lo más importante. Es el momento de hacer los cambios necesarios para ser feliz. Más adelante, cuando el
poder planetario cambie a la mitad occidental, te costará más
conseguirlo.

Tu vida amorosa también será feliz este mes. Ahora estás teniendo el amor en tus propios términos. Tu cónyuge, pareja o
amante actual está deseoso de complacerte y eres su prioridad. Si
no tienes pareja, no es necesario que hagas nada para atraer el
amor a tu vida. Dará contigo por sí solo. Simplemente sigue tu
rutina diaria. Antes del 20, las oportunidades amorosas y románticas surgirán en espacios espirituales, como seminarios de medi-

tación o conferencias, grupos espirituales de estudio y actos benéficos o altruistas.

Los demás desearán complacerte en lugar de ser a la inversa.

Febrero

Mejores días en general: 1, 9, 10, 11, 19, 20, 28
Días menos favorables en general: 7, 8, 14, 15, 16, 21, 22, 23
Mejores días para el amor: 1, 7, 8, 9, 10, 14, 15, 16, 17, 18, 22, 23, 27
Mejores días para el dinero: 2, 3, 12, 13, 21, 22, 23
Mejores días para la profesión: 8, 18, 21, 22, 23, 27

La espiritualidad sigue siendo muy importante en tu vida. Aunque tu duodécima casa no predomine tanto como en enero, continúa siendo muy poderosa. Consulta las previsiones de enero, ya que una buena parte de lo que he indicado se sigue aplicando ahora.

Tu salud será excelente este mes. Aunque haya dos planetas lentos formando una alineación desfavorable en tu carta astral, los planetas rápidos la contrarrestan. Fortalece tu salud con los métodos citados en las previsiones de este año. En general, del 1 al 16 te apasionarán más las cuestiones relacionadas con la salud que después del 16. A partir del 16, las dietas depurativas te sentarán de maravilla. Las terapias y los tratamientos para fortalecer el cuerpo serán buenos para ti hasta el 16.

El poder planetario sigue encontrándose en gran parte en la mitad oriental, la del yo. El porcentaje es el mismo que el del mes anterior. Ahora tú eres tu prioridad. Tu iniciativa, tus habilidades personales y tus facultades son lo más importante. Los demás son en estos días los que quieren complacerte en lugar de ocurrir lo contrario. Lo consigues todo a tu propia manera y ahora es lo que debes hacer. Sabes que es lo mejor para ti. Sigue siendo un buen mes para hacer los cambios necesarios para ser feliz. No necesitas consultarlo con los demás.

Seguirá siendo una de tus temporadas más placenteras del año hasta el 18. E incluso puede que se prolongue. Mercurio, el regente de tu quinta casa, ingresará en tu signo el 15 y aligerará un poco las cosas, ya que al llevar Saturno en tu signo más de un año, sueles tener una actitud demasiado seria.

El Sol ingresará en tu casa del dinero el 18 y empezará una de tus mejores temporadas económicas del año. Es posible también que sea el mejor momento de tu vida. (Depende de tu edad). Tus amigos, tus contactos sociales y tu pareja están muy implicados en tus finanzas y te son de utilidad. Tu intuición económica es ahora extraordinaria. Siempre has sido una persona generosa, pero este mes lo serás más aún. El diezmo es una práctica económica excelente para todo el mundo, pero en especial para ti, sobre todo este mes. Tu planeta del amor en tu casa del dinero favorece las oportunidades para montar un negocio con socios o una empresa conjunta. Aunque eres muy independiente en estos días, tu encanto social no te ha abandonado del todo. En especial, en lo que se refiere al mundo de las finanzas. Tu simpatía juega un papel importante en tu economía.

El amor te buscará a ti hasta el 18. No es necesario que hagas nada para encontrarlo, simplemente mantente abierto a él. Si no tienes pareja, encontrarás el amor después del 18, mientras persigues tus objetivos económicos y te relacionas con personas que tienen que ver con tus finanzas.

Marzo

Mejores días en general: 1, 9, 10, 18, 19, 27, 28
Días menos favorables en general: 6, 7, 8, 14, 15, 21, 22
Mejores días para el amor: 2, 3, 9, 11, 12, 14, 15, 18, 19, 23, 27, 28
Mejores días para el dinero: 2, 3, 11, 12, 21, 22, 30, 31
Mejores días para la profesión: 8, 18, 21, 22, 26

TODOS los planetas son directos este mes. Tanto tu ciclo solar personal como el universal son crecientes (están aumentando). Y, además, el Sol ingresará en Aries el 20, el momento inicial del zodiaco en el que más energía tienes. Esta coyuntura transmite un claro mensaje. Es el momento (sobre todo después del 20) para iniciar cualquier proyecto que tengas en mente o para lanzar al mercado cualquier producto nuevo. Tienes un montón de energía cósmica a tu favor.

Todavía es un buen momento, si aún no los has llevado a cabo, para hacer los cambios para ser feliz y sentirte bien. El próximo mes la mitad oriental no será tan poderosa como ahora.

Tu salud sigue siendo excelente este mes, pese a los dos planetas lentos formando aspectos desfavorables en tu carta astral, los planetas rápidos los están contrarrestando. Por buena que sea tu salud, siempre puedes mejorarla con los métodos citados en las previsiones de este año. Te apasionarán más las cuestiones relacionadas con la salud del 2 al 18, cuando tu planeta de la salud esté en fase creciente. Procura fortalecer tu cuerpo en esta temporada. A partir del 19, es un buen momento para las dietas depurativas y adelgazantes (cuando quieres deshacerte de lo que te sobra).

Sigues viviendo una de tus mejores temporadas económicas del año, y del 10 al 20 será incluso mejor que el mes anterior. La prosperidad también se aprecia en tu carta astral de otras formas. La Luna visitará tu casa del dinero dos veces este mes, normalmente lo hace una.

Tanto Marte como Venus ingresarán en tu signo el 6. Venus en tu signo te aporta belleza y encanto social. Marte en tu signo te da energía y dinamismo. Es un tránsito auspicioso, reduce parte del pesimismo que Saturno le da a tu signo.

Tu vida amorosa será feliz este mes. Ahora te atraen las personas acaudaladas. La riqueza te excita. Si no tienes pareja, te saldrán oportunidades amorosas mientras persigues tus objetivos económicos y te relacionas con personas implicadas en tus finanzas. El Sol en tu casa del dinero suele mostrar la oportunidad de montar un negocio con socios o una empresa conjunta. (Si te dedicas a las inversiones, obtendrás ganancias de las fusiones y las adquisiciones).

Tu planeta del amor ingresará en tu tercera casa el 20. Tus actitudes amorosas cambiarán en esta época. Encontrarás el amor cerca de tu hogar, en tu barrio o quizá con algún vecino o vecina. La compatibilidad mental en una relación será muy importante para ti en estos días, lo será mucho más que el dinero. También te atraerán las personas con las que puedas conversar y compartir ideas. A partir del 21, tenderás a ser «alguien que se enamora a primera vista».

Abril

Mejores días en general: 5, 6, 15, 16, 23, 24
Días menos favorables en general: 3, 4, 10, 11, 17, 18, 30
Mejores días para el amor: 1, 2, 8, 10, 11, 17, 18, 20, 21, 22, 25, 26, 27, 30
Mejores días para el dinero: 8, 9, 17, 18, 25, 26, 27
Mejores días para la profesión: 4, 14, 17, 18, 22

Vigila más tu salud a partir del 20. Te conviene fortalecerla con los métodos citados en las previsiones del año. Te apasionarán más las cuestiones relacionadas con la salud del 1 al 16. Es una buena temporada para fortalecer tu cuerpo. Del 16 al 30 es un buen momento para las dietas depurativas y adelgazantes, es decir, para deshacerte de lo que le sobra a tu cuerpo.

Aunque tu energía no esté en su mejor momento, te espera un mes feliz y próspero. Tu casa del dinero sigue siendo muy poderosa. Júpiter y Neptuno la han estado ocupando todo el año, y Venus ingresará en ella el 5. Marte también se unirá a la fiesta el 15. Por lo que en estos días tendrás un gran poder económico. Júpiter viajará con Neptuno, tu planeta de la economía, del 1 al 17, y este tránsito aumentará tus ingresos. Tus amigos también están prosperando en la vida. Venus en tu casa del dinero indica que cuentas con el apoyo de tu familia. Marte en tu casa del dinero muestra ganancias procedentes de escritos, enseñanzas, ventas, marketing y comercio.

El eclipse solar del 30 ocurrirá en tu cuarta casa del hogar y de la familia. Suele generar trastornos o problemas en el entorno familiar. (Por cierto, lo bueno puede ser tan perturbador como lo malo, y ese día ocurrirán cosas buenas en tu familia). Con frecuencia tendrás que hacer reparaciones en el hogar. Tus hermanos o figuras fraternas harán cambios económicos importantes. Tus hijos o figuras filiales vivirán cambios espirituales, les conviene conducir con más precaución en este periodo.

Cada eclipse solar pone a prueba el amor y este no es una excepción. Esta clase de pruebas se dan dos veces al año, y a estas alturas ya sabes manejarlas. En general, el eclipse hace aflorar los sentimientos reprimidos para que los resolvamos. A veces los dramas en la vida de tu pareja pueden afectar vuestra relación. Tal vez se enfrente a cambios profesionales importantes.

Seguirás «enamorándote a primera vista» hasta el 20. Quizá inicies una relación de forma precipitada e impulsiva. Pero no importa, estás siendo intrépido en el amor. El 20 te volverás más conservador en este sentido. Encontrarás el amor cerca de tu hogar. Tu familia y tus contactos familiares serán importantes en el amor en esta fecha.

Mayo

Mejores días en general: 2, 3, 4, 12, 13, 21, 30, 31

Días menos favorables en general: 1, 7, 8, 9, 14, 15, 27, 28
Mejores días para el amor: 7, 8, 9, 10, 11, 16, 17, 20, 30
Mejores días para el dinero: 6, 15, 16, 23, 24, 25
Mejores días para la profesión: 1, 11, 14, 15, 20, 28

Tu casa del dinero no será tan importante este mes, ya que Venus la abandonará el 3, Júpiter el 11, y Marte el 25. Este año está siendo increíblemente próspero. Ya has alcanzado tus objetivos económicos a corto plazo y ahora estás centrado en tus intereses intelectuales: la lectura, el estudio y el aprendizaje. Es un gran mes para los alumnos de primaria o secundaria. Rendirán en los estudios e incluso sacarán matrícula de honor. También lo es para las personas que se dedican a un trabajo intelectual, como los profesores, los escritores, los vendedores y quienes se dedican al marketing. Tu capacidad de comunicación siempre ha sido buena, pero ahora lo será más aún.

El amor seguirá rondando cerca de tu hogar hasta el 21. Socializarás más en el entorno familiar y con los tuyos. Te apetecerá más gozar de una velada tranquila y romántica en casa que salir de noche. La intimidad emocional es ahora tan importante para ti como la física. En realidad, compartir los sentimientos formará parte de tus juegos amorosos.

Aunque esta tendencia cambiará a partir de 22, cuando tu planeta del amor ingrese en tu quinta casa. A partir de esta fecha te atraerán las personas que te lo hacen pasar bien. El amor deberá ser ameno para ti. No tendrás en cuenta las responsabilidades de una relación. Este aspecto planetario favorece más las aventuras amorosas que las relaciones serias.

El eclipse lunar del 16 te afectará con fuerza, sobre todo si has nacido en los últimos días del signo de Acuario (del 12 al 16 de febrero). Te conviene reducir tu agenda en estos días. Este eclipse ocurrirá en tu décima casa de la profesión e indica cambios de empleo. En ocasiones, puede darse un cambio de profesión con esta clase de eclipse, pero no suele ocurrir. Normalmente cambian las reglas del juego. Tal vez tengas que hacer ajustes debido a los cambios en la jerarquía de tu empresa o en tu sector. O quizá cambies de trabajo en tu propia empresa o te contraten en otra. Si te ocupas de las contrataciones, tal vez haya renovación de personal este mes o en los próximos. También podrías tener algún que otro susto relacionado con la salud, ya que la Luna, el planeta eclipsado, es tu planeta de la salud. Pero como tu salud será buena en esta temporada, lo más probable es que el susto no vaya a más. Se darán cambios importantes en tu programa de salud en los próximos meses.

Junio

Mejores días en general: 9, 10, 17, 18, 26, 27
Días menos favorables en general: 4, 5, 11, 12, 23, 24, 25
Mejores días para el amor: 4, 5, 6, 7, 9, 10, 16, 18, 26, 28, 29
Mejores días para el dinero: 2, 3, 4, 12, 13, 19, 20, 21, 29, 30
Mejores días para la profesión: 7, 11, 12, 16, 25

Los estudiantes seguirán rindiendo en los estudios este mes. Están progresando mucho en ellos. Tus hermanos o figuras fraternas y tus vecinos están muy bien dispuestos hacia ti y te traerán buena suerte. También están prosperando. Las personas adineradas de tu vida serán más ricas. Es un buen momento para comprar vehículos nuevos o equipos de comunicación. Te llegarán este tipo de objetos.

Tu salud ha mejorado mucho comparada con el mes anterior, y seguirá mejorando más aún a lo largo de junio. Te conviene fortalecerla con los métodos citados en las previsiones de este año.

Te espera un mes feliz. El 21 de mayo empezó una de tus temporadas más placenteras del año y durará hasta el 21 de junio. Ahora te toca disfrutar de la vida. Aunque la vida te parezca quizá aburrida, busca actividades que te gusten. Además de levantarte el ánimo, hará que muchos problemas desaparezcan por sí solos.

Disfrutar de la vida también es bueno para tu vida amorosa. Las personas a las que les gustas quieren divertirse, pasárselo bien. Últimamente has estado teniendo una actitud demasiado seria. El amor debe ser ameno, pero como el mes anterior, estos aspectos planetarios favorecen más las aventuras amorosas que el matrimonio. La compatibilidad mental en una relación es ahora muy importante para ti. Una buena comunicación —los intercambios de ideas— son una forma de juegos amorosos. Tus actitudes amorosas cambiarán de nuevo a partir del 22. La intimidad emocional será tan importante como la física en esta temporada, quizá sea el preludio a la intimidad física. Te atraerán los terapeutas, los profesionales sanitarios, y quizá las personas implicadas en tu salud. Tus compañeros de trabajo también te atraerán en estos días. Si buscas trabajo, a partir del 22 será una temporada excelente para ello. Tendrás en cuenta los aspectos sociales de los trabajos que te ofrezcan tanto como el sueldo, el horario y los beneficios.

Tu salud será buena este mes, aunque estarás pendiente de ella a partir del 22. Afortunadamente, te fijarás sobre todo en la medicina preventiva y en llevar un estilo de vida saludable. Procura no hacer una montaña de un grano de arena.

Tu economía no es tan próspera como en los cuatro primeros meses del año, pero seguirá siendo buena, sobre todo a partir del 22.

Julio

Mejores días en general: 6, 7, 14, 15, 23, 24
Días menos favorables en general: 1, 2, 8, 9, 21, 22, 28, 29
Mejores días para el amor: 1, 2, 6, 7, 8, 9, 17, 15, 26, 28, 29
Mejores días para el dinero: 1, 2, 9, 10, 11, 16, 17, 18, 19, 27, 28, 29
Mejores días para la profesión: 5, 8, 9, 13, 22

El predominio del poder planetario cambiará a la mitad occidental de tu carta astral el 5. Tu séptima casa del amor, las actividades sociales y los «demás» se volverá poderosa el 23. Ahora te encuentras en una temporada social. Tus talentos y habilidades personales son menos importantes que tu encanto social, tu capacidad para llevarte bien con la gente. Tus habilidades sociales son ahora las que te servirán en la vida cotidiana, tus habilidades personales o tu iniciativa no predominarán. Deja que los demás hagan las cosas a su manera mientras no sean destructivos. Ir a la tuya no es ahora lo más indicado. Lo bueno te llegará de los demás.

Marte ingresará en tu cuarta casa el 5 y la ocupará el resto del mes. Es un buen momento para hacer reformas importantes en el hogar.

(Tal vez te estés planteando construirte una vivienda). Uno de tus hermanos o figura fraterna está prosperando en la vida. Está dedicado a las finanzas. Uno de tus padres o figura parental se muestra impaciente y discutidor. Las pasiones andan desatadas en el hogar.

Vigila más tu salud a partir del 5. Te conviene estar más pendiente de ella este mes. Aunque es una buena señal. Fortalece tu salud con los métodos citados en las previsiones de este año. Asegúrate de descansar bastante.

El Sol, tu planeta del amor, ingresará en tu séptima casa el 23 y empezará una de tus mejores temporadas amorosas y sociales del año. Es un buen tránsito si no tienes pareja, ya que el Sol es poderoso en su propio signo y casa. Tu encanto social y tu magnetismo serán mucho más intensos de lo habitual. Si no tienes pareja, este mes gozarás de oportunidades para mantener una relación seria y comprometida, o para dedicarte a los «placenteros juegos amorosos» y tener aventuras.

Tu economía será buena este mes, pero ten en cuenta que Neptuno, tu planeta de las finanzas, es retrógrado (y lo seguirá siendo muchos meses más). Aunque tu intuición financiera sea excelente, compruébala de todos modos en estos días. El 16 y 17 son una jornadas especialmente venturosas para la economía, tanto tú como tu pareja prosperaréis en la vida. El 30 y 31 será tu pareja la que prosperará, pero también será una buena temporada amorosa y social.

Agosto

Mejores días en general: 2, 3, 11, 12, 20, 21, 29, 30
Días menos favorables en general: 4, 5, 17, 18, 25, 26
Mejores días para el amor: 4, 5, 7, 8, 15, 16, 25, 26
Mejores días para el dinero: 5, 7, 13, 14, 15, 23, 25
Mejores días para la profesión: 1, 4, 5, 10, 18, 28

Marte empezó a viajar con Urano el 31 de julio y seguirá viajando con él el 1 y 2. Este tránsito trae una relación estrecha entre tú y uno de tus hermanos o figura fraterna en tu vida. Tu capacidad de comunicación será extraordinaria en esta temporada. Sin embargo, sé más consciente en el plano físico, sobre todo mientras conduces. Evita las peleas y los enfrentamientos.

Habrá un gran trígono en los signos de tierra este mes. Tal vez los demás no aprecien ahora tu capacidad de comunicación ni tus excelentes ideas. Por lo visto, se fijan más en los aspectos prácticos.

Vigila más tu salud hasta el 23. Quizá sufras algún que otro achaque debido a los aspectos desfavorables de los planetas rápidos, pero no será nada serio. Mientras tanto, descansa todo lo que puedas. Procura programar más masajes o tratamientos naturales cuando te sea posible. Fortalece tu salud con los métodos citados en las previsiones de este año. Notarás una mejoría espectacular el 23.

Seguirás viviendo una de tus mejores temporadas amorosas y sociales del año hasta el 23. No dejes que un excesivo pesimismo apague tu atractivo. La felicidad y la alegría atraerán al amor en tu vida. Puedes ser una persona seria y, al mismo tiempo, mostrarte alegre y optimista.

La actividad retrógrada aumentará este mes. El 40 por ciento de los planetas serán retrógrados, un porcentaje considerable, y después del 24, lo serán el 50 por ciento. El ritmo de la vida bajará. Tanto tú como los demás os mostraréis indecisos. Pero está bien. Es algo natural. Será el clima astrológico de esta temporada.

Tu economía no progresará tanto como el mes anterior. Neptuno, tu planeta de la economía, sigue siendo retrógrado y recibirá aspectos desfavorables a partir del 24. Te entrarán ingresos, pero te costará más obtenerlos y habrá contratiempos y retrasos.

Marte ingresará en tu quinta casa el 20 y la ocupará el resto del año. Tus hijos o figuras filiales serán más belicosos en esta temporada. Estallarán a la menor ocasión. Tal vez se enzarcen en peleas.

Septiembre

Mejores días en general: 7, 8, 16, 17, 26, 27
Días menos favorables en general: 1, 2, 13, 14, 15, 21, 22, 28, 29
Mejores días para el amor: 4, 5, 6, 13, 14, 15, 21, 22, 25, 26
Mejores días para el dinero: 2, 3, 9, 10, 11, 19, 20, 21, 29, 30
Mejores días para la profesión: 1, 2, 10, 18, 28, 29

La actividad retrógrada alcanzará su apogeo este mes. El 60 por ciento de los planetas serán retrógrados a partir del 10. Un porcentaje enorme. La vida parecerá haberse detenido. Es como si no estuviera ocurriendo nada (en el exterior). Reina mucha indecisión tanto a nivel individual como mundial. Estamos esperando al borde de un precipicio. Lo que leemos en los periódicos o vemos en la televisión probablemente no es exacto y es mejor que nos lo tomemos con un cierto escepticismo. Disfruta de la situación y procurar aprovecharla al máximo. Aunque no lo parezca, están sucediendo muchas cosas en las profundidades, aunque no sepamos exactamente de qué se trata. En ocasiones, es necesario retroceder en la vida para poder avanzar.

Como el Sol, tu planeta del amor, nunca es retrógrado, tu vida amorosa sigue progresando. Serás feliz este mes. El Sol forma aspectos armoniosos con Urano, el regente de tu carta astral. Si no tienes pareja, surgirán oportunidades románticas en tu vida. Pero el problema está en ti. No sabes lo que quieres en cuanto al amor. Estás indeciso.

El amor será erótico hasta el 23. Ahora lo que más te atrae es el magnetismo sexual. Surgirán oportunidades amorosas en lugares inusuales y de formas extrañas, como en funerales o tanatorios, o mientras estás en un velatorio o reconfortas a una persona desconsolada. Pero cuando tu planeta del amor ingrese en Libra el 23, esta situación cambiará. El amor ya no será solo sexual, se volverá más romántico. Le darás más importancia a la compatibilidad filosófica en una relación, a compartir una visión similar del mundo. Las oportunidades amorosas surgirán en la universidad o en actos académicos, en tu lugar de culto o en celebraciones religiosas. Las personas de tu lugar de culto harán de Cupido en tu vida. Te atraerán las personas extranjeras en esta temporada, y es posible que conozcas a alguien mientras viajas al extranjero.

Tu pareja, cónyuge o amante actual goza de un mes estupendo en el aspecto económico, pero después del 10 tendrá que ponerle más esfuerzo, ser más diligente antes de tomar decisiones económicas importantes.

Tu salud ha mejorado mucho comparada con el mes anterior, y todavía mejorará más a partir del 24.

Aunque Neptuno, tu planeta de la economía, sea retrógrado, tus finanzas mejorarán después del 23. Antes de esta fecha, tendrás que trabajar más para obtener ingresos y te toparás con dificultades.

Octubre

Mejores días en general: 4, 5, 13, 14, 23, 24
Días menos favorables en general: 11, 12, 18, 19, 25, 26
Mejores días para el amor: 4, 5, 13, 14, 18, 19, 25
Mejores días para el dinero: 6, 7, 8, 9, 17, 18, 26, 27
Mejores días para la profesión: 3, 12, 22, 25, 26

La actividad retrógrada disminuirá notablemente este mes. A finales de octubre solo el 30 por ciento de los planetas serán retrógrados, comparado con el 60 por ciento del mes anterior. Habrá bajado a la mitad. Las cosas empezarán ahora a avanzar. En parte se deberá al eclipse solar del 25 que se llevará por delante los obstáculos.

Tres planetas tendrán además su solsticio este mes. Se detendrán en el firmamento y después cambiarán de sentido, en latitud. Este aspecto también ayudará a desbloquear las cosas. Se dará un cambio de rumbo en distintas facetas de tu vida.

El hemisferio diurno de tu carta astral, aunque no sea el que predomine, se encuentra ahora en su momento más poderoso del año. El hogar, la familia y tu bienestar emocional te siguen interesando mucho, pero ahora puedes estar más pendiente de tu carrera laboral. Aunque no sea un año importante para tu profesión, a partir del 23 empezará una de tus mejores temporadas profesionales del año.

Como el eclipse solar del 25 te afectará con fuerza, te conviene reducir tu agenda en este periodo. Vigila también más tu salud después del 23. Descansa y fortalece tu salud con los métodos citados en las previsiones de este año.

El eclipse solar del 25 ocurrirá en tu décima casa de la profesión e indicará cambios profesionales. No es probable que cambies de profesión, aunque en ocasiones puede ocurrir. Pero tal vez tengas que abordar tu trabajo de otra forma debido a los problemas que puedan surgir en tu empresa o sector. En ocasiones, las regulaciones gubernamentales pueden cambian las normas de tu compañía o sector. A veces los dramas en la vida de tus jefes o de las personas mayores de tu entorno provocarán cambios. Tus padres o figuras parentales se enfrentarán a dramas en su vida.

Cada eclipse solar repercute en tu vida amorosa y este no es una excepción. Tu relación de pareja será puesta a prueba, aunque no significa que acabe en una ruptura. Como estos eclipses ocurren dos veces al año, a estas alturas ya sabes manejarlos. Pero te muestran que ha llegado el momento de afrontar los trapos sucios y las emociones reprimidas. Las buenas relaciones superan estas crisis, pero las defectuosas pueden llegar a romperse. Los problemas también pueden venir a veces de los dramas que tu pareja pueda tener en su vida en esta temporada.

Noviembre

Mejores días en general: 1, 2, 10, 11, 19, 20, 28, 29
Días menos favorables en general: 7, 8, 15, 16, 22, 23
Mejores días para el amor: 3, 4, 13, 14, 15, 16, 23, 24
Mejores días para el dinero: 3, 4, 13, 14, 23, 30
Mejores días para la profesión: 8, 9, 18, 22, 23, 27

Has vivido años mejores en el terreno profesional, y en el futuro también los habrá, pero este mes será tu mejor época del año en este sentido hasta el 22.

El principal titular de noviembre es el eclipse lunar total del 8. Será potente tanto a nivel personal como en el mundo. Te conviene reducir tus actividades en este periodo.

El eclipse ocurrirá en tu cuarta casa del hogar y de la familia, pero también afectará a tres planetas más: Urano, Mercurio y Venus. Surgirán dramas en tu hogar y en la vida de los miembros de tu familia. Habrá diversos enfrentamientos en la familia. Tendrás que hacer reparaciones en tu hogar. Uno de tus padres o figura parental se enfrentarán a dramas en su vida. El eclipse también te afectará a ti. Sentirás la necesidad de redefinirte, de cambiar el concepto que tienes de ti, de actualizarlo y perfeccionarlo. De lo contrario los demás lo harán por ti y no será una experiencia agradable. Este cambio te llevará a cambiar de ropa y aspecto, y también la imagen que muestras a los demás, en los próximos meses. Tu vida onírica será excesivamente activa en esta temporada y no te resultará agradable, pero no le des importancia. No son más que los restos psíquicos procedentes del influjo del eclipse. No es más que esto.

Como el eclipse afectará a Mercurio, también repercutirá en tus hijos o figuras filiales. Les conviene reducir sus actividades en este periodo. Los efectos sobre Mercurio indican encuentros psicológicos con la muerte o experiencias cercanas a la muerte. Tu práctica espiritual (será intensa más adelante en este mes) te ayudará a afrontarlos. El matrimonio o la relación de pareja de tus jefes o de tus padres o figuras parentales, vivirá una crisis. Tus hermanos o figuras fraternas se verán obligados a hacer cambios económicos importantes.

Como la Luna, el planeta eclipsado, es tu planeta de la salud, tal vez tengas algún que otro susto relacionado con la salud. Pero si te ocurre, pide al cabo de diez días una segunda opinión. Los escáneres y las pruebas médicas realizados en el periodo del eclipse a veces son inexactos al estar la energía agitada. Vuélvetelos a hacer. Habrá cambios importantes en tu programa de salud en los próximos meses. También es posible que cambies de trabajo. Si te ocupas de las contrataciones en tu empresa, tal vez haya renovación de personal e inestabilidad en la plantilla.

Seguirás viviendo uno de tus mejores momentos profesionales del año, pero el eclipse hará que tu atención se disperse.

Vigila más tu salud hasta el 22, a partir del 23 notarás una gran mejoría. Fortalece tu salud con los métodos citados en las previsiones de este año.

Diciembre

Mejores días en general: 7, 8, 17, 18, 25, 26
Días menos favorables en general: 4, 5, 6, 12, 13, 19, 20
Mejores días para el amor: 2, 3, 12, 13, 14, 22, 23, 24
Mejores días para el dinero: 1, 10, 11, 20, 21, 27, 28, 29
Mejores días para la profesión: 6, 15, 16, 19, 20, 24

El colosal eclipse del mes anterior debe de haber cambiado ciertas tendencias en el mundo. De pronto, se ha puesto de moda pensar y actuar de un modo «fuera de lo común», traspasar los límites habituales. Hay tres planetas «fuera de límites» este mes (una cantidad muy inusual) en tu carta astral. Marte lleva fuera de límites desde el 24 de octubre, y lo seguirá estando el mes entero. Mercurio estará «fuera de límites» del 1 al 22, y Venus del 2 al 24.

Normalmente cuando un planeta está «fuera de límites» significa que no encontramos las respuestas en nuestro espacio habitual y que tenemos que buscarlas en otra parte, es decir, explorar lo desconocido. Es lo que a ti te está pasando ahora en tu vida religiosa y filosófica, y también con tus gustos intelectuales. Y lo que le está ocurriendo a uno de tus padres o figura parental, a tus hijos o figuras filiales, a uno de tus padres o figura parental con relación a su economía, y a tus hermanos o figuras fraternas. Pero como he señalado, es ahora la tendencia en el mundo.

Tu salud ha mejorado mucho comparada con el mes anterior, y los acontecimientos en el mundo también están progresando. El ritmo de la vida es más rápido. El poder planetario se encuentra ahora en su mayor parte en la mitad oriental de tu carta astral, y la época para «complacer a los demás» ya ha terminado. (Aunque siempre hay que tratarlos respetuosamente). Ahora lo haces todo a tu manera. Corres tu propia carrera. Si necesitas hacer cambios para ser más feliz, llévalos a cabo. Deja que el mundo se adapte a ti en lugar de ser al contrario.

Te espera un mes feliz. El poder planetario se encontrará en tu undécima casa hasta el 22, y es además tu casa favorita. Este poder te empuja a hacer lo que te apasiona: relacionarte con amigos y grupos, estudiar ciencia, astronomía, astrología y tecnología, implicarte en redes de contactos profesionales, y participar en actividades *online*.

Cuando el Sol ingrese en tu duodécima casa de la espiritualidad el 22, tu práctica espiritual se volverá importante. (Lo notarás incluso antes de esta fecha). Tu duodécima casa será casi tan poderosa como a principios de año. Tendrás una vida onírica tremendamente activa que será relevante y significativa para ti. Tu percepción extrasensorial y tus facultades espirituales también serán extraordinarias en estos días. Tu reto será mantener los pies en la tierra.

Tu economía será buena este mes. Gozarás de prosperidad.

Piscis

Los Peces

Nacidos entre el 19 de febrero y el 20 de marzo

Rasgos generales

PISCIS DE UN VISTAZO

Elemento: Agua

Planeta regente: Neptuno
  Planeta de la profesión: Júpiter
  Planeta del amor: Mercurio
  Planeta del dinero: Marte
  Planeta del hogar y la vida familiar: Mercurio

Colores: Verde mar, azul verdoso
  Colores que favorecen el amor, el romance y la armonía social: Tonos ocres, amarillo, amarillo anaranjado
  Colores que favorecen la capacidad de ganar dinero: Rojo, escarlata

Piedra: Diamante blanco

Metal: Estaño

Aroma: Loto

Modo: Mutable (= flexibilidad)

Cualidad más necesaria para el equilibrio: Estructura y capacidad para manejar la forma

Virtudes más fuertes: Poder psíquico, sensibilidad, abnegación, altruismo

Necesidades más profundas: Iluminación espiritual, liberación

Lo que hay que evitar: Escapismo, permanecer con malas compañías, estados de ánimo negativos

Signos globalmente más compatibles: Cáncer, Escorpio

Signos globalmente más incompatibles: Géminis, Virgo, Sagitario

Signo que ofrece más apoyo laboral: Sagitario

Signo que ofrece más apoyo emocional: Géminis

Signo que ofrece más apoyo económico: Aries

Mejor signo para el matrimonio y/o las asociaciones: Virgo

Signo que más apoya en proyectos creativos: Cáncer

Mejor signo para pasárselo bien: Cáncer

Signos que más apoyan espiritualmente: Escorpio, Acuario

Mejor día de la semana: Jueves

La personalidad Piscis

Si los nativos de Piscis tienen una cualidad sobresaliente, esta es su creencia en el lado invisible, espiritual y psíquico de las cosas. Este aspecto de las cosas es tan real para ellos como la dura tierra que pisan, tan real, en efecto, que muchas veces van a pasar por alto los aspectos visibles y tangibles de la realidad para centrarse en los invisibles y supuestamente intangibles.

De todos los signos del zodiaco, Piscis es el que tiene más desarrolladas las cualidades intuitivas y emocionales. Están entregados a vivir mediante su intuición, y a veces eso puede enfurecer a otras personas, sobre todo a las que tienen una orientación material, científica o técnica. Si piensas que el dinero, la posición social o el éxito mundano son los únicos objetivos en la vida, jamás comprenderás a los Piscis.

Los nativos de Piscis son como los peces en un océano infinito de pensamiento y sentimiento. Este océano tiene muchas profundidades, corrientes y subcorrientes. Piscis anhela las aguas más puras, donde sus habitantes son buenos, leales y hermosos, pero a veces se ve empujado hacia profundidades más turbias y malas. Los Piscis saben que ellos no generan pensamientos sino que sólo sintonizan con pensamientos ya existentes; por eso buscan las aguas más puras. Esta capacidad para sintonizar con pensamientos más elevados los inspira artística y musicalmente.

Dado que están tan orientados hacia el espíritu, aunque es posible que muchos de los que forman parte del mundo empresarial lo oculten, vamos a tratar este aspecto con más detalle, porque de otra manera va a ser difícil entender la verdadera personalidad Piscis.

Hay cuatro actitudes básicas del espíritu. Una es el franco escepticismo, que es la actitud de los humanistas seculares. La segunda es una creencia intelectual o emocional por la cual se venera a una figura de Dios muy lejana; esta es la actitud de la mayoría de las personas que van a la iglesia actualmente. La tercera no solamente es una creencia, sino una experiencia espiritual personal; esta es la actitud de algunas personas religiosas que han «vuelto a nacer». La cuarta es una unión real con la divinidad, una participación en el mundo espiritual; esta es la actitud del yoga. Esta cuarta actitud es el deseo más profundo de Piscis, y justamente este signo está especialmente cualificado para hacerlo.

Consciente o inconscientemente, los Piscis buscan esta unión con el mundo espiritual. Su creencia en una realidad superior los hace muy tolerantes y comprensivos con los demás, tal vez demasiado. Hay circunstancias en su vida en que deberían decir «basta, hasta aquí hemos llegado», y estar dispuestos a defender su posición y presentar batalla. Sin embargo, debido a su carácter, cuesta muchísimo que tomen esa actitud.

Básicamente los Piscis desean y aspiran a ser «santos». Lo hacen a su manera y según sus propias reglas. Nadie habrá de tratar de imponer a una persona Piscis su concepto de santidad, porque esta siempre intentará descubrirlo por sí misma.

Situación económica

El dinero generalmente no es muy importante para los Piscis. Desde luego lo necesitan tanto como cualquiera, y muchos consiguen amasar una gran fortuna. Pero el dinero no suele ser su objetivo principal. Hacer las cosas bien, sentirse bien consigo mismos, tener paz mental, aliviar el dolor y el sufrimiento, todo eso es lo que más les importa.

Ganan dinero intuitiva e instintivamente. Siguen sus corazonadas más que su lógica. Tienden a ser generosos y tal vez excesivamente caritativos. Cualquier tipo de desgracia va a mover a un Piscis a dar. Aunque esa es una de sus mayores virtudes, deberían prestar más atención a sus asuntos económicos, y tratar de ser más selectivos con las personas a las que prestan dinero, para que no se aprovechen de ellos. Si dan dinero a instituciones de beneficencia, deberían preocuparse de comprobar que se haga un buen uso de su contribución. Incluso cuando no son ricos gastan dinero en ayudar a los demás. En ese caso habrán de tener cuidado: deben aprender a decir que no a veces y ayudarse a sí mismos primero.

Tal vez el mayor obstáculo para los Piscis en materia económica es su actitud pasiva, de dejar hacer. En general les gusta seguir la corriente de los acontecimientos. En relación a los asuntos económicos, sobre todo, necesitan más agresividad. Es necesario que hagan que las cosas sucedan, que creen su propia riqueza. Una actitud pasiva sólo causa pérdidas de dinero y de oportunidades. Preocuparse por la seguridad económica no genera esa seguridad. Es necesario que los Piscis vayan con tenacidad tras lo que desean.

Profesión e imagen pública

A los nativos de Piscis les gusta que se los considere personas de riqueza espiritual o material, generosas y filántropas, porque ellos admiran lo mismo en los demás. También admiran a las personas dedicadas a empresas a gran escala y les gustaría llegar a dirigir ellos mismos esas grandes empresas. En resumen, les gusta estar conectados con potentes organizaciones que hacen las cosas a lo grande.

Si desean convertir en realidad todo su potencial profesional, tendrán que viajar más, formarse más y aprender más sobre el mundo real. En otras palabras, para llegar a la cima necesitan algo del incansable optimismo de Sagitario.

Debido a su generosidad y su dedicación a los demás, suelen elegir profesiones que les permitan ayudar e influir en la vida de otras personas. Por eso muchos Piscis se hacen médicos, enfermeros, asistentes sociales o educadores. A veces tardan un tiempo en saber lo que realmente desean hacer en su vida profesional, pero una vez que encuentran una profesión que les permite manifestar sus intereses y cualidades, sobresalen en ella.

Amor y relaciones

No es de extrañar que una persona tan espiritual como Piscis desee tener una pareja práctica y terrenal. Los nativos de Piscis prefieren una pareja que sea excelente con los detalles de la vida, porque a ellos esos detalles les disgustan. Buscan esta cualidad tanto en su pareja como en sus colaboradores. Más que nada esto les da la sensación de tener los pies en la tierra.

Como es de suponer, este tipo de relaciones, si bien necesarias, ciertamente van a tener muchos altibajos. Va a haber malentendidos, ya que las dos actitudes son como polos opuestos. Si estás enamorado o enamorada de una persona Piscis, vas a experimentar esas oscilaciones y necesitarás mucha paciencia para ver las cosas estabilizadas. Los Piscis son de humor variable y difíciles de entender. Sólo con el tiempo y la actitud apropiada se podrán conocer sus más íntimos secretos. Sin embargo, descubrirás que vale la pena cabalgar sobre esas olas, porque los Piscis son personas buenas y sensibles que necesitan y les gusta dar afecto y amor.

Cuando están enamorados, les encanta fantasear. Para ellos, la fantasía es el 90 por ciento de la diversión en la relación. Tienden a idealizar a su pareja, lo cual puede ser bueno y malo al mismo tiempo. Es malo en el sentido de que para cualquiera que esté enamorado de una persona Piscis será difícil estar a la altura de sus elevados ideales.

Hogar y vida familiar

En su familia y su vida doméstica, los nativos de Piscis han de resistir la tendencia a relacionarse únicamente movidos por sus sentimientos o estados de ánimo. No es realista esperar que la pareja o los demás familiares sean igualmente intuitivos. Es necesario que haya más comunicación verbal entre Piscis y su familia. Un intercambio de ideas y opiniones tranquilo y sin dejarse llevar por las emociones va a beneficiar a todos.

A algunos Piscis suele gustarles la movilidad y el cambio. Un exceso de estabilidad les parece una limitación de su libertad. Detestan estar encerrados en un mismo lugar para siempre.

El signo de Géminis está en la cuarta casa solar de Piscis, la del hogar y la familia. Esto indica que los Piscis desean y necesitan un ambiente hogareño que favorezca sus intereses intelectuales y mentales. Tienden a tratar a sus vecinos como a su propia familia, o como a parientes. Es posible que algunos tengan una actitud doble hacia el hogar y la familia; por una parte desean contar con el apoyo emocional de su familia, pero por otra, no les gustan las obligaciones, restricciones y deberes que esto supone. Para los Piscis, encontrar el equilibrio es la clave de una vida familiar feliz.

Horóscopo para el año 2022*

Principales tendencias

Te espera un año próspero y feliz, Piscis. Tu salud y energía son también buenas. No hay ningún planeta lento formando una alineación desfavorable en tu carta astral. El resto te son favorables o no te crean ningún problema. Volveremos a este tema más adelante.

Júpiter transitará por tu signo con una inusual brevedad. Pasará unos seis meses en Piscis. Normalmente se queda en un signo de once a doce meses. Aunque lo más probable es que no necesite estar tanto tiempo en él, ya que puede hacer su labor con rapidez. Se alojará en Piscis hasta el 11 de mayo, y del 29 de octubre al 21 de diciembre. Las mujeres en edad de concebir serán inusualmente fértiles en esta temporada. Y a las que han dejado atrás esta etapa les conviene vigilar su peso. La «buena vida» que estás llevando este año podría hacerte engordar.

Será un año próspero. Júpiter en tu signo hasta el 11 de mayo aumenta tu nivel de vida. Al margen del dinero que tengas, vivirás como si tuvieras en realidad más. A partir del 12 de mayo, Júpiter ingresará en tu casa del dinero y la ocupará hasta el 29 de octubre. Y luego volverá a visitarla el 21 de diciembre. Es una señal clásica de prosperidad. Júpiter además de traerte prosperidad y productividad, te ayudará a triunfar en tu profesión. Volveremos a este tema más adelante.

Plutón lleva ahora cerca de veinte años en tu undécima casa y la seguirá ocupando en este, pero se está preparando para abando-

---

* Las previsiones de este libro se basan en el Horóscopo Solar y en todos los signos derivados del mismo: tu signo solar se convierte en el Ascendente, y las casas se numeran a partir de él. Tu horóscopo personal, el trazado concretamente para ti (según la fecha, hora y lugar exactos de tu nacimiento) podría modificar lo que se indica aquí. Joseph Polansky.

narla. Tus amistades han sido objeto de una transformación. Una gran parte se han roto. Y en muchos otros casos, tus amigos han fallecido o han vivido experiencias cercanas a la muerte. Este factor también forma parte de la transformación.

Saturno se encuentra desde 2021 en tu duodécima casa y la seguirá ocupando este año. Este aspecto indica una clase de espiritualidad más realista. No siempre es como hacer «castillos en el aire», aunque a veces lo parezca. La espiritualidad tiene muchas aplicaciones prácticas. Volveremos a este tema más adelante.

Urano lleva ahora varios años en tu tercera casa y la seguirá ocupando algunos más. Este aspecto repercute sobre todo en los alumnos de primaria o secundaria. Tal vez cambien de centro docente. También podría cambiar su plan de estudios o surgir problemas en su escuela.

Marte se quedará más tiempo del usual en tu cuarta casa este año, será a partir del 20 de agosto. (Normalmente, se queda en un signo y una casa un mes y medio, pero en esta ocasión prolongará su estancia). Aunque será el único planeta lento que formará una alineación desfavorable en tu carta astral. Este aspecto indica que tal vez hagas obras o reformas en tu hogar. Volveremos a este tema más adelante.

Las áreas que más te interesarán este año serán el cuerpo, la imagen y el aspecto personal. La economía (del 11 de mayo al 29 de octubre, y a partir del 21 de diciembre). La comunicación y los intereses intelectuales. El hogar y la familia (a partir del 20 de agosto). Los amigos, los grupos y las actividades grupales. Y la espiritualidad.

Lo que más te llenará este año será el cuerpo, la imagen y el aspecto personal (hasta el 11 de mayo, y del 29 de octubre al 21 de diciembre). La economía (del 11 de mayo al 29 de octubre, y a partir del 21 de diciembre). Y la comunicación y los intereses intelectuales.

Salud

(Ten en cuenta que se trata de una perspectiva astrológica de la salud, no de una médica. En el pasado, no había ninguna diferencia, ambas eran idénticas, pero en la actualidad podrían diferir mucho. Para obtener un punto de vista médico, consulta a tu médico de cabecera o a un profesional de la salud).

Como he señalado, tu salud será buena este año. No hay ningún planeta lento formando una alineación desfavorable en tu carta astral (salvo Marte, y solo será a partir del 21 de agosto). El resto forman aspectos armoniosos o no te crean ningún problema. Tu sexta casa vacía (solo la visitarán los planetas rápidos) es otro buen aspecto para la salud. No necesitas estar pendiente de ella. Aunque te conviene prestarle más atención a partir del 21 de agosto.

Los dos eclipses solares de este año te obligarán a cambiar tu programa de salud, pero a estas alturas ya sabes manejarlos. Este año ocurrirán el 30 de abril y el 25 de octubre.

Habrá como es natural temporadas en que tu salud y energía no serán tan excelentes como de costumbre, e incluso puede que sean momentos difíciles para ti. Pero se deberá a los tránsitos de los planetas rápidos y durarán poco, en lugar de ser las tendencias del año. Cuando los dejes atrás, volverás a gozar de tu salud y energía habituales.

Si has estado teniendo algún problema de salud importante, irá a menos este año.

Por buena que sea tu salud, siempre puedes mejorarla. Presta más atención a las siguientes áreas vulnerables de tu carta astral.

El corazón. Este órgano siempre es importante para los Piscis, ya que está regido por el Sol, tu planeta de la salud. Te sentará bien trabajar sus puntos reflejos. Los masajes en el esternón y en la parte superior de la caja torácica también son buenos para fortalecerlo. Como nuestros lectores saben, procura evitar las preocupaciones y la ansiedad, las dos emociones que lo estresan. La meditación también te ayudará a abandonar las preocupaciones y cultivar la fe.

Los pies. Estos son siempre importantes para los Piscis, ya que este signo rige esta parte del cuerpo. Los masajes regulares en los pies te sentarán de maravilla. No solo fortalecen esta zona, sino además el cuerpo entero.

El Sol, tu planeta de la salud, se mueve raudamente. Transitará por toda tu carta astral a lo largo del año. De ahí que se den tantas tendencias de corta duración relacionadas con la salud que dependerán de dónde esté el Sol y de los aspectos que reciba. En las previsiones mes a mes hablaré de estas tendencias con más detalle.

Júpiter estará entrando y saliendo de tu signo del 1 de enero al 29 de octubre. Es también un tránsito favorable, te ofrece todos los placeres del cuerpo y de los cinco sentidos, aunque un exceso de buena vida puede ser un problema. Procura no engordar este año.

Hogar y vida familiar

Tu cuarta casa del hogar y de la familia no predominará a principios del año. Solo la visitarán planetas rápidos y sus efectos serán pasajeros. Tu situación doméstica y familiar seguirá siendo la misma. No es probable que te mudes de lugar. No ocurrirán cambios familiares importantes. Todo seguirá más o menos como el año pasado.

Pero esta situación cambiará el 20 de agosto al ingresar Marte en tu cuarta casa y ocuparla el resto del año. Como he señalado, este aspecto trae reformas importantes en el hogar. Muestra que gastarás más en tu hogar y tu familia. Contarás con el apoyo de los tuyos. Aunque podrían surgir conflictos en el entorno familiar, pues las pasiones andan desatadas. Procura calmarles los ánimos a los miembros de tu familia.

Como Marte es tu planeta de la economía, quizá ahora trabajes desde casa, digitalmente. Tal vez instales un despacho o amplíes el que ya tenías. O quizá montes un negocio en tu hogar. Te dedicarás a tu actividad profesional desde casa.

Marte estableciéndose en tu cuarta casa también indica que tal vez instales un gimnasio en tu hogar, o adquieras aparatos para hacer ejercicio o equipo deportivo.

Mercurio, tu planeta de la familia, es muy raudo. Transita por todos los signos y casas de tu carta astral cada año. (Este año visitará tu undécima casa en dos ocasiones). De ahí que se den tantas tendencias de corta duración relacionadas con la familia que dependerán de dónde esté Mercurio y de los aspectos que reciba. En las previsiones mes a mes hablaré de estas tendencias con más detalle.

Espera hasta el 21 de agosto para hacer obras o reformas importantes en tu hogar (si te lo puedes permitir). Si estás planeando embellecer tu casa —decorarla de nuevo—, del 23 de junio al 18 de julio es un buen momento.

Uno de tus padres o figura parental podría mudarse a otra parte este año. En su profesión le va de maravilla. En el caso de ser una mujer en edad de concebir, podría quedarse embarazada. Por lo visto, es ahora muy fértil.

Tus hermanos o figuras fraternas tenderán al nomadismo en estos días. Quizá se trasladen a distintas partes en numerosas ocasiones. Aunque no se muden definitivamente, podrían vivir en distintos lugares largas temporadas.

Tus hijos o figuras filiales tal vez se han mudado en los últimos años. Pero en este, su situación será la misma. (Dentro de varios años podrían volver a mudarse).

Tus nietos, en el caso de tenerlos, es posible que se hayan mudado de casa el año pasado. Pero no les conviene hacerlo en este. Es mejor que sigan viviendo en el mismo lugar y que hagan un buen uso del espacio.

Profesión y situación económica

Te espera un año próspero, como he señalado. No podrás escapar de tu buena suerte. Júpiter, el planeta del dinero, la abundancia y la expansión, se alojará medio año en Piscis (tu signo), y el resto del año en Aries. Se dice que Júpiter en Piscis se halla «dignificado». Y que en Aries está en una casa «de gozo». Aunque basta con decir que es poderoso en ambos signos. Este aspecto indica la expansión de las ganancias y la llegada de buenas oportunidades económicas. Tus bienes inmuebles también aumentarán de valor en esta temporada.

Como he señalado, mientras Júpiter esté en tu signo llevarás un nivel de vida más alto del habitual. Viajarás, comerás en buenos restaurantes y mimarás tu cuerpo. También vestirás mejor que de costumbre.

Las personas de una jerarquía superior a la tuya, como tus jefes, las personas mayores de tu entorno, tus padres y las figuras de autoridad de tu vida, estarán dedicadas a ti. Si tienes algún problema con el gobierno, es un buen momento para resolverlo. Obtendrás los mejores resultados posibles.

Como Júpiter no solo es el planeta de la riqueza, sino que en tu carta astral es tu planeta de la profesión, surgirán oportunidades lucrativas en tu vida. Ni siquiera necesitarás buscarlas, aparecerán de repente. Tendrás la imagen de una persona triunfadora. Vestirás lujosamente y emanarás esta clase de aura. Los demás te verán así. Serás objeto de admiración.

Tu planeta de la profesión en tu signo indica que al margen del trabajo que desempeñes, tu verdadera misión es tu cuerpo y tu aspecto. Te conviene ponerte en forma y lucir una buena imagen pública. Tu aspecto y tu porte son esenciales para tu éxito profesional.

Cuando Júpiter ingrese en Aries del 11 de mayo al 29 de octubre, y a partir del 21 de diciembre, tus ingresos aumentarán más aún. No solo gozarás de la dedicación y el apoyo de las personas de una jerarquía superior a la tuya, sino que además se mostrarán favorables a tus planes económicos. Este aspecto muestra aumentos salariales de forma directa o indirecta. Tu buena reputación profesional te traerá oportunidades económicas.

Marte, tu planeta de las finanzas, se encuentra «entre» ambos extremos. Es más veloz que los planetas lentos y mucho más lento que los rápidos. El Sol, Mercurio y Venus transitan por tu carta astral cada año, en cambio Marte solo llegará a pasar por seis o siete signos y casas en este tiempo. De modo que se darán muchas tendencias económicas de corta duración que dependerán de dónde esté Marte y de los aspectos que reciba. En las previsiones mes a mes hablaré de estas tendencias con más detalle.

Marte, tu planeta de la economía, se quedará más tiempo del habitual en tu cuarta casa este año. Más de cuatro meses. La ocupará a partir del 20 de agosto. Este aspecto indica lo importante que serán tu familia y tus contactos familiares para tu economía. Favorece como trabajo, negocio o inversión el sector inmobiliario residencial, el sector alimentario, los hoteles, los moteles y las empresas de reparto de comida a domicilio. Al igual que las empresas de telecomunicación, transportes y medios de comunicación, ya que Marte se alojará en Géminis. Si te dedicas a la docencia, la escritura o la compraventa, también será una buena temporada para ti.

Amor y vida social

Tu séptima casa del amor no será poderosa este año. Hace ya muchos años que no lo es. Está en esencia vacía (solo la visitarán los planetas rápidos y sus efectos serán pasajeros). En la mitad occidental de tu carta astral, la de la vida social, no hay además ningún planeta lento. Aunque este sector vaya ganando fuerza en el transcurso del año, no llegará a predominar. La mitad oriental de tu carta astral, la del yo o la independencia personal, es la que predominará todo el año. No será por lo tanto un año social, sino que te dedicarás a poner en forma tu cuerpo, a mejorar tu imagen, y a alcanzar tus deseos personales. A ejercer tu independencia y a seguir tu camino para ser feliz. En cuanto hayas alcanzado estos objetivos, podrá surgir el amor en tu vida.

Tu vida amorosa no cambiará este año. Si no tienes pareja, seguirás así. Y si mantienes una relación, seguirás con tu pareja. Lo cual muestra que estás satisfecho con tu situación actual.

Sin embargo, si surge algún problema en tu relación, será por no haberle prestado la suficiente atención a este ámbito de tu vida. En este caso, te convendrá estar más pendiente de él.

No hay ningún aspecto desfavorable para las relaciones amorosas en tu carta astral. El único problema es ahora tu falta de interés. No sientes la «llama» de la pasión.

Si te encuentras en las primeras, segundas o terceras nupcias, o si estás pensando en celebrarlas, tu vida amorosa seguirá siendo la misma este año. Pero si planeas casarte por cuarta vez, tienes unos aspectos maravillosos en tu carta astral. El amor está al caer.

Mercurio es tu planeta del amor. Y como nuestros lectores saben, es muy raudo. A lo largo del año transita por cada signo y casa de tu carta astral. (Este año visitará tu undécima casa en dos ocasiones). De modo que se darán muchas tendencias de corta duración relacionadas con el amor que dependerán de dónde esté Mercurio y de los aspectos que reciba. En las previsiones mes a mes hablaré de estas tendencias con más detalle.

Tu cónyuge, pareja o amante actual tendrá una vida social muy activa este año. Conocerá a personas significativas y su círculo de amigos aumentará.

El matrimonio de tus padres o figuras parentales atravesará malos momentos a partir del 20 de agosto. No significa que la relación acabe en ruptura, pero vivirán una crisis. Tendrán que esforzarse más en la relación para que les funcione.

El matrimonio de tus hermanos o figuras fraternas pasará por un bache. Si no tienen pareja, no es un buen momento para casarse.

Tus hijos o figuras filiales han estado sufriendo muchos traumas sociales en los últimos veinte años. Tal vez haya habido divorcios. Pero las cosas empezaron a mejorar en 2020. Este año su situación seguirá siendo la misma.

Tus nietos, en el caso de tenerlos, o quienes desempeñan este papel en tu vida, quizá se casen este año o inicien una relación seria. Si son aún jóvenes, este aspecto planetario indica que llevarán una vida social activa y harán nuevas amistades.

Progreso personal

En las relaciones de pareja se dan dos actitudes fundamentales. Una consiste en sentirse uno completo antes de mantener una relación. Este tipo de personas consideran que son las responsables de su propia persona y de su felicidad, y la relación que mantienen fluye de este punto de vista. La otra actitud consiste en que la relación de pareja le hace a uno completo. Uno no es feliz a no ser que tenga pareja. Este tipo de personas creen que si no son egoístas y se ocupan de los demás, serán felices de manera natural. Ambas actitudes pueden ser correctas. En algunas ocasiones una es la correcta, y en otras, lo es la otra. Este año, como en los últimos años, tienes el primer punto de vista. Pon en orden tus asuntos personales. Si aprendes a disfrutar de tu propia compañía, los demás se sentirán a gusto contigo. Siéntete bien en tu propia piel.

Los Piscis son espirituales por naturaleza. Pero ahora que Neptuno ya lleva tantos años en tu signo, esta tendencia es mayor aún. Y como Júpiter también se encuentra en él, todavía es más marcada. Júpiter, como he señalado, es tu planeta de la profesión. Por eso necesitas dedicarte a una ocupación espiritual. Te sientes bien trabajando en causas benéficas. Al igual que con organizaciones espirituales. Otra forma de interpretar estos aspectos astrológicos sería que tu práctica espiritual, tu crecimiento espiritual, ES tu profesión real, la verdadera misión de este año (sobre todo hasta el 11 de mayo, y del 29 de octubre al 15 de diciembre).

Saturno se encuentra en tu duodécima casa de la espiritualidad desde el año anterior. Los Piscis tienden a ser demasiado difusos en las cuestiones espirituales. Les basta con trascender el mundo físico y ser felices. Pero ahora que Saturno se aloja en tu duodécima casa, tienes una actitud más práctica ante la vida. Quieres que tu espiritualidad repercuta en la realidad cotidiana. Que sea organizada y estructurada. Quieres que resuelva problemas del mundo real. (Y así será si se lo permites).

Previsiones mes a mes

Enero

Mejores días en general: 6, 7, 16, 17, 25, 26

Días menos favorables en general: 1, 13, 14, 21, 22, 27, 28
Mejores días para el amor: 2, 3, 4, 5, 11, 12, 13, 14, 21, 22, 23, 29, 30
Mejores días para el dinero: 1, 6, 8, 9, 16, 19, 25, 29
Mejores días para la profesión: 1, 6, 16, 25, 27, 28

Te espera un mes feliz, Piscis, disfrútalo.

Empiezas el año con una salud excelente. Solo Marte forma una alineación desfavorable en tu carta astral, pero el 25 la cambiará por una armoniosa. Y a partir de esta fecha, solo la Luna formará aspectos desfavorables en tu horóscopo, aunque ocasionalmente. Serán pasajeros. Así que ahora tienes un montón de energía para alcanzar lo que te propongas. Por buena que sea tu salud, siempre puedes mejorarla con masajes en la espalda y las rodillas hasta el 20, y con masajes en los tobillos y las pantorrillas a partir del 21.

El poder planetario se encuentra de forma arrolladora en la mitad oriental de tu carta astral, la del yo. Y a lo largo del mes aumentará más todavía. Ahora es una temporada de una gran independencia personal. Tu autoestima y tu confianza están en su mejor momento, y aumentarán más aún en los próximos meses. El mundo tiene que adaptarse a ti en lugar de ser lo contrario. Da los pasos —y haz los cambios— necesarios para ser feliz. Tu felicidad está ahora en tus manos.

Tu undécima casa de los amigos y los grupos será inusualmente poderosa todo el mes. El 50 por ciento, y en ocasiones el 60 por ciento de los planetas, la están ocupando o visitando. Te espera un mes muy social, aunque no tiene que ver con el amor, sino que se refiere simplemente a este aspecto de tu vida. Te relacionarás con los amigos y harás actividades en grupo. Frecuentarás a personas con unos intereses parecidos a los tuyos. Serán unas relaciones más bien platónicas.

No es un mes poderoso en el aspecto amoroso. Como Mercurio, tu planeta del amor, será retrógrado el 14, tu confianza romántica flojeará un poco. Mercurio ocupará Acuario del 2 al 27, y este aspecto también favorece el amor platónico. Es posible que un amigo o una amiga quieran ser más que esto. Te atraerán las personas espirituales inusuales y un tanto rebeldes. Así como los científicos, los inventores, los astrónomos, los astrólogos y los expertos en alta tecnología. Mercurio retrocederá a Capricornio el 27. Serás más cauteloso en el amor (como debe ser) en esta temporada. Tendrás una actitud más tradicional en este aspecto de tu vida.

Tu economía es buena. Júpiter en tu signo indica buena suerte y prosperidad, y en los próximos meses prosperará más aún. Tu planeta de la economía en tu décima casa hasta el 25, muestra la entrada de mayores ingresos y los favores de tus jefes, padres o figuras parentales. Es posible que goces de aumentos salariales y también de otro tipo de beneficios.

Febrero

Mejores días en general: 2, 3, 12, 13, 21, 22, 23
Días menos favorables en general: 9, 10, 11, 17, 18, 24, 25
Mejores días para el amor: 7, 8, 17, 18, 19, 20, 27, 28
Mejores días para el dinero: 2, 3, 5, 6, 7, 8, 12, 13, 17, 18, 21, 22, 26, 27
Mejores días para la profesión: 2, 3, 12, 13, 21, 22, 24, 25

En este mes tu vida social seguirá siendo muy intensa, pero tendrá más bien que ver con los amigos, los grupos y las actividades grupales. Podría llevarte en muchos casos a iniciar una relación con alguien con unos resultados estupendos. Tu undécima casa es aún poderosísima (aunque lo sea menos que el mes anterior), ya que Acuario, el signo que rige los amigos y los grupos, todavía está lleno de planetas.

El Sol ingresará en tu duodécima casa de la espiritualidad el 20 de enero y la ocupará hasta el 18 de febrero. Será por lo tanto una temporada muy espiritual. Sí, es agradable salir con los amigos y hacer actividades en grupo, pero los ratos en soledad también son muy saludables. La soledad es lo mejor para el crecimiento espiritual.

Tu salud es incluso más excelente que el mes anterior. TODOS los planetas (salvo la Luna y solo temporalmente) forman una alineación armoniosa en tu carta astral. El ingreso del Sol en tu signo el 18 aumenta tu buena salud y energía más aún. Tu reto será ahora usar este superávit de energía vital —es como dinero en el banco— de formas sensatas y constructivas. Las personas que se quejan de «falta de energía» no ven que el problema les viene de hacer un mal uso de la que tienen.

El poder planetario se encontrará de forma arrolladora en la mitad oriental de tu carta astral a partir del 18. Al igual que el próximo mes. En esta temporada de máxima independencia personal, es el momento de hacer las cosas a tu manera. Y así debe ser. Tú sabes mejor que nadie lo que te hace feliz. Ahora es el momento de conseguirlo. Haz los cambios necesarios para ser dichoso. El mundo se acomodará a ti en lugar de ser al revés. Tus habilidades, tus capacidades y tu iniciativa son importantes en este momento de tu vida. Estás siendo asertivo de manera positiva.

Marte, tu planeta de la economía, ingresó en Capricornio el 25 de enero y lo ocupará el resto del mes. En este signo está en «exaltación». Es donde más poderoso es. Tu poder adquisitivo está ahora «exaltado». (Además, los tres planetas que ocupan tu signo, incluido el Sol y Júpiter, están aumentando considerablemente tus ingresos). Te espera un mes próspero.

Este mes va de ti. De alcanzar tus deseos personales. Los demás no son ahora tu prioridad. Como el amor y las relaciones sentimentales ocuparán un segundo plano en estos días, tu vida amorosa seguirá siendo la misma.

Marzo

Mejores días en general: 2, 3, 11, 12, 13, 21, 22, 30, 31
Días menos favorables en general: 9, 10, 16, 17, 23, 24
Mejores días para el amor: 1, 9, 11, 12, 16, 17, 18, 19, 22, 27, 28
Mejores días para el dinero: 2, 3, 4, 5, 9, 11, 12, 18, 19, 21, 22, 27, 28, 30, 31
Mejores días para la profesión: 2, 3, 11, 12, 21, 22, 23, 24, 30, 31

Te espera un mes feliz, saludable y próspero, Piscis, disfrútalo.

El mes pasado el Sol ingresó en tu signo el 18 y empezó una de tus temporadas más placenteras del año, y para muchos Piscis tal vez sea la mejor de su vida (depende de tu edad). Durará hasta el 20. Ahora te toca ocuparte de ti, para disfrutar de los placeres del cuerpo y de los cinco sentidos, de las delicias de la carne. Es hora de mimarte y de recompensar a tu cuerpo por el invalorable (y desinteresado) servicio que te ha estado prestando todos estos años. Este mes experimentarás un placer incluso más intenso que en febrero, ya que Mercurio también ingresará en tu signo el 10.

Tu independencia personal supera ahora la del mes pasado. Haz los cambios necesarios para ser feliz. Coge al toro por los cuernos y crea tu propio paraíso. Es un mes (como el anterior) para conseguirlo todo a tu manera. Los demás se adaptarán a ti. Como Mercurio, tu planeta del amor, ocupará tu signo del 10 al 27, incluso el amor será en tus propios términos. Y esto hará que tu vida sentimental mejore en gran medida. El amor te buscará a ti en lugar de ser a la inversa. Si mantienes una relación, tu cónyuge, pareja o amante actual estará muy dedicado a ti y deseará complacerte en todo.

Has sido próspero todo el año, pero este mes lo serás más todavía, ya que el Sol ingresará en tu casa del dinero el 20 y empezará una de tus mejores temporadas económicas del año. (En los próximos meses serás incluso más próspero aún). Gozarás de oportunidades laborales este mes y no será necesario hacer gran cosa para atraerlas. Llegarán por sí solas. Del 4 al 6 serán unos días muy venturosos en este sentido.

Cuando el Sol ingrese en Aries el 20, será tu mayor momento energético inicial del zodíaco. Pero ahora es incluso más fuerte aún. TANTO el ciclo solar cósmico COMO el personal son crecientes —están aumentando— en esta temporada. Y además, y esto también es esencial, TODOS los planetas son directos. Ahora es el momento de iniciar cualquier proyecto que tengas en mente o de lanzar al mercado cualquier producto nuevo. (El próximo mes también será un buen momento). Tendrás el impulso cósmico a tu favor en cualquier cosa que emprendas.

Abril

Mejores días en general: 8, 9, 17, 18, 25, 26
Días menos favorables en general: 5, 6, 13, 14, 19, 20
Mejores días para el amor: 1, 2, 8, 12, 13, 14, 17, 18, 21, 22, 25, 26, 27
Mejores días para el dinero: 1, 2, 5, 6, 8, 9, 17, 18, 25, 26, 27, 28, 29
Mejores días para la profesión: 8, 9, 17, 18, 19, 20, 26, 27

Ahora incluso dispones de más energía aún para iniciar proyectos o lanzar productos nuevos al mercado. Si lo haces del 1 al 16 (cuando la luna sea creciente), será el momento energético más extraordinario que he visto en años.

Te espera un mes sumamente próspero, quizá lo sea incluso más que el anterior. Marte, tu planeta de la economía, ingresará en tu signo el 15. Este tránsito te traerá ganancias inesperadas y oportunidades económicas. Las personas adineradas de tu vida estarán dedicadas a ti. El dinero te andará buscando. Vestirás como una persona próspera en estos días. Y también gastarás e invertirás en ti.

Júpiter viajará con Neptuno, el regente de tu horóscopo, del 1 al 17. Este aspecto no solo aumenta la riqueza, sino que además trae éxito profesional, una buena posición social y oportunidades económicas. Y no hay que olvidar que seguirás viviendo uno de tus mejores momentos económicos del año hasta el 20.

Tu salud continuará siendo excelente el mes entero. El ingreso de Marte en tu signo, además de propiciar una lluvia de ganancias, te da más energía y la actitud de «¡puedo hacerlo!» Destacarás en tu rutina de ejercicios y en tu programa deportivo (en tus marcas personales). Evita las prisas, el ajetreo y el mal genio.

El eclipse solar que tendrá lugar en tu tercera casa el 30 no te afectará con fuerza. (Aunque si lo hace en un punto sensible de tu horóscopo personal —el trazado especialmente para ti—, puede ser muy poderoso). Ocurrirá en tu tercera casa de la comunicación y los intereses intelectuales. Los alumnos de primaria o secundaria se enfrentarán a trastornos en el centro docente y a cambios en el plan de estudios. Te conviene conducir con precaución. Los vehículos y el equipo de comunicación fallarán y a menudo tendrás que repararlos o cambiarlos. El eclipse también afectará a tus hermanos o figuras fraternas. Sentirán el deseo de verse de otra forma, de redefinirse, de cambiar el concepto que tienen de sí mismos y cómo los ven los demás. Cambiarán de ropa, aspecto e imagen en los próximos meses. Como el Sol es tu planeta de la salud y la profesión, esta clase de eclipse podría hacer que tuvieras algún que otro susto relacionado con la salud, quizá los resultados de un escáner, una analítica o un análisis de sangre no sean buenos. Pero como tu salud es excelente, lo más probable es que solo sea un susto y no vaya a más. Sin embargo, habrá cambios en tu programa de salud en los próximos meses. También es probable que se den cambios de empleo, aunque serán para mejor. Tal vez cambies de ocupación en tu empresa o te contraten en otra nueva. Tus hijos o figuras filiales vivirán dramas económicos.

Mayo

Mejores días en general: 5, 6, 14, 15, 23, 24
Días menos favorables en general: 2, 3, 4, 10, 11, 16, 17, 30, 31

Mejores días para el amor: 2, 3, 4, 7, 8, 10, 11, 12, 13, 16, 17, 18, 19, 28

Mejores días para el dinero: 6, 7, 8, 9, 16, 17, 18, 25, 26

Mejores días para la profesión: 6, 16, 17, 25

Será un mes intenso. Júpiter, tu planeta de la profesión, propiciará un ingreso importante en tu casa del dinero el 11. Además, su solsticio durará mucho tiempo, del 12 de mayo al 11 de junio. Júpiter se detendrá en el firmamento —se quedará prácticamente inmóvil— en el mismo grado de latitud, y luego cambiará de sentido. Tu profesión experimentará una pausa renovadora. Y luego cambiará de rumbo. Uno de los cambios importantes será que te importará más el dinero que la posición social o el prestigio en esta temporada. Ya que aunque estas cosas estén bien, tengas la posición social y el prestigio que tengas, te seguirá costando lo mismo viajar en metro o en autobús. Será una temporada de gran prosperidad, el momento del año más fructífero.

El poder planetario está empezando a cambiar ahora, poco a poco, de la mitad oriental a la mitad occidental de tu carta astral, del sector del yo al de los demás. El sector del yo sigue predominando, pero no tanto como lo ha estado haciendo este año. Ahora ya no eres tan independiente como antes.

El eclipse lunar que ocurrirá en tu novena casa el 16 no te afectará con fuerza, pero reduce de todos modos tus actividades. Aunque los demás quizá no tengan tanta suerte como tú. (Ten también en cuenta que si este eclipse afecta algún punto sensible de tu horóscopo —el trazado personalmente para ti—, puede ser muy poderoso). El eclipse afectará a los estudiantes universitarios. Tal vez haya problemas en su facultad y con su currículum. También puede haber trastornos en la jerarquía académica. Con frecuencia se da un cambio de especialización, y a veces los estudiantes cambian de universidad. No es aconsejable viajar en este periodo, sobre todo en el del eclipse. Te cuestionarás tus creencias religiosas, filosóficas y teológicas. Aunque seguramente esto será positivo. Las comprobarás para ver si son ciertas. Descartarás algunas y revisarás y actualizarás otras. Lo más probable es que surjan problemas en tu lugar de culto y en la vida de tus líderes religiosos.

Como la Luna, el planeta eclipsado, rige los hijos, el eclipse repercutirá en ellos. Extrema las precauciones para que no corran ningún peligro. Si son adultos, su relación de pareja atravesará malos momentos. Y si son más jóvenes, tal vez vivan dramas con sus amigos.

Como este eclipse afectará a Saturno, tu planeta de los amigos, estos se enfrentarán a dramas que tal vez les cambien la vida. Tus amistades serán puestas a prueba y quizá tomen otro rumbo. Los aparatos de alta tecnología y los ordenadores también pueden fallar. Con frecuencia tendrás que repararlos o cambiarlos. Navega por Internet de forma segura y no abras e-mails sospechosos.

Junio

Mejores días en general: 1, 2, 3, 11, 12, 19, 20, 28, 29, 30
Días menos favorables en general: 6, 7, 13, 14, 26, 27
Mejores días para el amor: 6, 7, 16, 17, 26, 27
Mejores días para el dinero: 4, 13, 14, 21, 22
Mejores días para la profesión: 4, 13, 14, 21

Vigila más tu salud este mes, aunque seguramente no será más que algún que otro achaque causado por los aspectos desfavorables pasajeros de los planetas rápidos. Como no tendrás tanta energía como en los meses anteriores, descansa bastante. Trabajar los puntos reflejos del corazón te sentará bien. Al igual que los masajes torácicos. La dieta se volverá importante después del 21. Al igual que trabajar los puntos reflejos del estómago y los masajes abdominales. Tu salud y energía mejorarán a partir del 22.

El poder planetario se encuentra ahora en gran parte en la mitad inferior de tu carta astral, en el hemisferio nocturno. Del 70 al 80 por ciento de los planetas la están ocupando. Tu cuarta casa del hogar y de la familia será incluso más poderosa que el mes anterior. Te volcarás en el hogar, la familia y tu bienestar emocional en estos días. (Tu bienestar emocional será también importante para tu salud después del 21). Establecerás los cimientos para triunfar en tu profesión en esta temporada.

Es un mes de progresos psicológicos. Los harás tanto si sigues o no una terapia formal. El pasado aflorará en tu mente. Es bueno considerarlo desde tu estado de conciencia actual.

Tu economía será excelente en junio. Tus dos planetas de las finanzas —Júpiter, el planeta de la abundancia, y Marte, tu planeta de la economía—, ocuparán tu casa del dinero todo el mes. Este aspecto indica ingresos más cuantiosos. Tal vez goces de aumentos salariales. Tu buena reputación profesional te traerá buenas oportunidades económicas. Si tienes algún problema con el gobierno, es un buen momento para resolverlo.

El solsticio de Marte, tu planeta de la economía, durará hasta el 2. (Empezó el 27 de mayo). De modo que se producirá una pausa en tus asuntos económicos y luego un cambio de rumbo. (El solsticio de Júpiter durará hasta el 11). No te angusties por esta larga pausa. Cuando termine te llegará una lluvia de ganancias.

El amor se está enderezando este mes. Mercurio empezará a ser directo el 3. Este aspecto te dará más claridad en el amor. Hasta el 14, si no tienes pareja encontrarás el amor en espacios culturales, como universidades, conferencias, seminarios, librerías y bibliotecas. La compatibilidad intelectual en una relación siempre ha sido importante para ti, pero a partir del 14 necesitarás además gozar de intimidad emocional con tu pareja. También será esencial que tenga unos sólidos valores familiares. Los miembros de tu familia y tus contactos familiares desempeñarán un papel importante en el amor a partir del 14.

Julio

Mejores días en general: 8, 9, 16, 17, 26, 27
Días menos favorables en general: 4, 5, 10, 11, 23, 24, 31
Mejores días para el amor: 4, 5, 6, 7, 8, 16, 17, 15, 26, 28, 29, 31
Mejores días para el dinero: 1, 2, 3, 10, 11, 12, 13, 18, 19, 20, 21, 22, 28, 29
Mejores días para la profesión: 1, 2, 10, 11, 18, 19, 28, 29

Te espera un mes feliz y próspero, Piscis, disfrútalo.

Tu salud ha mejorado espectacularmente comparada con el mes pasado. En junio tenías menos energía. Además, cuando el Sol ingresó en tu quinta casa el 21 del mes anterior, empezó una de tus temporadas más placenteras del año. Este mes estará repleto de diversión. Pasártelo bien, disfrutar de la vida, produce unos efectos asombrosos en la salud. (Existen muchas evidencias anecdóticas sobre ello). Ahora disfrutas de tu trabajo y de tu programa de salud. Sabes cómo amenizarlos.

El poder planetario ha cambiado ligeramente a la mitad occidental de tu carta astral, la de la vida social. En agosto Marte también la ocupará. Pero este hemisferio no llegará a predominar. Sigue siendo una temporada que va de «ti», pero ahora eres más sociable de lo acostumbrado. En cuanto hayas satisfecho tus necesidades, podrás darte el lujo de relacionarte más con los demás.

Mercurio, tu planeta del amor, avanza con presteza y seguridad por el firmamento este mes. Este aspecto indica confianza y alguien que cubre mucho terreno en su vida. También muestra que tus necesidades amorosas cambiarán rápidamente. Hasta el 5, la compatibilidad emocional y mental en una relación seguirá siendo importante para ti. A partir del 6, la compatibilidad intelectual será menos importante y la intimidad emocional será tu prioridad. Además, te atraerán las personas que te hacen pasar un buen rato. Del 5 al 19 no te tomarás el amor demasiado en serio, será más bien una diversión en tu vida. Esta actitud no favorece las relaciones serias y comprometidas. A partir del 20, seguirás buscando pasártelo bien, pero te tomarás las relaciones un poco más en serio. Demostrarás a tu pareja que la quieres echándole una mano de formas prácticas, y así es cómo también te sentirás amado. Te atraerán las personas que te «ayudan» y que te son útiles para tus intereses. A partir del 20, te surgirán oportunidades amorosas en tu lugar de trabajo o mientras persigues tus objetivos relacionados con la salud. También te atraerán las personas implicadas en ella.

Tu salud seguirá siendo excelente este mes, pero estarás muy pendiente de este aspecto a partir del 23. Espero que este interés tuyo tenga que ver con llevar un estilo de vida saludable, ya que puedes fijarte tanto en tu salud que si no tienes cuidado harás una montaña de un grano de arena.

Si buscas trabajo, tendrás unos aspectos planetarios y unas oportunidades laborales excelentes a partir del 23. Y si ya estás trabajando, te saldrán ofertas laborales u oportunidades para hacer horas extras o dedicarte al pluriempleo. Ahora te apetece trabajar. Le pones más tesón y energía.

Agosto

Mejores días en general: 4, 5, 13, 14, 22, 23
Días menos favorables en general: 1, 7, 8, 20, 21, 27, 28
Mejores días para el amor: 1, 4, 5, 15, 25, 26, 27, 28
Mejores días para el dinero: 1, 7, 9, 10, 15, 16, 18, 19, 25, 29
Mejores días para la profesión: 7, 8, 15, 25

Marte ingresó en la mitad occidental de tu carta astral, la de la vida social, el 20. Ahora es el momento más poderoso del año de este sector, pero no es ni de lejos el predominante. Tú sigues siendo lo primero. Solo cedes a lo que te piden los demás cuando te interesa. Será una de tus temporada sociales más poderosas del año, sobre todo a partir del 23. Tu reto consistirá en compaginar tus necesidades con las de los demás. En encontrar un punto medio. Si tienes pareja, estaréis distanciados psicológicamente entre vosotros. Veréis las cosas desde puntos de vista opuestos. Si conseguís salvar vuestras diferencias (y con amor se logra fácilmente), vuestra relación funcionará.

Vigila más tu salud a partir del 23. Pero no te preocupes, no será más que algún que otro achaque debido a los aspectos desfavorables pasajeros de los planetas rápidos. No te angusties si tu tono vital es más bajo de lo habitual. Los masajes torácicos y trabajar los puntos reflejos del corazón será bueno para ti hasta el 23. Los masajes en el bajo vientre y trabajar los puntos reflejos del intestino delgado te sentará bien el resto del mes. Escucha también los mensajes de tu cuerpo y descansa cuando estés cansado.

El 23 empezará uno de tus mejores momentos amorosos y sociales del año. Te atraerán más los profesionales sanitarios y las personas implicadas en tu salud en estos días. Tu lugar de trabajo también será un espacio más social. Los miembros de tu familia y tus contactos familiares intentarán hacer de Cupido del 4 al 26. También socializarás más con los tuyos en esta temporada.

Marte, tu planeta de la economía, hará un ingreso importante en tu cuarta casa del hogar y de la familia el 20. La ocupará el resto del año. Gastarás más en tu hogar y tu familia en este periodo. También contarás con el apoyo de los tuyos. Te entrarán ganancias de tu hogar y de tus contactos familiares. También tenderás a ser muy variable con respecto a las finanzas. Cuando te sientas bien, te parecerá tener el mundo a tus pies y creerás ser rico. Pero cuando te sientas mal, lo verás todo negro y creerás ser pobre. Lo importante es tener una actitud imparcial ante las finanzas. Además, recordarás muchas experiencias del pasado relacionadas con este aspecto de tu vida. Te vendrán a la memoria los errores o los desastres financieros del pasado para que los analices y aprendas de ellos.

La buena noticia es que el gran trígono en los signos de tierra de este mes hará que tengas una actitud práctica ante la vida y un mejor criterio financiero.

Septiembre

Mejores días en general: 1, 2, 9, 10, 18, 19, 20, 28, 29
Días menos favorables en general: 3, 4, 16, 17, 23, 24, 30
Mejores días para el amor: 4, 5, 7, 8, 13, 14, 15, 16, 24, 28, 29
Mejores días para el dinero: 3, 7, 8, 11, 12, 16, 17, 21, 26, 27, 30
Mejores días para la profesión: 3, 4, 11, 21, 30

Aunque sigas siendo muy independiente, ya no lo eres tanto como a principios del año. Es mejor dejar los cambios importantes que necesites hacer para diciembre o incluso para el año que viene.

Sigue siendo una de tus mejores temporadas amorosas y sociales del año. En el pasado hubo otras más extraordinarias, y en el futuro también las habrá. Pero esta temporada será la mejor del año. Como el mes anterior, procura compaginar tus deseos y tendencias personales con las de tu cónyuge, pareja o amante actual. Si lográis salvar vuestras diferencias, la relación os funcionará. El amor se complicará un poco cuando Mercurio, tu planeta del amor, sea retrógrado a partir del 10. Ten paciencia. Esta retrogradación de Mercurio será mucho más poderosa que las anteriores al unirse a la de cinco planetas más. El porcentaje de actividad retrógrada llegará al máximo del año. Y los efectos serán acumulativos. Como Neptuno también será retrógrado el mes entero, ni tú ni tu cónyuge, pareja o amante actual sabréis lo que queréis. Se dará una gran indecisión tanto en ambos como en el mundo.

Vigila más tu salud hasta el 23. Te conviene descansar bastante. Trabajar los puntos reflejos del intestino delgado y los masajes en el bajo vientre también es bueno para ti. Después del 23, fortalece tu salud con masajes en las caderas y por medio de trabajar los puntos reflejos del riñón. Las dietas depurativas te sentarán de maravilla después del 23. Tu salud mejorará de forma espectacular a partir del 24.

El solsticio de Júpiter, tu planeta de la economía, ocurrirá del 8 de septiembre al 16 de octubre. (Al ser un planeta tan lento, sus pausas en el firmamento son más largas). No te angusties si tus actividades profesionales y económicas experimentan una pausa. Será como un gran reinicio que le dará un nuevo rumbo a estas dos facetas de tu vida.

Al ocupar Marte, tu planeta de la economía, tu cuarta casa todo el mes, seguirán dándose muchas de las tendencias de las que he hablado en agosto. Consulta las previsiones del mes anterior.

Tu octava casa se volverá poderosa el 23, a tu cónyuge, pareja o amante actual le espera un buen mes en el terreno económico. Habrá muchos contratiempos y retrasos, pero con todo las ganancias serán excelentes. Aunque el amor se complique tal vez un poco, tu vida sexual será activa.

Ocurrirán dos grandes trígonos este mes, un evento astrológico muy inusual. El de los signos de tierra será la continuación del trígono del mes anterior. Hará que seas práctico y tengas los pies en la tierra. Y a los Piscis esto les hace mucha falta. Tu cónyuge, pareja o amante actual —y tus amigos en general—, serán también más pragmáticos y te ayudarán en este proceso.

El gran trígono en los signos de aire aumentará tu capacidad de comunicación y tus facultades mentales. Te llegarán las ideas y la inspiración de manera natural. Es un buen mes para los profesores, los escritores y las personas que se dedican a actividades intelectuales.

Octubre

Mejores días en general: 7, 16, 17, 25, 26
Días menos favorables en general: 1, 13, 14, 21, 22, 27, 28
Mejores días para el amor: 2, 3, 4, 5, 13, 14, 21, 22, 23, 24, 25
Mejores días para el dinero: 5, 8, 9, 10, 14, 15, 18, 24, 26, 27
Mejores días para la profesión: 1, 8, 9, 18, 26, 27, 28

Te espera un mes saludable y feliz, Piscis. Disfrútalo.

Tres planetas tendrán su solsticio este mes: Venus, Mercurio y Júpiter. Tanto tú como el mundo en general experimentaréis una especie de reinicio. Se dará una pausa y luego un cambio de rumbo. El solsticio de Júpiter durará hasta el 16. Este aspecto indica una pausa en tu profesión. El solsticio de Venus empezó el 30 de septiembre y durará hasta el 3 de octubre. Este aspecto refleja una pausa en tus actividades intelectuales y en la economía de tu cónyuge, pareja o amante actual. El solsticio de Mercurio será del 13 al 16. Este aspecto indica una pausa y luego un reinicio en tu vida amorosa. Todos estos efectos son totalmente naturales y positivos. Es la cantidad de solsticios lo que es inusual.

Marte, tu planeta de la economía, saldrá «fuera de límites» el 24, y lo seguirá estando hasta finales de año. Este aspecto indica que te moverás fuera de tu esfera habitual en lo económico, explorarás otros espacios. Al no encontrar las soluciones en tu lugar habitual, las buscarás fuera.

El eclipse solar del 25 no te afectará con fuerza, pero como he señalado, tal vez las personas de tu entorno no tengan la misma suerte. Te conviene de todos modos reducir tu agenda. (Además, como he indicado, si este eclipse afectara algún punto sensible de tu horóscopo —el trazado especialmente para ti—, podría ser más poderoso. Consulta este tema con tu astrólogo personal).

Este eclipse tendrá lugar en tu novena casa y será el segundo eclipse del año que ocurrirá en ella. Habrá trastornos en tu lugar de culto y dramas en la vida de tus líderes religiosos. Los estudiantes universitarios se enfrentarán a problemas en su facultad y su plan de estudios se modificará. En algunas ocasiones, cambiará simplemente el plan de estudios. Y en otras, cambiarán de universidad. No es aconsejable viajar al extranjero en este periodo. Si no te queda más remedio, procura viajar varios días antes o después del eclipse.

Cada eclipse solar repercute en tu salud y tu trabajo porque el Sol, el planeta eclipsado, rige estos aspectos de tu vida en tu carta astral. Tal vez tengas algún que otro susto relacionado con tu salud, pero como en esencia es buena, lo más probable es que no vaya a más. (Si te ocurriera —si los resultados de una analítica o de un escáner no fueran buenos—, vuélvetelos a hacer a las dos semanas para ver si los resultados han cambiado. O pide una segunda opinión). Se darán cambios importantes en tu programa de salud en los próximos meses. Es posible que cambies de empleo. O que cambien las condiciones de tu lugar de trabajo. Si te ocupas de las contrataciones en tu empresa, habrá renovación de personal en los próximos meses.

Noviembre

Mejores días en general: 3, 4, 12, 13, 22, 23, 30
Días menos favorables en general: 10, 11, 17, 18, 24, 25
Mejores días para el amor: 3, 4, 13, 14, 17, 18, 23, 24, 25
Mejores días para el dinero: 1, 2, 4, 5, 6, 10, 11, 14, 19, 20, 23, 28, 29
Mejores días para la profesión: 4, 14, 23, 24, 25

La actividad retrógrada está bajando incluso más aún que el mes anterior. Los acontecimientos empiezan a progresar (en mi opinión, los eclipses han ayudado a ello).

El potente eclipse lunar del 8 afectará a muchos planetas. Será un eclipse total. Repercutirá en muchos ámbitos de tu vida y del mundo en general. Te conviene reducir tus actividades en este periodo. Las personas sensibles como tú notarán el eclipse dos semanas antes de que ocurra. Pero normalmente el cosmos te enviará un mensaje personal —algún acontecimiento extraño e insólito—, que te indicará que ha empezado el periodo del eclipse para que te lo tomes todo con más calma.

Este eclipse tendrá lugar en tu tercera casa (será el segundo que ocurrirá en ella este año). El del mes pasado afectó a los estudiantes universitarios. Este repercutirá en los alumnos de primaria o secundaria. Habrá trastornos en su centro docente. Su plan de estudios cambiará. En ocasiones, pueden llegar a cambiar de escuela. Es aconsejable conducir con más precaución en este periodo. Los vehículos y el equipo de comunicación pueden fallar. A menudo será necesario repararlos. El eclipse también afectará con fuerza a tus hermanos o figuras fraternas. Sentirán el deseo de redefinirse. De actualizar el concepto que tienen de sí mismos. Cambiarán de vestuario y de imagen en los próximos meses. Adoptarán un aspecto que se ajuste más al nuevo concepto que tienen de sí mismos.

Los efectos del eclipse sobre Urano indican cambios espirituales, es decir, cambios en la práctica, las enseñanzas y los maestros, y también en las actitudes. Será una experiencia positiva, aunque cuando te ocurra no te parecerá agradable. Supondrá una especie de reinicio espiritual. Tus figuras de gurú vivirán dramas en su vida y surgirán trastornos en las organizaciones espirituales o benéficas en las que participas. Tus amigos harán cambios económicos importantes.

Los efectos del eclipse sobre Mercurio pondrán a prueba tu relación actual. Si no tienes pareja, esta clase de eclipse te empujará a desear cambiar tu situación y podría llevarte a contraer matrimonio en el futuro. Ocurrirán dramas en la vida de tu pareja. Y también en tu familia y tu hogar. Es posible que tengas que hacer reparaciones en tu casa.

Durante esta clase de eclipse es bueno recordar que la vida nunca nos da más de lo que podamos afrontar.

Diciembre

Mejores días en general: 1, 9, 10, 11, 19, 20, 27, 28

Días menos favorables en general: 7, 8, 14, 15, 16, 21, 22
Mejores días para el amor: 2, 3, 14, 15, 16, 23, 24
Mejores días para el dinero: 1, 2, 3, 7, 8, 11, 17, 18, 20, 21, 25, 26, 29, 30
Mejores días para la profesión: 1, 11, 20, 21, 22, 29

El mes anterior el Sol ingresó en tu décima casa de la profesión el 22 y empezó una de tus mejores temporadas profesionales del año. Además, Júpiter, tu planeta de la profesión, lleva en tu signo desde el 29 de octubre. Ahora te dedicas sobre todo a tu carrera y sigues gozando de buenas oportunidades profesionales. Júpiter empezó a ser directo el 24 de noviembre y lo seguirá siendo todo el mes. Progresarás en tu profesión. Has impresionado a tus jefes con tu buena ética laboral.

Mercurio, tu planeta del amor, ingresó en tu décima casa el 17 de noviembre y la ocupará hasta el 7 de diciembre. Este aspecto indica muchas cosas. Tus contactos sociales te están ayudando ahora a dar impulso a tu carrera. Cuentas con el gran apoyo de tu familia (y de una figura parental). Tu familia ha subido además de nivel social. La mejor forma de ayudar a los tuyos y a tu pareja es triunfando en la vida.

Vigila más tu salud hasta el 22. Descansa bastante. Fortalece tu salud con los métodos citados en las previsiones de este año. Los masajes en los muslos y trabajar los puntos reflejos del hígado te sentarán bien hasta el 22. A partir del 23, fortalece tu salud con masajes en la espalda y las rodillas. Tu salud mejorará a partir del 23.

Como Marte, tu planeta de la economía, seguirá siendo retrógrado el mes entero, aunque goces de prosperidad te llegará más despacio de lo acostumbrado. Procura ser más perfecto en tus operaciones financieras, gestiona todos los detalles a la perfección. Así minimizarás los retrasos.

Mientras Mercurio ocupe tu décima casa (del 17 de noviembre al 7 de diciembre) te atraerán las personas poderosas de alto nivel social. Pero esto cambiará después del 7, cuando Mercurio ingrese en la undécima. Desearás en esta temporada mantener una relación de igual a igual, equitativa. Querrás que tu pareja sea tanto tu amante como tu amigo o amiga. Mientras Mercurio se aloje en Sagitario (del 17 de noviembre al 7 de diciembre), te enamorarás a primera vista y te lanzarás a una relación precipitadamente. Pero cuando Mercurio se aloje en Capricornio a partir del 7, te lo tomarás con más calma. Serás más precavido en el amor, te gustará poner tu relación a prueba para ver si es real. Te tomarás tu tiempo para enamorarte. Tu vida social será muy activa a partir del 7, pero sobre todo después del 22.

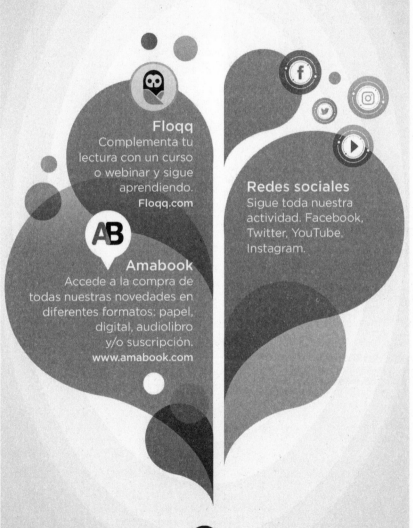